U0126518

當代新編專科目錄述評

林慶彰　主編
袁明嶸　編輯

臺灣 學生書局 印行

編者序

　　數年前，應臺北大學古典文獻學研究所所長王國良教授之邀，在碩士班一年級講授「文史哲工具書研究」的課程，上課時，起先要學生參考張錦郎先生編著的《中文參考用書指引》，但張先生的書已許久未修訂，新出版的工具書都沒收進去。也曾要學生參考謝寶煖的《中文參考資源》（臺北市：文華圖書館管理資訊公司，1986 年 10 月）和吳玉愛的《如何利用中文參考資源》（同上，1997 年 9 月）。這兩冊中文界常用的工具書遺漏太多了，補充起來很辛苦。後來，覺得以學科為主題來統繫工具書，反而更方便初學者，所以邀請年輕學者和研究生編寫了《學術資料的檢索與利用》（臺北市：萬卷樓圖書公司，2003 年 3 月）。書中所收 31 篇論文雖有精粗不一的毛病，但至少給蒐集研究生資料的讀者應急之用，這幾年我一直利用這本書作為上課的教本。

　　講授「文史哲工具書研究」，不能只是老師講，學生聽，也就是不能只是聽說過《四庫全書總目》，至少要常常使用它，甚至批評它。這數年間，一直朝這理想努力。因此，每學期的期末報告，都以某類型的工具書為對象，要求學生作述評。如歷代文學總集、新編專科目錄、新編小說、戲曲叢書等。由我來選題，要求按《學術論文寫作指引》（臺北市：萬卷樓圖書公司，1996 年）所訂的

規範來寫作，期末前三週安排時間口頭發表，再根據大家的建議，撰成文稿，用這種方式完成的論文已很多。我把經過周詳設計的歷代文學總集部分交由萬卷樓出版。書名作《中國歷代文學總集述評》。專科目錄述評部分，交給臺灣學生書局出版，書名作《當代新編專科目錄述評》，即本書。

　　本書所謂「當代」並沒有史學上嚴格的意義，僅是指當下的時代，所謂「新編」，是指這一、二十年間編輯出版的目錄。所謂「專科目錄」，是指為研究某專門學科所編的目錄。學科的範圍有大有小，如「東洋學」、「中國文化」，可視為一專科，其下又分為許多學科，所以像《東洋學文獻類目》、《中國文化研究論文目錄》，可視為專科目錄中的綜合性目錄。近年兩岸新編的專科目錄不少，正表示此一治學的工具逐漸受到重視，這是好現象。但這些專科目錄或因編者文獻學素養不足，或因人力物力的限制，存有不少缺失。有些缺失，一望即知，有些需有人提示，如能透過這些專科目錄的書評，得知哪些專科目錄編得好，哪些編得不好，對學界的研究者來說，也有指引的作用，也可藉這些書評來指導有志於編輯專科目錄的學界人士。至於撰寫這些論文的作者，不必小看這些報告，因為他們已不止是工具書的使用者，且有評論者的身分了。

　　本書收有書評論文 24 篇，13 篇是「文史哲工具書研究」的期末報告，另有 11 篇是從報刊蒐集到新編專科目錄的書評。包括丁原基教授 2 篇、吳福助教授 1 篇、周迅先生 1 篇、徐建華先生 1 篇、憨齋先生 1 篇、林慶彰 4 篇、何淑蘋小姐 1 篇。這 24 篇書評包羅相當廣，涵蓋經學、哲學、歷史、考古、語言文字、文學等學科。各學科的學者想要了解各種專科目錄的優劣，都可以從各篇論

文中得到相關的訊息。

　　本書由袁明嵘學弟負責編輯、校對的工作，謝謝他的辛勞。由報刊蒐集到的書評，維持原出處格式。同學寫作之論文，則統一論文格式。前述本書中收入數位教授、先生的文章，能連絡上的，皆已徵得同意，未連絡上的，仍持續連絡中。由於他們的協助，使本書的內容更加完整，謹致萬分的謝意。

　　　　　　　　　　　　2008 年 9 月　林慶彰　誌於
　　　　　　　　　　　　中央研究院中國文哲研究所

當代新編專科目錄述評

目　次

編者序⋯⋯⋯⋯⋯⋯⋯⋯⋯⋯⋯⋯⋯⋯⋯林慶彰　Ⅰ

【總　論】

《中國文化研究論文目錄》評介⋯⋯⋯⋯⋯林慶彰　1

談《東洋學文獻類目》⋯⋯⋯⋯⋯⋯⋯⋯林慶彰　11

【經　學】

經學研究新方向──評林慶彰教授主編

　　《經學研究論著目錄（1993－1997）》⋯⋯⋯丁原基　17

評《十三經著述考（一）》

　　──兼論《十三經論著目錄》⋯⋯⋯⋯丁原基　27

評《詩經研究文獻目錄》⋯⋯⋯⋯⋯⋯⋯林慶彰　37

評《二十世紀詩經研究文獻目錄》⋯⋯⋯何淑蘋　45

《二十世紀詩經研究文獻目錄》述評⋯⋯莊珮瓴　63

【哲　學】

評《中國哲學史論文索引》⋯⋯⋯⋯⋯⋯林慶彰　75

《兩漢諸子研究論著目錄（1912－1996）》評介⋯⋯⋯黃議萱　83

《魏晉玄學研究論著目錄》評介⋯⋯⋯⋯⋯⋯⋯⋯⋯陳逸軒　103

《朱子研究書目新編（1900－2002）》評介⋯⋯⋯⋯袁明嶸　115

《台灣民間信仰研究書目（增訂版）》評介⋯⋯⋯⋯潘啟川　129

【歷　史】

《戰國秦漢史論文索引》評介⋯⋯⋯⋯⋯⋯⋯⋯⋯⋯吳福助　157

《戰國秦漢史論著索引》（一～三編）述評⋯⋯⋯⋯王桂蘭　163

新方志四十三年回顧

　　——《中國新方志目錄（1949－1992）》析評⋯⋯周　迅　185

評《中國家譜綜合目錄》⋯⋯⋯⋯⋯⋯⋯⋯⋯⋯⋯⋯徐建華　201

【考　古】

《百年甲骨學論著目》述評⋯⋯⋯⋯⋯⋯⋯⋯⋯⋯⋯趙威維　207

《敦煌學研究論著目錄（1908－1997）》述評⋯⋯⋯鄭育如　227

【語言文字】

《中韓訓詁學研究論著目錄初編》述評⋯⋯⋯⋯⋯⋯陳恬逸　243

【文　學】

評《中外六朝文學研究文獻目錄》⋯⋯⋯⋯⋯⋯⋯⋯吳欣潔　265

《香港中國古典文學研究論文目錄（1950－2000）》

　　述評⋯⋯⋯⋯⋯⋯⋯⋯⋯⋯⋯⋯⋯⋯⋯⋯⋯⋯趙威維　283

評《詞學論著總目（1901－1992）》⋯⋯⋯⋯⋯⋯⋯李天賜　299

《湯顯祖研究文獻目錄》評介⋯⋯⋯⋯⋯⋯⋯⋯⋯⋯劉芮伶　315

評《新編增補清末民初小說目錄》⋯⋯⋯⋯⋯⋯⋯⋯憨　齋　333

《中國文化研究論文目錄》評介

林慶彰*

書　　名：《中國文化研究論文目錄》（第一冊）
主　　編：中國文化復興運動推行委員會
編　　者：張錦郎（召集人）、王錫璋、吳碧娟、王國昭
出 版 者：臺北　臺灣商務印書館
出版日期：1982 年 12 月
頁　　數：711 頁

近百年來，國家擾攘不安，問題的癥結，乃在於如何調適文化。經過所謂的中體西用、全盤西化、文化本位等階段的試驗和反省，學者們已體認到唯有植根於傳統，文化才能有正常的發展。既要以傳統文化作為當今文化發展的滋養料，則於傳統文化的傳承與發揚，自應有某種程度的關心。自民國三十八年以來，中共在大陸推行馬列思想，傳統文化已受到空前的浩劫。當今只有臺灣自由地

---

*　　林慶彰，中央研究院中國文哲研究所研究員。

區，能將八千年的文化傳統加以發揚光大❶；則此時此地對於文化傳承的成效如何？實為吾人最應措意的事。

大陸遷臺的三十餘年間，起先由於社會經濟力不足，又缺乏一個發展文化的統籌機構，復興傳統文化的成效並不顯著。自民國五十五年十一月十二日先總統　蔣公在　國父百年誕辰紀念會中，倡導復興中華文化運動，次年七月二十八日成立「中華文化復興運動推行委員會」（簡稱文復會），文化復興的推行，始較有成效。有關研究傳統文化的專著和論文也源源而出，所謂復興文化，也展現無限的曙光。

傳統文化的發揚，雖已順利的進行著，然為確保發展方向的正確，和易於評估成果，以作為將來發展的參考，對於過去數十年的努力，實應有所檢討。檢討的方法很多，或委由小組研究，或開會即席討論，皆無不可。然檢討時必須有資料做根據，始有正確的結論。建立資料的根本方法，乃將這三十年來研究傳統文化的成果，編成一份總目錄。有此一目錄，以前發揚文化的成果如何，及今後應發展的方向，才有軌跡可循。這本《中國文化研究論文目錄》，就是因應這種要求來編的。

本目錄之編輯，由中華文化復興運動推行委員會支付經費，委由國立中央圖書館負責籌畫編輯。由該館閱覽組主任張錦郎先生主持❷，王錫璋、吳碧娟、王國昭等先生共同負責。全書計分六冊，

---

❶　根據最新考古資料，中國歷史文化的源頭已可推至八千年前。此種觀念，劉
　　岱先生主編的《中國文化新論》（臺北：聯經出版事業公司，1981－1982
　　年）一書曾再三強調。

❷　張錦郎先生有十七年編輯目錄索引之經驗，經手編輯之目錄索引有《中華民

第一冊包括　國父思想及先總統蔣公研究、文化與學術、哲學、經
學、圖書目錄學等類；第二冊包括語言文字學、文學兩類；第三冊
歷史一，包括史學、通史、斷代史、考古學、民族民俗學；第四冊
歷史二，包括博物館史、宗教史、科學史、技術史、教育史、社會
史、經濟史、金融財政史、政治史、中外關係史、法制史、軍事
史、新聞傳播史、美術史等十數種專史；第五冊傳記，分通論、總
傳、分傳、譜系等類；第六冊著者索引。每一類又分若干小類，小
類下又有細目，各篇論文著錄有編號、篇名、著譯者、刊名、卷
期、頁次、出版年月等項目。

　　全書涵蓋民國三十五年至六十八年，計三十四年間有關研究中
國文化的論文。收錄範圍，包括期刊、報紙、論文集、學位論文、
行政院國家科學委員會研究報告中有關中國文化研究的單篇論文，
計十二萬餘條。其中，期刊九〇一種，論文八萬餘篇；報紙十五
種，論文三萬二千餘篇；論文集二〇五種，論文三千九百餘篇；學
位論文二千二百餘篇；行政院國科會研究報告一千二百餘篇，可說
是目錄索引書之空前偉構。

　　有關本目錄的特色，及其對學術界的貢獻，劉兆祐師已撰有

國臺灣區公藏中文人文社會科學期刊聯合目錄》（國立中央圖書館）、《中
國近二十年文史哲論文分類索引》（正中書局）、《中央日報近三十年文史
哲論文索引》（自印本）、《中文報紙文史哲論文索引》（正中書局）、
《聯合報縮印本第一輯索引》（聯經出版事業公司）等。有關張先生從事編
輯工作的大概情形，可參考林慶彰撰：〈活在卡片堆裏的人——張錦郎先生
訪問記〉，《書評書目》80 期（1979 年 12 月），頁 87－97。

〈三十年來學術界的智慧結晶——中國文化研究論文目錄〉❸一文詳加討論。茲就筆者所知，再將其優點述之如次：

㈠涵蓋面廣：編論文目錄，涵蓋面越廣，編起來越費事。一般專科目錄，由於收錄的範圍較窄，時間可以涵蓋數十年；至於綜合性目錄，收錄的範圍廣，人力、物力所費甚大，能涵蓋數十年已是大工程。此種綜合性目錄，前有國立北平圖書館索引組編的《國學論文索引》（維新書局影印）、國立中央圖書館編的《中國近二十年文史哲論文分類索引》（正中書局）等。然上述二書所收僅限於期刊或論文集；本目錄除收期刊、論文集外，又兼及報紙、學位論文、國科會研究報告等。此可謂一大創舉。

至於文章的選擇，一般目錄索引皆僅就論文著錄而已，本目錄則兼顧學術性與通俗性，凡涉及中國文化的重要文字，皆儘量予以收列。如期刊兼收通訊、短評、來函更正的短文、補白等；報紙除收錄副刊、特刊外，兼及有關的社論專欄、訪問稿、演講摘要、重要人物逝世消息、追悼回憶文字等。更可貴的還收錄各大專院校的校刊或系刊。由此可知本目錄涵蓋面之廣。而編者認真負責及勇於處事之精神，也可窺知一二。

㈡態度謹嚴：本目錄編輯期間，曾將類目表預先油印，於民國七十年三月十五日邀請劉兆祐師、喬衍琯、黃慶萱、胡楚生、王民信、王國良等數位教授，與編輯人員詳細磋商討論，以求類目之盡善盡美。其後，劉兆祐師、喬衍琯教授、王國良先生等，並參加內容之校訂工作。凡此，皆可見本目錄編輯態度之謹嚴。

---

❸　劉兆祐師之論文，見《中央日報》，12版，民國71年6月29日。

在編輯體例上，也可看出編者的苦心經營。凡論文篇名字義不足顯示其內容者，都在篇名後以括弧加注按語，如陳祖華撰「效法蔣公讀書報國，王雲五建議的兩項紀念構想」（頁 106），編者加注「將中央圖書館更名中正紀念圖書館，開放陽明山官邸」。如此，所謂兩項紀念構想，才可由目錄中見出。又如侯紹文撰「墨經從公的故事」（頁 107），編者加注「蔣中正、曾國藩、晉襄公、唐憲宗」，如此才知道在討論何人。

此外，在頁碼的著錄方面也有不少特色，單篇論文注明由頁幾至頁幾，連續性論文合併為一個條目後，別注其總頁數；至於學位論文，或國科會獎助報告，也注其總頁數。又如書評論文，皆一一查出原書之作者；一篇論文有兩個以上的平行主題時，均作分析片。且於各冊後，皆附有該冊所收期刊、報紙、論文集一覽表，以統計所收之篇數。上述工作皆非常瑣屑，非有過人的耐力，和文化的使命感，實不足以辦此。

㈢分類詳盡：論文目錄太粗，不便於檢索；分類太細，又嫌瑣碎。就本目錄觀之，分類可謂繁簡適中。如第一冊中之「文化與學術類」，分文化、中國文化、中國文化與其他之關係、文化復興、中國近代化問題、文化建設、學術史、學術與知識、國學與漢學九大類。每一類又分數小類，如「中國文化」這一類，又分為：⑴文化史；⑵綜論中國文化；⑶中國文化的特質———一般；⑷中國文化的特質——特定；⑸認識與研究；⑹過去、現在、未來；⑺價值；⑻傳統與現代；⑼從其他觀點看中國文化；⑽民族文化；⑾歷史文化；⑿危機與改造；⒀中國文化之精神；⒁鄉土文化；⒂建設文化；⒃對世界之影響及貢獻；⒄外國人論中國文化；⒅中外文化交

流；⒆中西文化之比較等十九小類。讀者依分類表，很快即可查到
自己所需的論文。

其次，更可由經學類之分類，看出編者之苦心。如詩經一類，
分為通論、篇章各論、歷代詩學、魯齊韓詩四類。通論又分：作
者、詩序、六義、采詩與刪詩、價值、分類研究、史料與名物考
釋、詩韻、語法與修辭、詩經在外國等目。篇章各論依十五國風、
小雅、大雅、頌之順序排列。又如論語、孟子也依論、孟各篇之順
序排列。由此可見編者之態度，及其精細處。因為要將每篇論文查
出其屬於各經之某一篇章，於經書自應有相當程度之認識。本目錄
之編者，能不厭煩碎，一一加以檢索排列，不但給讀者不少方便，
也為目錄的編輯立下了典範。

然由於本目錄涵蓋的時間甚長，收錄的論文又多至十二萬餘
篇，編輯時自難免有欠照顧的地方，茲就已出的第一冊，略作檢
討：

㈠類目有可斟酌者：前述本目錄之類目大體繁簡適中，其中哲
學類有「中國思想史」與「中國哲學史」二類，為了檢索方便，此
二類似可合併。所謂哲學乃西方文化之產物，研究的對象有宇宙
論、形上學、道德哲學、神學、知識論、邏輯等。這一名詞自日本
傳入我國後，由於傳統學術中能與其相應者甚少，有人乃以為中國
沒有哲學，有人則以為傳統的思想也可稱為哲學。此後，哲學一詞
與思想遂逐漸混用，所以「中國哲學史」與「中國思想史」所討論
的對象幾乎完全相同，甚至有稱「哲學思想」者。由於一般人用
「哲學」和「思想」等名詞時，並無嚴格的界限，故研究一思想家
之論文，有稱思想者，也有稱哲學者。如果將以思想稱呼的論文入

思想史；以哲學稱呼的論文入哲學史，恐非最妥當的分類法，倒不如合而為一，可省卻讀者前後翻檢之苦。

其次，圖書目錄學類有「考證」一目，收論文十九篇。明瞭事實真象，必有考證之應用，所以為其特立一目，似嫌未妥。該目所收之論文，大都可派入其他各類，如屈翼鵬師撰〈文字形義的演變與古籍考訂的關係〉，可入語言文字類；胡適撰〈考據學的責任與方法〉、羅炳綿撰〈清代考證學淵源和發展之社會史的觀察〉、項毓烈撰〈論考據與義理〉、余英時撰〈戴震與清代考證學風〉等，皆可入學術史類；屈翼鵬師撰〈產語的著者問題〉、王叔岷與黃得時合撰〈產語的時代〉、梁容若撰〈評神谷正男《產語研究》〉，皆可入日本漢學；薛順雄撰〈漁洋評選書考〉，可入個人著述考。其他各篇也可入相關類目，則「考證」一目，似可略之。

㈡分析片稍欠詳盡：本目錄曾將討論兩個主題以上的論文作分析片，歸入相關各類，用意至佳，然由於此類論文甚多，作分析片時不免有所遺漏，如經學類吳清淋撰〈荀子與書經〉（頁 257）、裴溥言撰〈荀子與詩經〉（頁 279），在荀子一目似皆應有分析片，始合體例。又如王靜芝撰〈詩經與中華文化〉（頁 156）、王樹元撰〈漢石經詩經殘字集證序〉（頁 231），於詩經一目也應有分析片。又如糜文開撰〈孟子與詩經〉（頁 279），也應於孟子一目作分析片。此類情形在本目錄其他各冊可能還會出現。如能再詳加檢查補訂，更能增加本目錄之使用價值。

此外，本目錄各論文皆著錄有篇目代號、篇名、著譯者、刊名、卷期、頁數、出版年月日等，非常詳盡。然有些學位論文，如古國順撰《清代尚書著述考》（頁 258）、賈禮撰《毛詩用韻考》

（頁 268）、劉儀芬撰《國風之修辭》（頁 270）、林義正撰《從公羊學論春秋的王道思想》（頁 588）、孔建國撰《文獻通考經籍考研究》（頁 589）等數十篇，皆無頁數，或恐原書不易見所致。至於因打號碼機操作失誤，所造成的重號，如各國漢學研究（頁 213－220）一類皆是，可謂美中不足。

以上所述本目錄之諸項小缺失，自不足以影響其價值和所呈現的時代意義。筆者祇不過略就所知提出討論，以作為後人編輯各種目錄索引時之參考而已。如就本目錄之編輯與出版來說，筆者以為有下列數項意義：

其一，是圖書館界與學術界合作編書之佳例：圖書館界人士編輯目錄，因學科專業知識所限，對論文的分類有時不甚妥當；學術界人士編目錄，則因缺乏書目索引的專業訓練，往往不便檢索。❹本目錄編輯時，曾邀請學術界人士修訂類目表，並參與校訂之工作。使類目表和各篇論文的分類，能儘量減少失誤，以提高本目錄之實用價值，實為編輯工作上的一大進步。今後各界人士編輯目錄索引，自可援引此例。

其二，呈現近三十年研究中國文化之總成果：本目錄既收集近三十餘年間研究中國文化之論文十二萬餘篇，則此段期間研究中國

---

❹ 如嚴靈峰先生所編《無求備齋論語集成》、《老子集成》、《列子集成》、《莊子集成》（以上皆藝文印書館出版）、《荀子集成》、《易經集成》、《書目類編》（以上皆成文出版社出版）；嚴一萍先生所編《百部叢書集成》、《叢書集成續編》、《叢書集成三編》、（以上皆藝文印書館出版）；周法高先生所編《金文詁林》（香港中文大學）等，書前所附目錄，或書後所附索引，檢索皆不甚方便。

文化之趨勢，亦可由所收之論文略窺一二。如就文化與學術類言
之，有關文化復興之論文有四百餘篇（見頁 162－178），足見此
問題已受全國各界人士普遍的注意。有關知識分子的論文也有近百
篇（頁 206－209），更可見知識分子對於自己在大時代中所扮演
的角色，已有深切的反省。又就經學史一目觀之，仍未受應有的重
視。由此可知，本目錄不但可呈現當代研究中國文化之總成果，更
可窺知研究之趨向。

　　其三，是聲討中共摧殘文化的最佳利器：中共自竊據大陸以
來，刻意摧殘傳統文化，此種倒行逆施，於文化大革命時達到最極
點。其有關研究傳統文化的論文，全套上馬列思想的框框，而以唯
物、唯心的二分法來範圍古人，甚或予以無情的批判。本目錄既足
以代表自由地區傳承中華文化的總成果，自是聲討中共摧殘固有文
化之利器。

　　本目錄所顯示的意義既如此的重大，吾人期盼關心中國文化發
展的全世界人士，都能賜予最大的關心，一方面給全體編輯工作人
員精神上的鼓舞，另方面為中華文化的傳承與發揚，作進一步的肯
定，以為將來的再出發奠基。

　　──原刊於《書目季刊》，第 17 卷第 1 期（1983 年 6
　　月），頁 27－32。

談《東洋學文獻類目》

林慶彰*

書　　名：《東洋學文獻類目》（1934－1987）
編　　者：京都大學人文科學研究所東洋學文獻中心
出 版 者：財團法人人文科學研究協會
出版日期：1935 年－1989 年
冊　　數：43 冊

　　自二十世紀初年以來，漢學研究逐漸發展成一種世界性的學問，除大陸、香港和臺灣本身的研究成果外，日本、韓國、美國、歐洲等地的研究成果，也相當可觀。這些漢學研究的成績，有的出版成專書，有的發表在專門性的期刊，有的輯成論文集。就專書來說，可能由數十年前的數十種到現在的千種；論文則由數百篇，進展到萬餘篇。刊載這些資料的期刊或論文集，也可能由起先的數十種，進展到現在的近千種。資料多，分布又廣，如何在有限的時間內，獲得最豐富、最正確的資訊，這就有待一種涵蓋世界各地區，

*　　林慶彰，中央研究院中國文哲研究所研究員。

兼包各種語言的文獻資料索引來提供訊息了。到目前為止,肩負這一任務的是,已創刊五十八年,且全未間斷過的《東洋學文獻類目》。東洋學的範圍比漢學要廣一點,但就該《類目》這五十多年來的編輯方向,仍是以漢學為主。檢查漢學文獻,仍以該《類目》最受重視。

1929 年,日本利用八國聯軍之役所獲得的庚子賠款,在外務省的協助下,成立了「東方文化學院京都研究所」。當時為蒐集漢學研究資料,於昭和九年(1934)編成《昭和九年度東洋史研究文獻類目》,收錄日本、支那和歐美學者研究東方學的成果。這本《類目》的體例是:⑴分上下欄,採直排,每欄皆由右而左;⑵書前有「收錄雜誌目」,分日本之部、支那之部;⑶論文和專著混合排列。論文部分,各錄其篇名、作者、期刊名、卷期。所收專著分量相當少;⑷書末有人名索引,日本和支那分開排列。⑸歐美文的論著附於全書之後。

往後各年度的《類目》,大抵維持這一體例。昭和十三年(1938),「東方文化學院京都研究所」改名為「東方文化研究所」。次年(1939)8 月,又改名為「京都大學附設人文科學研究所」。當時,由於中日戰爭爆發,雙方戮力應戰,無法專心研究。所以,自昭和十三、十四年度(1938、1939)起,每兩年出一冊。昭和十七、十八年度(1942、1943)的《類目》,卷首有〈昭和十七、八年度の東洋史學界〉一長文。分一般史、歷史地理、社會史、經濟史、政治史、法制史、宗教史、學術思想史、科學史、文學史、美術史、考古學、民族學、書誌學等項,分別請當時著名的學者撰寫。自昭和十九、二十年度(1944、1945)起,將論文、專

著分開排列。昭和二十一年（1946）至二十五年（1950），則合出
一冊。之後，又改為每兩年出一冊。自昭和二十八、二十九年度
（1953、1954）起，每篇論文篇目皆加上起迄頁數。昭和三十二年
（1957）起，又恢復為每年一冊。昭和三十六年度（1961）起，改
名為《東洋學研究文獻類目》。《類目》由昭和九年（1934）創刊
至昭和三十七年度（1962），一直是上下欄直排。這二十九年間，
共出版十八冊，可說是《類目》編輯的第一階段。

　　昭和四十年（1965）京都大學人文科學研究所成立「東洋學文
獻中心」，負責文獻資料的蒐集，並承擔《類目》的編輯工作。該
中心，銜接昭和三十七年度（1962）的《類目》，自昭和三十八年
（1963）編起，將書名改為《東洋學文獻類目》，且內文也由直
排，改為由左而右的橫排。所收論文和單行本，也由昭和三十七年
（1962）本的四三四四條，增至六○二九條。計增加一七八六條，
約增五分之二。至 1980 年度，論文已收一○一三二條，單行本則
有九七七條，合計一一○○九條。可見有關東洋學研究的資料，已
越來越多。用平常的鉛字排印，已無法應付需求。這十八年，共出
版十八冊，可說是《類目》編輯的第二階段。

　　自 1981 年起，《類目》的資料改由電腦處理，可說是《類
目》發展的第三階段。現在已出版至 1987 年度。所收論文有一一
六二一條，單行本有一三○四條。合計一二九二五條。另外，還有
西方語言的論文七九○條，專書九七三條。

　　由於《類目》涵蓋的時間自 1934 年起一直到現在，從未間
斷，且兼包中文、日文、韓文、歐美文的資料，所以逐漸成為讀者
檢查漢學論著不可或缺的工具書。這套書，臺灣幾家圖書館雖有收

藏，但較早的年度，往往殘缺不全。這十多年來，臺灣有數家出版社用接力的方式把這套書陸續影印出來了。這可說是漢學研究上的一件大事。1980 年 5 月，木鐸出版社先將 1963 至 1977 年度的十五本影印出版。1983 年 1 月又加印 1978、1979 年的兩個年度。接著丹青圖書公司也將 1934 至 1962 年度的部分影印出版。後來，華世出版社又影印出版 1980 年度的一冊。最近，捷幼出版社又影印出版 1981 至 1985 年的部分。則要查 1934 至 1985 年度的《類目》，因影印本的出版，已方便許多。

但是，丹青影印的 1934 至 1962 年度部分，各冊中有關「北京」、「人民」、「中華人民共和國」……等字眼全被刪去。相關的條目，往往變成空白。因此，檢查這一部分的資料，利用丹青影印本，反而產生許多困擾，這是所有利用這套書的研究者，應該注意的。

以上，談到這五十多年間，《類目》編輯發展的經過，和臺灣出版界影印的情形。《類目》本身能持續編輯五十多年，收錄的範圍又那麼廣，對漢學研究的貢獻也人盡皆知。但基於精益求精的精神，對《類目》這麼多年來存在的一些缺失，實有提出檢討的必要。

大陸淪陷以後的十數年間，《類目》所收臺灣大陸的期刊，較為平均，大部分該收的期刊也都收了。文化大革命期間，大陸期刊銳減，《類目》收錄臺灣期刊也暴增。可是，文化大革命以後，轉而大量收錄大陸期刊，臺灣的期刊能被收入的，已寥若晨星。如以《類目》1985 年、1986 年、1987 年，三個年度為例，所收的臺灣各大學學報，僅有《國立政治大學學報》、《逢甲學報》、《北市

師專學報》等三種而已,其他如:《東海學報》、《師大學報》、
《淡江學報》、《清華學報》、《高雄師院學報》、《臺北師專學
報》、《新竹師專學報》、《臺南師專學報》、《屏東師專學
報》,皆未及收錄。

其次,各院系的學報,專業性較強,似乎更能符合《類目》收
錄的標準了。可是,除了《國立臺灣師範大學國文研究所集刊》、
國立臺灣師範大學《歷史學報》、國立成功大學《歷史學報》、
《臺大中文學報》、《輔仁國文學報》外,像《東海中文學報》、
《東海歷史學報》、《國立政治大學歷史學報》、《國立中興大學
文史學報》、《臺大歷史學報》、《臺大哲學論評》等皆未收入。
且已收的《國立臺灣師範大學國文研究所集刊》,1985 年收第二
十九號,1987 年收第三十一號,1986 年出版的第三十號,卻被遺
漏了。

再者,一般性的學術期刊,只收了《大陸雜誌》、《中華文化
復興月刊》、《臺灣文獻》等數種,像《孔孟學報》、《中外文
學》、《中國文化月刊》、《民俗曲藝》、《幼獅學誌》、《思與
言》、《食貨》、《書目季刊》、《傳記文學》、《臺灣風物》、
《鵝湖》……等,全未收錄。而大陸的《傳記文學》,是受臺灣
《傳記文學》的影響而創刊,《類目》收了大陸的《傳記文學》,
卻不收臺灣的《傳記文學》,這就很難理解了。

由以上的分析,可知《類目》對臺灣研究漢學的現況了解略有
不足,該收的學術期刊遺漏大半以上。此種疏漏,恐非一時疏忽,
可能是有意的漠視。也許《類目》僅根據該研究中心所藏的學術期
刊編輯而成,該所未收藏的,當然沒有收錄。如果《類目》的全稱

是《東洋學文獻中心所藏期刊中東洋學文獻類目》，則我們無法置評。可是《類目》的全稱是《東洋學文獻類目》，且公開發行，這就有兩種事實不容忽視，其一，它是研究東洋學一定要檢查的工具書；其二，此一工具書可能有較完整、較豐富的東洋學資料。讀者因《類目》所形成的認知是如此，而該《類目》，卻遺漏太多重要的資料，這豈不有損讀者的權益。

　　以上所述，謹提供給編輯《類目》的東洋學文獻中心參考。

　　——原刊於《中國文哲研究通訊》第 1 卷第 2 期（1991 年 6
　　月），頁 132－135。

經學研究新方向
——評林慶彰教授主編
《經學研究論著目錄（1993－1997）》

丁原基*

書　　名：《經學研究論著目錄（1993－1997）》
主　　編：林慶彰、陳恆嵩
出 版 者：臺北　漢學研究中心
出版日期：2002 年 4 月
頁　　數：1642 頁

　　俗謂「工欲善其事，必先利其器」，從事學術研究，最擔憂的就是有了研究課題，但不知從何著手查詢資料，或不敢確定自己是否掌握充足的參考文獻。因此，在資料蒐集的過程中，目錄索引是不可缺少的工具。隨著學術的分工日漸細密，一般綜合性的目錄索

＊　丁原基，東吳大學中國文學系教授兼圖書館館長。

引，已難滿足研究者的需求，是故編輯專科性質的各類書目索引，已是近年學界努力的方向。

專科書目又稱學科書目，多出於專家之手，對研究學問，最為有用。不容置疑，近年國內出版了不少編輯嚴謹、內容充實的專科目錄，獲得學界甚高的評價。若探討臺灣地區近五十年來編纂專科目錄的發展，則林慶彰教授主編的《經學研究論著目錄》稱為進步關鍵的里程碑，確實當之無愧。

2002 年 4 月刊行的《經學研究論著目錄（1993－1997）》（省稱為《目錄三編》）有上、中、下三冊，屬經學類專科目錄，係林慶彰、陳恆嵩兩位教授主編，漢學研究中心印行。在此之前已刊行有《經學研究論著目錄（1912－1987）》（省稱為《目錄正編》）與《經學研究論著目錄（1988－1992）》（省稱為《目錄續編》），由於此三部書有其連貫性，本文擬就此三部書為範圍，試加述評。

林慶彰，現任中央研究院中國文哲研究所研究員。1983 年畢業於東吳大學中國文學研究所，獲得國家文學博士。在研究所研讀期間，師事著名經學家屈萬里先生，復深受昌彼得先生、劉兆祐先生在文獻整理方面的薰陶，因此在經學與整理文獻諸領域皆奠定堅實的基礎。再加上他個人勤奮不倦的努力，先後出版有《圖書文獻學研究論集》、《明代考據學研究》、《明代經學研究論集》、《清初的群經辨偽學》等專著，與經學相關的單篇論文百餘篇。主編《國際漢學論叢》與《經學研究論叢》。

林教授曾在東吳大學專任教職，指導許多碩士生、博士生撰寫論文；授課之際相當注重經學文獻目錄的蒐集，除本文擬評述的三

書，多年來帶領東吳大學中研所學生陸續編輯出《朱子學研究書目（1900－1991）、《日本研究經學論著目錄（1900－1992）》、《乾嘉學術研究論著目錄（1900－1993）》、《日本儒學研究書目》等，不僅將經學種苗繁衍茁壯，也培養了一批高素質編輯專科目錄的青年學者，如陳恆嵩、侯美珍、馮曉庭等博士，及尚在撰寫論文的王清信、葉純芳、翁敏修等博士候選人。

1985 年林教授鑒於民國以來經學研究之成果與日遽增，然由於迭經戰亂，加上兩岸學術訊息中斷，當時國內未見較具規模的經學論著目錄可供參考，於是邀請李光筠、張廣慶、陳恆嵩、劉昭明等四位研究生共同編輯，旨在了解民國以來經學研究的成果，並提供學界檢索資料的便利。當時大陸出版品嚴禁輸入，國內圖書館收藏資料有限，加以借閱手續繁瑣，抄錄資料困難。彼等以堅忍毅力和熱愛學術的使命感，終於完成一部分類翔密、著錄謹嚴的重要工具書。也是臺灣有專科目錄以來所僅見。

1988 年《經學研究論著目錄》出版，立即獲得重視與佳評。今觀林教授在書首自序說明編輯此書的步驟，井然有序，其中淡淡一句「毫無經費資助」，如此這般，一部「搜羅詳備，嘉惠士林」的專科目錄出現，然而隱藏於行句外的艱辛與刻苦，其經過程可說是字字血淚。筆者居處與林府不遠，目睹研究生在林家打地鋪，滿室一堆堆整理與待整理的卡片與複印資料，林夫人陳美雪女士（執教於世新大學中國文學系），既要教書，照顧三個幼娃，還得張羅義務來幫忙的學生的飲食，稍有空亦加入整理資料的場景，至今歷歷在目。如此慘淡歷時三年，得到漢學研究中心協助出版，這本「為全天下作學問」的工具書終於問世。

1994 年、2002 年《續編》與《三編》分別出版，幾乎將 20 世紀中國人研究經學的相關論著鉅細畢收，對研究經學提供完善目錄，利己利人，厥功甚偉。此三部書內容銜接，體例完善，確實有不少特點值得推許，以下略作說明：

（一）**體例的編制愈加嚴謹**

編輯工具書並非「剪刀加漿糊」式的簡單抄撮集錄，它是將某一科目做有系統化的分類著錄，不僅提供讀者檢索資料，甚至可以藉此了解到某一學門的研究概況和進展。因此，類目析分，正是充分展現出編纂者的學養功力。

《正編·凡例二》云：「古代劃入經學類之樂類、語言文字學類，皆已獨立成一學科，茲不予收入。」釐清經學的範疇，不拘泥於清修《四庫全書》將語言文字等小學類歸入經部的傳統。

其次，類目的析分，《正編》多擷取清人朱彝尊《經義考》與張錦郎先生主編的《中國文化研究論文目錄》於「經學類」類目分法的優點。《續編》的體例，大體承繼《正編》，但為求研究資料更加完整，有作些許調整。如在「群經總論」這一大類下，增加「經書人物」及經書反映之思想與制度，如天人關係、宗教祭祀、倫理、政治、軍事、社會等子目；而「經學史」部分，對於歷代經書研究者之生平、年譜等資料，皆儘量收錄等等，由《續編·編者序》可以清楚知曉編輯者費心經營與從善如流的識見，目的就是提供讀者資料索檢的便捷。

（二）**彙集資料廣泛**

本目錄所收之專書和論文，採混合排列，如此一來資料類型不限於報紙、期刊，還有專書、論文集論文、研究報告、學位論文

等；收錄地區兼及大陸、香港、新加坡各地。並酌收日本、韓國和歐美人士以中文寫作之資料。《續編·凡例六》云：「本目錄為求資料完整，有部分重要專書之章節亦裁篇著錄」。這種「裁篇著錄」若非有廣博的閱讀，是不容易做到。如《三編》將孫欽善撰《中國古文獻學史》書中敘述的古文獻學者分別裁篇著錄，提供研究者尋找資料不會困限於盲點，從而錯失相關資料。

　　《三編》附錄的〈收錄期刊報紙一覽表〉，計收 1,540 餘種；〈收錄論文集一覽表〉，列 680 餘種。其間有學生的期刊，如東吳大學中文系系學生會編印的《東吳中文》與東吳大學中研所學生會編印的《東吳中文研究集刊》；有同鄉會發行的期刊，如《山東文獻》、《浙江月刊》、《湖南文獻》等；總之，這種近於地毯式的搜索，也像大海撈針般的採集，確實可使讀者握此一編，省卻上窮碧落下黃泉的心力。

(三) 資料著錄詳實清晰

　　目錄索引類的工具書，其呈現的條目資料，應以便利使用為優先的考量。本目錄著錄內容包括：流水號、作者、文獻題名、頁數、出處等項。在出處一項，更是用心地將各篇被「轉載」的情形也一併忠實呈現。如《目錄三編》：

　　15286 丁原明　孔、孟、荀交往思想論綱

　　　　　　　　東岳論叢　1993 年第 4 期（總第 81 期）頁

　　　　　　　70－75　1993 年 7 月

　　　　　　　複印報刊資料（中國哲學史）　1993 年第 9

　　　　　　　期　頁 48－53　1993 年 11 月

因而提供使用者欲取得該文更多的選擇性、便利性。當然如果著述有被盜印出版的情形，亦是難以遁形。

㈣ 檢索便利

本目錄以類目分類排列資料，除用心於分類目次，尚兼顧「互著」、「別裁」的精神，提供讀者查尋資料的方便；書末附錄「作者索引」及「收錄期刊、報紙、論文集一覽表」等等，符合使用者參考便利的需求。

以上是筆者利用《經學研究論著目錄》的心得，事實上此書的刊行對學界產生不少影響：

㈠ 帶動國內學術界編輯專科目錄的興趣

隨著《正編》的出版，國內學術界的觀念日漸改變，許多學者願意投注心力編輯目錄，如黃文吉《詞學研究書目》、林玫儀《詞學論著總目》、陳美雪《湯顯祖研究文獻目錄》、陳麗桂《兩漢諸子研究論著目錄》、鄭阿財、朱鳳玉主編《敦煌學研究論著目錄（1908－1997）》等，均是此書後刊行的優秀專科目錄。

㈡ 國科會、國立編譯館等相關單位支持專科目錄的編纂

回顧《經學研究論著目錄》編輯初始，國內當時對編輯工具書不但很少能申請到補助經費，成品也很難當作學術研究成果的對待，經過學界長期的呼籲，以及優秀作品陸續出現，國立編譯館曾組織人力，投入大筆經費，編印《十三經論著目錄》；國科會等相關單位目前亦對提出編纂目錄索引等工具書的計畫，經過審核給予適度的補助。

㈢ 書目索引資料的彙集已注意累積性

一部好的參考工具書，它所收錄的資料要保持常新，就要注意

資料的積累與延續，如這三部《經學研究論著目錄》，自《正編》出版後，接著在 1994 年 4 月印行修訂版，將書中的缺失予以更正。另外《續編》編者又陸續發現《初編》所失收的一千餘條資料，復依其內容合併入《續編》各類中，如此皆是編纂者負責任的表現。影響所及，如林美容編《台灣民間信仰研究書目》，1991年 3 月初版，1997 年 3 月有增訂版；前引《敦煌學研究論著目錄（1908-1997）》，亦較其 1987 年出版時資料豐富而廣泛。

四 培養並儲備編纂專科目錄的人才

先後參與編輯這三部《書目》的研究生不下 20 位，在編輯的過程都累積了豐富的經驗，對他們的治學自有裨益。另外，林教授利用講授「索引學研究」這門課，指導研究生從編輯專科目錄應注意的「凡例」、「正文」、「附錄」、「索引」等項目撰寫讀書報告，再收錄胡楚生先生〈專科目錄的利用與編纂〉及自撰〈專科目錄的編輯方法〉等文，結集成冊，編印《專科目錄的編輯方法》一書，不僅培養研習者對專科目錄有深入認識，也儲備了未來欲從事專科目錄編輯者積極有效的依循方向。

五 藉以了解近年經學研究的狀況

專科書目的一個附帶價值，就是頗能反應學術風氣。清時朱彝尊編《經義考》、謝啟昆編《小學考》，至今為研究經學史、文字學史、訓詁學史人士所樂用。《正編·凡例》云：「如以各經書論之，計經學通論 1072 篇、周易 2537 篇、尚書 952 篇、詩經 3784篇、三禮通論 149 篇（下略）。」可知民國以來在經書研究上，以《周易》、《尚書》、《詩經》、《論語》較多。再看《三編》書首「類目詳表」，了解到 1993-1997 的五年間兩岸學者在經學領

域的研究興趣與趨向。如在經學史的研究，以頁數計，先秦部分有
7頁；魏晉南北朝10頁；宋代106頁；明代62頁；清代152頁；
民國近 150 頁，其中冷熱，不言而喻。至於經書研究部分，仍以
《周易》、《詩經》、《孔子與論語》最多。再由書末附錄的「作
者索引」，可以掌握學者們研究成果的量與質，對有志從事經學研
究者足以提供豐富的訊息。

　　不容諱言，《經學研究論著目錄》難免有些許著錄不完整的地
方，但瑕不掩瑜，今日欲從事學術研究，若有此目錄置於身旁，無
疑吃了定心丸，但從一使用者立場，自是期待此部書能提供更多的
便利，雖有得寸進尺之嫌，仍有如下的建議：

㈠ **適度增列「主題索引」**

　　「主題索引」，即「關鍵詞」。「關鍵詞」的建立，對使用者
在不清楚作者的名字、標題的全名，或所要查的資料範疇很模糊
時，最為有效。例如周振甫〈從詩經到楚辭的詩體變化——以伐
檀、碩鼠與涉江比〉，其篇名字數達 20 字之多，若是建立「詩
經」、「楚辭」、「詩體變化」或「伐檀」、「碩鼠」、「涉江」
等「關鍵詞」，那麼就可以輕易的檢索到這筆資料。又如在《經學
研究論著目錄》中要尋找林慶彰教授的文章，據書後「作者索引」
雖可查到所收錄的作品數量，但卻無法從這些流水號中見到其所探
討的論題，亦無法見到其學術研究的傾向；甚至，還有其他學者評
論林教授的文章。因此多一種檢索，相信對文獻的利用率必能大幅
提升。

㈡ **網路版的建置**

　　近年偏向電子資料庫方式建檔，提供網路化多元組合的查詢，

甚至更提供主動式的個人化資訊服務，使得期刊被利用的效益愈加擴大。目前漢學研究中心已將《正編》採線上資料庫建檔，提供檢索服務，但《續編》與《三編》資料尚未提供線上檢索。期望漢學研究中心能將 1912－1997 的經學研究論著目錄早日統合，一併提供線上檢索的便利。

　　經學為中國文化之根源，欲探究中國文化之演變發展，最直接的途徑就是研究經學的發展軌跡，欲了解經學研究的成果，則非藉助文獻目錄的編訂不可。今日學者如想檢查清末以前研究經學的著作，檢閱《經義考》、《四庫全書總目》、《續修四庫全書總目提要》等書，可得十之七八。欲瞭解民國肇建迄今於經學研究的總成績，藉此三書當可窺其全貌。本書之出版，讓日漸式微的經學，在具有完整充分的資料下，當可提升學子鑽研經學的興趣，亦可為有志編纂專科目錄者懸一鵠的，期盼國內學者共同戮力於此種基本工作，讓更多樣的專科目錄服務學術。

　　——原刊於《全國新書資訊月刊》92 年 9 月號（2003 年 9
　　月），頁 15－18。

評《十三經著述考（一）》
——兼論《十三經論著目錄》

丁原基*

書　　名：《十三經著述考》

主　　編：季旭昇等

出 版 者：臺北　國立編譯館

出版日期：2003 年 3 月

冊　　數：17 冊

　　自漢武帝罷黜百家獨尊儒術，儒家思想成為中國傳統文化的精髓。儒家文化的本源，就是春秋時孔子「述而不作」，纂集、整理的「六經」（《樂經》已佚）。此後從漢代至明清，有《五經》、《九經》、《十二經》以至《十三經》，這些文獻涵括古代文化的各個方面，諸如天人合一的思想模式，天下為公的大同理想，以民為本的治國原則，和諧人際的倫理主張，自強不息的奮鬥精神，重

---

*　丁原基，東吳大學中國文學系教授兼圖書館館長。

視德操的修身境界等等，要宏揚中華文化的精華，重要的是認識它的本源，也就是由閱讀經書進而研究經典。周何教授曾言「作研究工作必須先從目錄入手，有了詳細的目錄，才能知己知彼，不會走冤枉路，不費精力去走重複的路，更可以開創自己研究的新里程；所以治學方法首重目錄。」（見《十三經論著目錄·總序》）

臺灣近五十餘年來在維護傳統文化的用心，尤其是經學方面的發揚與研究，儼然已有「經學王國」的封號。（參林慶彰教授撰《五十年來的經學研究·序》，臺北：臺灣學生書局，2003 年 5 月）其中國立編譯館，功不可沒。國立編譯館支持十三經整理，特別成立「十三經整理小組」由周何教授擔任召集人。該小組已於民國 89 年出版《十三經論著目錄》，由洪葉文化股份有限公司出版。復於今年（93 年）3 月由鼎文書局出版《十三經著述考（一）》。本文擬就這兩部有關十三經的著述目錄略作析論。

若要了解有關經學方面的著述，最重要的專科目錄是清朱彝尊著《經義考》三百卷，翁方綱有《經義考補正》十二卷；加上《四庫全書總目》、《續修四庫全書總目提要》、《皇清經解》、《續皇清經解》，則民國以前的經學著述可以知其大概。臺灣近年在系統的整理經學文獻上頗有顯著的成果，在經學目錄方面，林慶彰教授籌畫編輯出版的有：

《經學研究論著目錄（1912－1987）》，林慶彰主編，李光筠、張廣慶、陳恆嵩、劉昭明編輯，臺北：漢學研究中心，1988年初版，1994 年 4 月修訂版。

《經學研究論著目錄（1988－1992）》，林慶彰主編，汪嘉玲、張惠淑、侯美珍、游均晶編輯，臺北：漢學研究中心，1994

年 9 月。

　　《經學研究論著目錄（1993－1997）》，林慶彰、陳恆嵩主編，何淑蘋、李盈萱、翁敏修、劉帥青編輯，臺北：漢學研究中心，2002 年 4 月。

　　《日本研究經學論著目錄》，林慶彰主編，馮曉庭、許維萍、大藪久枝、橋本秀美編輯，臺北：中央研究院中國文哲研究所，1993 年 11 月。

　　《乾嘉學術研究論著目錄（1900－1993）》，林慶彰主編，汪嘉玲、游均晶編輯，臺北：中央研究院中國文哲研究所，1994 年 4 月。

　　《日本儒學研究書目》，林慶彰主編，連清吉、金培懿編輯，臺北：臺灣學生書局，1998 年 7 月。

　　如能將上述資料整合，每一書（篇）為一目。每一目著錄書名（篇名）、卷數（篇數）、著作時代、作者姓名，及此書（篇）的存、殘、未見、輯、佚的情形，必可方便學者迅速掌握完整、全面的學術研究概況。而《十三經論著目錄》即是以蒐集歷代相關著述之目錄為宗旨而作。

　　若進一步將每一目再加以考述，內容包括：作者生平；本書著錄情形；足資考證本書的文獻，像序、跋、題識、目錄、凡例、輯本內容、版本考證，凡有助考證一書之內容者，均予著錄，尤為佳話。而《十三經著述考（一）》其編纂主旨正是如此。

　　如今兩編陸續出版，無疑地提升臺灣成為研究儒家經典的重鎮，這是值得欣慰與讚美的，惟就學術求真的角度觀之，《十三經論著目錄》與《十三經著述考（一）》尚存在不少問題，以下略舉

數例說明兩編的特點，提供讀者取用資料時斟酌參考。

　　兩編的總主持人皆為周何教授，但分項主持人前後並非同一人。茲以表列方式說明之：

《十三經論著目錄》	編　者	《十三經著述考(一)》	編　者
《周易論著目錄》	董金裕	《周易著述考(一)》	黃尚信
《詩經論著目錄》	朱守亮	《詩經著述考(一)》	周　何
《尚書論著目錄》	許錟輝	《尚書著述考(一)》	許錟輝
《禮記論著目錄》	劉兆祐	《禮記著述考(一)》	黃俊郎
《儀禮論著目錄》		《周禮著述考(一)》	劉兆祐
《三禮總義論著目錄》		《儀禮著述考(一)》	
《左傳論著目錄》	簡宗梧	《三禮總義著述考(一)》	
《春秋穀梁傳論著目錄》	周　何	《左傳著述考(一)》	李啟原
《春秋總義論著目錄》	周　何	《春秋穀梁傳著述考(一)》	周　何
《論語論著目錄》	傅武光	《春秋公羊傳著述考(一)》	
《爾雅論著目錄》	汪中文	《春秋總義著述考(一)》	周　何
《群經總義論著目錄》	黃尚信	《論語著述考(一)》	傅武光
	李啟原	《爾雅著述考(一)》	汪中文
	鄭卜五	《群經總義著述考(一)》	季旭昇
《孝經論著目錄》	傅武光	《孝經著述考(一)》	汪中文
《孟子論著目錄》		《孟子著述考(一)》	鄭卜五
《四書總義論著目錄》		《四書總義著述考(一)》	傅武光

　　由上表觀之，若兩書編纂者為同一人，於資料的收錄可有累積之效果，便於讀者利用。以《儀禮論著目錄》為例，劉兆祐教授在本書一、正文之屬，著錄 0001「《儀禮》十七卷附《旁通圖》一卷」、0002「《禮古經》五十六卷」兩編。其形式如下：

0001 　《儀禮》十七卷附《旁通圖》

　　　　一卷　不著撰人　存

　　　　著錄：《國立中央圖書館善本書目》

　　　　傳本：元昭武謝子祥刊明代修補本

0002 　《禮古經》五十六卷　不著撰人　佚

　　　　著錄：《漢書·藝文志》

　　劉教授復於《儀禮著述考（一）》，壹、正文之屬，仍著錄0001《儀禮》十七卷；0002《禮古經》五十六卷兩目。然對《儀禮》一書考證，除徵引清朱彝尊《經義考》資料，兼錄歷代公私藏書目志、讀書筆記資料，如《崇文總目》、《郡齋讀書志》、《朱子語類》、《文獻通考》、《皇清經解》、清方苞《望溪集》、清江永《群經補義》、清孫志祖《讀書脞錄》、清崔述《考信錄》、清邵懿辰《禮經通論》、皮錫瑞《經學通論》、梁啟超《古書真偽及其年代》、清孫星衍《平津館鑒藏書籍記》、清丁丙《善本書室藏書記》、清繆荃孫《藝風藏書記》、清陸心源《皕宋樓藏書志》、清張均衡《適園藏書志》、清傅增湘《雙鑑樓善本書目》、王重民《中國善本書提要》、日本·森立之《經籍訪古志》、劉節《續修四庫全書總目提要》、足補《經義考》之未周；又多引用文集、總集及期刊資料，如錢基博《古籍舉要·卷八儀禮》、孔德成先生撰〈儀禮十七篇之淵源及傳授〉（載《東海學報》8卷1期）、段熙仲〈禮經十論〉（載《文史》第一輯，1962年10月，北京中華書局）、彭林〈論清人《儀禮》校勘之特色〉（載《經學研究論叢》第五輯）、沈文倬《三禮研究論集·儀禮概述》、康世

統《三禮研究論集·漢志「士」禮十七篇質疑》、王文錦〈經書淺
談：儀禮〉（載《文史知識》1982 年第 10 期，1982 年 10 月）、
劉德漢〈三禮概述·儀禮〉原載《孔孟月刊》12 卷 2 期，1973 年
10 月）、張光裕《三禮研究論集·讀儀禮札記二則》及〈儀禮士
相見禮成篇質疑〉，（載《孔孟月刊》第 6 卷第 4 期）、李思敬
〈《儀禮記述的古代禮俗〉（取自《五經四書說略》）。以上將近
年學者研究心得徵引入書，達 192 頁的篇幅，提供讀者直接閱讀內
容，省卻耙梳影抄的時間，確實便捷。

又如《儀禮論著目錄》，在「目錄版本引得之屬」，計收 38
書。《儀禮著述考（一）》，於「目錄版本引得之屬」，將有參考
價值的如王關仕著《儀禮漢簡本考證》書首的〈前言〉與〈校箋凡
例〉、〈餘論〉、〈目錄〉著錄；又將洪業撰〈儀禮引得序〉錄
入，使得此著述考兼具資料彙編的特點。

若是兩編著者不同，不僅體例目次有差異，著錄書目序次亦不
相近，如《詩經論著目錄》是朱守亮教授編輯，但《詩經著述考
（一）》並非朱教授負責編輯，加以兩書皆未有著者或書名等輔助
索引，因此讀者利用時倍感不便，亦大大地降低使用之意願，豈不
可惜。

二、由於《十三經著述考（一）》是最新印行，所謂「後出轉
精」，惟綜覽各書發現此一套書尚有待改善之處，期盼他日再版
時，力臻完善。

㈠ **此套書資料收錄不完全**

汪中文教授於〈《孝經著述考（一）》·凡例〉首條云：「本
《孝經著述考（一）》原訂分三期編寫完成，惟因國立編譯館即將

改制，此項計畫僅能進行至第一期，故本書時為不完之初稿。雖大體收錄製清以前《孝經》相關論著，但乃有頗多資料未及編入，且對已收錄之資料在整理、考證方面亦欠精審，讀者諒之。」

　　劉兆祐教授於〈《周禮著述考（一）》·凡例〉云：「本書原預定分三期撰寫，每一期約兩年，總計需費時六載。惟因國立編譯館即將改制，原訂計畫驟然終止，不再進行。此乃第一期計畫之研究成果，是為『《周禮著述考（一）》』，所考證之書，僅及原計畫之三分之一，係不完之稿。且由於計畫終止，事出突然，撰寫時間匆促，至頗多資料，未及收錄；考證按語，未能完備，敬懇讀者諒察。至於未完成部分，惟俟他日賡續完成。」由各家「凡例」知，此套書資料收錄是不完全的。

（二）**編輯體例缺乏整體性**

　　本套書雖有周何教授撰擬的〈國立編譯館《十三經著述考》（一）撰寫體例〉，作為編纂的規範；我們也知曉各經書性質有其差異，類目釐分宜視各書特色；但不諱言由於各分項主持人在目錄學領域的素養仍有參差，因而各書的編輯體例、目次之排列差異甚多。如：《孟子著述考（一）》目之分為四級標目：

　　　壹、專書之部

　　　貳、單篇之部

　　　　一、序跋類

　　　　二、提要類

　　　　三、論述類

　　　　　（一）通論

　　　　　　1.作者、成書時代

　　　　　　2.研讀法

　　　　　　3.概述

　　而《春秋總義著述考（一）》，僅有壹、貳、參等一級標目。

㈢ 未克充分利用文獻及收錄確實的資訊

　　由於前文有學者言此編係倉促成書，因此不宜過於責難。惟部分編者在收羅資料方面確實有待加強。如各家多引用朱彝尊《經義考》，可惜未採用許維萍等點校的《點校補正經義考》（臺北：中央研究院中國文哲研究所，1988 年 2 月）。又如近年出版的《續修四庫全書》、《四庫全書存目叢書》、《四庫未收書輯刊》等，由於這幾部書採影印方式編成，因此不少歷代著錄之版本，今日已容易閱覽到，應加註才是。大陸地區近年對古籍的影印出版，或點校重新排印發行，如屬編纂範圍內亦應於「著述考」詳細註明才是。如《詩經著述考（一）》著錄序次 1246 清牟庭撰《詩切》，《著述考》於「傳本」僅著錄：「原刻本。」而此書已於 1983 年由濟南齊魯書社排印出版，近年又收入中國詩經學會編輯的《詩經要籍集成》（北京：學苑出版社，2002 年），類此資訊理應納入收錄範疇，如能再將王獻唐先生所撰〈序言〉收錄，豈不更加圓滿。又如序次 6291《毛詩正韻》四卷，著錄「傳本」：「日照留餘堂丁氏刻本」。然讀者欲看此書，不知在臺灣何處可見到，書中並未提供線索。其實南港中研院傅斯年圖書館除藏有「民國十三年（1924）日照留餘堂丁氏刻本」，還有「民國二十三（1934）雙流黃氏濟忠堂刻本」。

㈣ 考證部分仍有待商榷

　　《十三經著述考（一）》這套書的價值之一，就在「考證」確實與否。以《詩經著述考（一）》為例，其著錄序次 6262《毛詩韻聿》，6318《毛詩正韻》，6353〈毛詩雙聲通轉韻徵〉，6362〈齊東語一苃字音讀〉各書，作者係丁惟汾先生，本書編者為慎重，於《毛詩韻聿》條目下收〈丁維汾先生傳略〉，並註見《中國近代學人象傳》，採自《丁鼎丞先生紀念集》。由於《中國近代學人象傳》誤「惟」為「維」，因此作者於後列各書每書目下加一「考證」：「按：丁惟汾當作丁維汾」。類此考證，看似可取，其實大錯特錯。有關丁惟汾先生著述及傳本情形，筆者有〈丁惟汾先生生平及著述〉（載《國立中央圖書館館刊》新 28 卷第一期，民國 84 年 6 月）足資參考。

　　總而言之，經學文獻的整理工作仍有許多可待開發的部分，但令人欣慰的是，連續幾部有關「經學」論著目錄的編纂出版，方便學者迅速掌握完整、全面的學術研究概況，對研究與發揚中華文化意義深遠。更值得一提的是目前無論大陸、香港或日本等地區，尚未能有如此翔備的工具書產生，從這個角度來說，經學目錄的編纂可稱得上是臺灣地區經學文獻整理最可驕傲的部分。

　　——原刊於《全國新書資訊月刊》93 年 9 月號（2003 年 9月），頁 21－25。

評《詩經研究文獻目錄》

林慶彰*

書　　　名：《詩經研究文獻目錄》
主　　　編：村山吉廣、江口尚純
出 版 者：東京　汲古書院
出版日期：1992 年 10 月
頁　　　數：278 頁

　　廣義的經學研究，可分為經書研究和經學史研究兩大類。經書有十三種之多，又歷經十多個朝代，兩千餘年的發展；且流布日本、韓國、越南、歐美等地區；加上二十世紀以來出版量暴增，所出版的經學文獻，幾達以前數個世紀的總合。這麼龐大體系的經學文獻，要檢出自己所需的資料，實有如大海撈針。

　　檢索既有困難，編輯經學文獻目錄的事，也應運而生。在中國方面，以本人主編的《經學研究論著目錄》，收錄 1912－1987 年間，大陸、臺灣、香港等地出版之經學論著條目一萬二千餘條，內

＊　　林慶彰，中央研究院中國文哲研究所研究員。

容龐大，體例也最完善。日本部分，本人主編的《日本研究經學論
著目錄》，收錄論著條目約七千條，將於 1993 年 8 月，由中央研
究院中國文哲研究所出版。有此兩種目錄，檢查二十世紀以來中
國、臺灣、日本等地研究經學的成果，可說易如反掌。

　　在日本方面，並沒有為經學專門編輯的目錄，要檢查相關論
著，一方面可利用綜合性的目錄，如《東洋學文獻類目》（京都大
學人文科學研究所）、《中國思想、宗教、文化關係論文目錄》
（中國思想宗教史研究會）、《中國文學研究文獻要覽（1945－
1977）》（日外アッシェーッ株式會社）和《日本中國學會報》所
附的「學界展望」。至於為某一專經所編的目錄也有數種，《詩
經》方面有：

　　1.《詩經關係文獻目錄》：發表於《詩經研究》1、2、4、6
　　　號。第 16 號有江口尚純的《詩經學關係文獻目錄稿（明治
　　　初年－平成元年）。

　　2.《詩經關係書目解題》：發表於《詩經研究》5－7、10－12
　　　號。

　　3.《詩經研究文獻提要》：發表於《詩經研究》5－15 號。
這三類的目錄性質各不相同，皆有其作用。可惜《詩經研究》流傳
不廣，且目錄刊在雜誌中，自有其侷限性，所以並未引起太大的回
響。去年十月，村山吉廣和江口尚純兩先生，根據以前在《詩經研
究》發表的資料，再加以增補，終於編成《詩經研究文獻目錄》。

　　除《詩經》外，《三禮》部分有齋木哲郎的《禮學關係文獻目錄》
（東京：東方書店，1985 年 10 月），收相關論文條目兩千餘條。《左
傳》方面有上野賢知所編《日本左傳研究著述年表並分類目錄》（東

京：財團法人無窮會東洋文化研究所，1957 年）。《論》、《孟》方面有林泰輔編、麓保孝修訂的《論語年譜》（東京：國書刊行會，1976 年）和瀨尾邦雄的《孔子、孟子に關する文獻目錄》（東京：白帝社，1992 年 4 月）。《孝經》方面有林秀一的《日本孝經年譜》（《漢學會雜誌》2 卷 1、2 號，3 卷 1、2 號）。

這些專經目錄，或因收錄範圍狹窄；或因出版已久，時效不足；或因編輯體例不佳，不便檢索。編輯體例較完善，收錄範圍較廣者，僅村山吉廣、江口尚純合編的《詩經研究文獻目錄》而已。

《詩經研究文獻目錄》（以下簡稱《本目錄》）將所錄的文獻條目分為邦文篇（日文篇）和中文篇。邦文篇收錄明治元年（1868）至平成二年（1990）的文獻；中文篇收 1900 年至 1990 年的文獻。根據《本目錄》的「凡例」和所收條目加以觀察，各條資料大概根據下列數個原則編排：

1. 邦文篇和中文篇分開排列，各篇中又分單行本、論文兩部分。

2. 單行本部分，每一條目著錄書名、作者、出版者、（所在叢書名）、出版年月等。

3. 論文部分，每一條目著錄篇名、作者、期刊名、卷期、出版年月。如後來收入論文集或全集的，也一一註明。

4. 各單行本或論文之書評，排在原書或論文條目之下，為示分別，皆退縮三格編排。

了解《本目錄》的編排體例，才能進一步討論它的優缺點。在討論它的優缺點前，必須提出說明的是，《本目錄》中文篇的資料，大抵沿襲本人主編《經學研究論著目錄》中的《詩經》部分，再增補

1900－1911、1988－1990 年的部分資料。由於《經學研究論著目錄》的體例較完善，缺點較少，邦文篇部分，根據這種體例來編輯，也有較高的水平。可惜，《本目錄》編者，對此種體例和資料的沿襲，一字不提，僅在參考書目列出《經學研究論著目錄》一條而已。

　　當然，《本目錄》能吸收《經學研究論著目錄》之優點，仍可見編者的識見高明。姑不論其體例、資料是否沿襲，就事論事，《本目錄》至少有下列數點值得注意：

　　1.收錄資料廣：編輯目錄有時體例訂得太嚴格，收錄資料太窄，很多從篇名上看來無關的資料，往往就失收。《本目錄》邦文篇部分，收錄不少從篇名上看來與《詩經》無關的條目，如 476條，水上靜夫的〈日中兩國の古代信仰植物の連關について〉；478 條，水上靜夫的〈楊柳信仰の起源について〉；481 條，水上靜夫的〈桑樹信仰論〉；492 條，白川靜的〈神話と經典〉……等等。如果對資料內容了解不足，將會誤以為與《詩經》無關，而把它們捨棄。

　　2.注明多種出處：一本專著（單行本）出版後，經過多年，可能再版，也可能改換出版者重新出版；也可能收入該作者的全集中。一篇論文發表後，可能收入該作者的論文集中，也可能收入類似大陸《複印報刊資料》的《中國關係論說資料》中。該作者的論文集，又收入後來的全集中。由此可見一本專著或一篇論文，被出版和收錄的次數是隨時在增加的，每多一次，就表示多一個出處。編輯目錄時，如果能將每一種出處，按時間先後編排，不但反映了該論文的重要性，也可指示讀者從不同的出處找到所需的資料。這

種編排體例，是從本人所編的《經學研究論著目錄》開始。《本目錄》能承繼此一優點，也值得肯定。

3.臚列論文集篇目：前人編目錄往往忽略專門論文集的特殊性質，當作專書處理，僅立一條目而已。其實論文集顧名思義，是收錄多篇論文的，如果僅立一條目便無法知道該論文集之內容。由於有此一缺失，論文集的資料往往未能充分的利用。京都大學人文科學研究所的《東洋學文獻類目》很早就注意到論文集的重要性，所收各種論文集，皆臚列篇目。本人所編《經學研究論著目錄》，頗受其影響。慢慢地，此種編排法，也成了一優良目錄的必備條件之一。《本目錄》所收論文集，大抵皆有列出篇目，能承繼這一傳統，也應稱許。

以上為《本目錄》編輯體例上值得注意的優點，以下談談待改進的地方：

1.未註明頁數：單行本註明總頁數，可確知該書份量；期刊論文註明頁數，不但可確知該論文之份量，更可協助檢索。《本目錄》不論邦文篇或中文篇，皆未加註頁數，實為美中不足。本來，《經學研究論著目錄》各條目，大多有註明頁數，《本目錄》中文篇沿襲該書體例，自應將頁數這一項保留。但可能為遷就邦文篇，所以把頁數刪去了，相當可惜。

2.未編作者索引：作者索引不但可協助檢索，更可反映某一《詩經》研究者的研究成果。《本目錄》未能正視此一輔助工具的重要性，在編輯「凡例」中表示將來再補編。即使將來再補編，對現在擁有《本目錄》的人，還是相當不方便。至於為何要將來再補編，恐很難說出充足的理由。

3.缺收錄期刊、論文集一覽表：有收錄期刊一覽表，讀者可根據該一覽表，得知某期刊為那一地區，或那一國的出版品，到圖書館查尋時，也可節省不少時間。論文集一覽表除了此一功能外，如有讀者想購買該論文集，也可從中得到更多的線索。《本目錄》編輯「凡例」也說此兩種一覽表待補，不知何故？

4.少數類目欠妥當：《本目錄》邦文篇和中文篇，都有「他その」一類。照道理，無法歸入某一類的，才入「その他」這一類。可是邦文篇「その他」一類所收的三十餘條，除「采詩」、「圖版」十餘條外，大多可歸入其他各類中。中文篇「その他」一類，所收討論敦煌詩經卷子的條目，大都可歸入「解釋學史研究」的六朝隋唐這一斷代中。

5.失收論文不少：《本目錄》邦文篇部分，失收的資料較少，但仍有遺漏，如「解釋學史研究」部分，就未見鈴木修次的〈朱子の詩經集傳〉、富平美波的〈陳第の上古音研究〉等論文。至於中文篇部分，近數年臺灣的研究成果失收最多，如以「解釋學史研究」來說，從先秦至民國，失收的論文就有：林葉連〈中國歷代詩經學〉、張素卿〈左傳稱詩研究〉、陳文采〈兩宋詩經學著述考〉、趙明媛〈歐陽修詩本義研究〉、程元敏〈評介邱著詩義鉤沉〉、李光筠〈朱鶴齡詩經通義研究〉、劉邦治〈馬瑞辰毛詩傳箋通釋研究〉、吳鳴〈五四時期的民歌採集與詩經研究〉……等。這些論文，皆發表於 1988－1990 年間，所以失收，是因為本人主編的《經學研究論著目錄》，資料僅收到 1987 年，1987 年以後的《本目錄》無法沿襲；又未能到臺灣親自抄錄條目，資料當然無法完備。

6.失載出處者不少：《本目錄》所收之論文條目，有多種出處者，皆儘量著錄。如以邦文篇來說，仍有不少未及註記者，如《中國關係論說資料》有收入的，《本目錄》皆已註明，但 451 條，谷口義介的〈大克鼎の時代〉，收入《中國關係論說資料》第 29 號第 3 分冊（上）；490 條，御手洗勝的〈后稷の傳說〉，收入第 17 號第 1 分冊（上）；第 605 條，福島吉彥的〈唐五經正義撰定考〉，收入第 16 號第 2 分冊（下），……《本目錄》皆未著錄。

7.誤收非詩經之條目：《本目錄》第 262 頁 104429 條，收有：「朱熹觀書詩小考　陳來　中國哲學　7 輯 1982／3」一條。所謂〈觀書詩〉是指「半畝方塘一鑒開，天光雲影共徘徊。問渠那得清如許？為有源頭活水來。」這首詩。本人主編《經學研究論著目錄》時，因未見大陸《中國哲學》第 7 輯，誤收該條，《本目錄》竟沿襲此一錯誤。

此外，如邦文篇，頁 26，〈秦風〉部分，所收金田純一郎的〈綢繆の詩への一考察〉和〈綢繆の詩をめぐって〉兩篇論文，應在〈唐風〉。至於校對疏忽，導致卷期、出版年月有誤者也不少，茲不詳舉。

《本目錄》雖有上述諸多疏失，但仍是日人編輯文獻目錄中較出色者。對中國讀者來說，邦文篇仍具有相當之參考價值。由於本人主編之《經學研究論著目錄》在日本罕見流傳，《本目錄》對日本學者來說，仍是檢查《詩經》文獻較容易得手的工具書。

——原刊於《中國文哲研究通訊》，第 3 卷第 2 期（1993年 6 月），頁 77－81。

評《二十世紀
詩經研究文獻目錄》

何淑蘋*

書　　名：《二十世紀詩經研究文獻目錄》
主　　編：寇淑慧
出 版 者：北京　學苑出版社
出版日期：2001 年 7 月
頁　　數：459 頁

一

　　專科目錄是學術研究的利器，可以提供資料檢索上極大的便利。如能善用目錄，即可獲事半功倍之效。是故，各種學科都應編有一部適用的目錄以供參考。然而，依目前所見，文史哲領域除了經學、詞學、兩漢諸子、敦煌學、六朝文學、魏晉玄學、佛學等學門已有相關目錄出版外，其他學科尚多付之闕如。究其緣故，實因

---

*　　何淑蘋，國立成功大學中國文學系博士生。

編輯不易，遂致乏人問津。近年來，文獻的保存、整理受到重視，加上電腦網路資料庫的大量設置，兩岸對於工具書的編纂都更趨積極，且頗有成果。僅就經學而言，自林慶彰先生主編之《經學研究論著目錄（1912－1997）》❶出版後，因其體例完備、資料豐富，提供研究者莫大助益，咸為學界稱道。近五年間，兩岸又先後出版數種群經或單經目錄，臺灣地區有周何先生擔任總召集之《十三經論著目錄》（臺北：國立編譯館，2001 年）❷，大陸地區則有寇淑慧先生之《二十世紀詩經研究文獻目錄》、王鍔先生之《三禮研究論著提要》（蘭州：甘肅教育出版社，2001 年）等。上述群經暨單經目錄陸續編輯出版後，綜觀其所收錄條目，一方面既可作為過去研究成果的總結，另一方面也凸顯出前人研究不足之處，可供學者、研究生選題參考，是故專科目錄的編輯出版，自有其學術價值。

寇淑慧先生所編的《二十世紀詩經研究文獻目錄》（以下為行文方便，簡稱「本目錄」）一書，乃是繼林慶彰先生主編《經學研究論著目錄》以來，由中國大陸的學者所編成的第一部經學類專科

---

❶ 《經學研究論著目錄》由臺北：漢學研究中心出版，為延續性的專科目錄，目前已出版三套，分別收錄 1912－1987、1988－1992、1993－1997 間兩岸三地的經學研究論著。

❷ 《十三經論著目錄》係匯集歷代著述暨後人研究的一套專科目錄，總共有八冊。編輯召集人為周何先生，各經順序暨執行編輯者如下。第一冊：周易（董金裕）；第二冊：詩經（朱守亮）；第三冊：尚書（許錟輝）、禮記（黃俊郎）；第四冊：周禮、儀禮、三禮（以上三書皆劉兆祐）；第五冊：左傳（簡宗梧）、春秋公羊傳、春秋穀梁傳、春秋總義（以上三書皆周何）；第六冊：論語（傅武光）；第七冊：孟子、四書總義、孝經（以上三書皆傅武光）；第八冊：爾雅（汪中文）、群經總義（黃尚信、李啟原、鄭卜五）。

目錄。這不但反映出《詩經》學研究在大陸地區受到相當的重視，也顯示出專科目錄這類工具書的編輯出版，在兩岸學界都有著共同需求。筆者近年來協助林先生編輯《經學研究論著目錄（1993－1997）》（臺北：漢學研究中心，2002 年 4 月）、《經學研究論著目錄（1998－2002）》（編輯中，預計於 2006 年底由漢學研究中心出版），對於編目甘苦有深刻的體會。尤其是面對圖書流通迅速的時代，出版品數量爆增，添加蒐集的困難度；再加上大陸地區幅員遼闊，各省「高校」林立，每期出版的學報、每屆畢業的學位論文之多，實難蒐集殆盡。所以不論是專書、期刊、學位論文哪一種，都不容易網羅齊備。再者，編目之事純粹是為人作嫁的工作，吃力不討好，學界對於有心從事者，都應該有正面的鼓勵。像寇先生這樣獨力完成本目錄，其勇於承擔學術責任的精神，是應予大力肯定的。

綜觀本書價值，大抵有以下兩點：

第一，可以增補《經學研究論著目錄》「詩經」部分資料的不足。首先，海峽兩岸當前圖書資料的取得管道雖已相當流通，幾乎已變成大陸甫出版之新書，臺灣在次月甚至當月即可見上架販售。然而，即便新書之獲得如此容易，但想要立足臺灣而將大陸出版的資料盡予蒐羅，仍究是「以小搏大」，難以周全，比不上在大陸當地從事要來得占有地利之便。例如張明喜撰有方玉潤（1811－1883）研究論文兩篇，《經學研究論著目錄（1912－1987）》僅收一篇，本目錄則收得兩篇。❸是以本目錄所收，較諸臺灣學者編輯

---

❸ 見《經學研究論著目錄（1912－1987）》，上冊，頁 469，第 08128 條；「本目錄」頁 282，第 3717、3718 條。

的《經學研究論著目錄》，在收錄年限重疊的部分（1912－
1997），可以增補遺漏。其次，《經學研究論著目錄》目前出版至
第三編，收錄資料年限截至一九九七年為止，在接續的第四編
（《經學研究論著目錄（1998－2002）》）出版以前，一九九八至
二○○○年這三年間的《詩經》研究成果，正可利用本目錄以窺知
梗概。

第二，可以作為二十世紀大陸地區《詩經》學研究成果的總
結。近年來，回顧、檢討上一世紀各學科成績的論著（包括單篇論
文、論文集、專書等）到處可見。本目錄以二十世紀為時間範圍，
專門收錄大陸地區的研究成果，整部目錄可視為中國大陸過去百年
間在此一領域研究成果的展現。學界如欲撰寫回顧大陸二十世紀
《詩經》學研究的綜述性文章，本目錄無疑是最適用的參考工具
書。此外，本目錄以十三經中的《詩經》為對象，獨立編成一本專
科目錄，提供《詩經》研究者專門使用，省卻群經目錄一套多冊的
厚重感，對讀者而言，也有其參考上的便利。

二

本目錄雖有上述所舉諸價值，但近年來出版的專科目錄數量漸
多，加之本目錄並非經學方面的第一部專科目錄，所以吾人不妨以
「後出轉精」的角度，採從嚴審視的態度來看待。筆者在多次翻檢
本目錄後，陸續發現一些問題，以下針對「編排方式」、「編輯體
例」、「目錄內容」三方面，略舉數點容可商榷之處，以就教於編
者和學界專家。

㈠ 編排方式

　　在本目錄出版之前，經學方面的專科目錄，主要有林慶彰先生主編之《經學研究論著目錄》，兼收群經（十三經外加上「石經」、「讖緯」）；至於針對《詩經》編輯的單經目錄，則有日本學者所編的《詩經關係文獻目錄》、〈詩經關係書目解題〉、〈詩經研究文獻提要〉數種，這些皆刊載在《詩經研究》（東京：詩經學會）此一刊物上。其後，日本早稻田大學教授村山吉廣、江口尚純兩位先生利用上述諸目錄作為基礎，增補完成《詩經研究文獻目錄》（東京：汲古書院，1992 年）一書出版，是收錄《詩經》學資料範圍較廣、內容較完整的一部專科目錄。❹

　　日本出版的《詩經研究文獻目錄》內容分為「邦文篇」（日文篇）與「中文篇」，兩篇收錄年限並不相同，前者收錄明治元年（1868）至平成二年（1990）間的資料；後者則收錄 1900 年至 1990 年間的資料。其編排方式，見於該書「凡例」，原列舉出十九條，經林慶彰先生歸納後，大抵有四項原則：

> 1. 邦文篇和中文篇分開排列，各篇中又分單行本、論文兩部分。
> 2. 單行本部分，每一條目著錄書名、作者、出版者（所在叢書名）、出版年月等。
> 3. 論文部分，每一條目著錄篇名、作者、期刊名、卷期、出

---

❹　林慶彰先生撰有〈評《詩經研究文獻目錄》〉一文，刊載於《中國文哲研究通訊》第 3 卷第 2 期（1993 年 6 月），頁 77−81，可以參看。

版年月。如後來收入論文集或全集的，也一一註明。

4.各單行本或論文之書評，排在原書或原論文條目之下，為示分別，皆退縮三格編排。❺

我們若利用上述林先生歸納出的四項主要編排原則，將《詩經研究文獻目錄》與本目錄互相對照，可以發現它們在編排方式上十分類似，包括區分「單行本」與「論文」兩部分，以及「書評」置於原條目下並縮排，兩部目錄幾乎可說是如出一轍。由於本目錄在〈編輯說明〉中並沒有清楚交待其編輯參考的對象為何，筆者大膽推測，應是仿效《詩經研究文獻目錄》的編排方式。若果真如此，那麼應在〈編輯說明〉中稍作說明，或是在書末增列「參考書目」，方不致有掠美之嫌。

另外，本目錄在分類上立有「文化風貌」一類，實際上自《經學研究論著目錄》始標立「詩經反映之文化風貌」類，在該目錄之前則未見。試將本目錄與《經學研究論著目錄》該類下子目互相對照：

《經學研究論著目錄》 （1912－1987）	《經學研究論著目錄》 （1988－1992）	本目錄
「詩經反映之文化風貌」類	「詩經反映之文化風貌」類❻	「文化風貌」類
㈠概說	㈠概說	㈠綜論
㈡思想	㈡思想	㈡思想

---

❺　同前註，頁 78。

❻　《經學研究論著目錄（1988－1992）》目錄頁 XV、下冊頁 721 標題「反映」俱誤作「反應」。

闫科學	闫科學	闫政治生活
四政治、經濟	四政治、經濟	四經濟生活
五社會	五社會	五社會生活
六史地	六史地	六女性、婚戀
七其他	七與周易之關係	七史地
		八科學

本目錄改《經學研究論著目錄》之「概說」為「綜論」，將「政治、經濟」一分為二，又別立「女性、婚戀」，故知其分類襲自《經學研究論著目錄》而來。❼既然如此，應如上所言，在〈編輯說明〉中稍作說明，或是在書末增列「參考書目」，表示參考來源，才是負責任的編輯態度。

(二) **編輯體例**

1.應收臺灣地區論著

依〈編輯說明〉所言：「本目錄著錄二十世紀（1901－2000年）中國大陸境內和香港地區正式出版及發表的有關《詩經》研究之專著和論文」❽，顯示出本目錄將收錄資料範圍限定在大陸及香港兩地，並不把臺灣包括在內。❾平情而論，臺灣地區的經學研究成果和中國大陸相比，不但毫不遜色，且頗有勝出之處。以宋代王

---

❼ 本目錄之分類當係參考《經學研究論著目錄》「初編」（1912－1987）而非《經學研究論著目錄》「續編」（1988－1992），因《續編》又另立「詩篇分類研究」一類，分類更為細緻。

❽ 見書首〈編輯說明〉，頁1。

❾ 但頁 203 第 2710 條文章出處卻是「台灣新生報」，而《台灣新生報》是臺灣地區出版的報紙（創刊於「臺灣光復日」，即西元 1945 年 10 月 25 日，係臺灣第一家民報），本目錄顯係誤收。

安石的《詩經》學為例，大陸方面的研究成果，據本目錄所收，僅有邱漢生（1912－1992）的《詩義鉤沉》（北京：中華書局，1982年）輯校原文，加上遇抗奇、徐關林兩篇討論王安石所釋「剝棗」的文章而已❿；臺灣方面則有臺灣大學中文系教授程元敏先生長期研究，將王安石經學論著詳加整理，已完成一套《三經新義輯考彙評》（臺北：國立編譯館，1986－1987 年）⓫，其中的《詩經新義輯考彙評》足以取代邱漢生輯校之《詩義鉤沉》。

另外，兩岸經學發展拉距最大，是在中國大陸推行文化大革命的十年動盪期間（1966 年－1976 年），多數的知識分子遭受殘酷無情的批鬥，被打入牛棚勞改，身家性命尚且堪虞，根本無暇顧及研究。綜觀大陸地區此時經學發展，可謂處於停滯期，加上官方打破封建權威的革命號召，「批孔」、「反儒」之作因應政治需求而大量湧現⓬，具參考價值的經學論文實屬罕見。相較於大陸，彼時臺灣堪稱世界漢學之重鎮，多位在民國三十八年（1949）左右由中國大陸隨同國民政府遷臺的學者，例如屈萬里（1907－1979）、高明（1909－1992）、林尹（1909－1983）等人，在臺灣各大專院校擔任教職，指導中文系、國文學系碩博士生，不遺餘力地傳播經學研究種子，經過他們的長期耕耘，成果相當豐碩。目前臺灣《詩經》學界，諸如余培林（1931－）、陳新雄（1935－）、林慶彰

---

❿　見本目錄頁 259 第 3427、3428 條。

⓫　其中，《尚書》於 1986 年 7 月出版，《詩經》於 1986 年 9 月出版，《周禮》於 1987 年 12 月出版。

⓬　例如上鋼五廠工人理論小組：〈從論語地位的演變看批孔鬥爭的長期性〉，《歷史研究》1974 年第 1 期（1974 年 12 月），頁 67－73。

（1948－）、季旭昇（1953－）、黃忠慎（1955－）等，研究成果都具有相當高的水準，他們同時也肩負起薪火傳承的使命，指導出不少研究經學的碩博士，不但對於臺灣地區的經學發展有直接的影響，對於中國大陸的經學界也產生了不小的影響。簡言之，如果缺收了臺灣《詩經》學的論著，則百年《詩經》學史恐將出現十年空白，這樣又豈能稱為「比較完備的二十世紀《詩經》學文獻索引」⓭呢？

2.應統一著錄格式

本目錄之著錄格式雖有固定體例，但實際翻檢內容後，卻可以發現有一些地方並未統一，以下試舉數例為證。

⑴〈編輯說明〉云：「刊物卷期項中不能明確表示其出刊年代者，加注本期出刊年月。」編者所指，主要是針對只有「卷期」數的刊物，因為僅從卷期數是無法得知出刊時間，所以加註出刊年月；至於一般已標示「某年某期」的刊物，則不再加註出刊年月。實際上，這種作法仍有可商權之處。現今大陸期刊卷期的標示法，往往寫作「某年某期」，例如「1993 年第 3 期」，讀者或許以為這樣就可以一望即知該期刊物的出版時間，何必再加註出版年月，徒增繁瑣？但其實兩者並非絕對「等同」，偶而會遇到「陷阱」，即：「某年某期」之出刊年份未必是該年，且期數也往往不等同於出刊月份。例如寫作「1997 年第 12 期」，其實際出版時間卻可能是在「1998 年 2 月」。簡言之，「年、期」的著錄不一定等於期刊正確出版時間，不宜想當然爾地妄作推測。故不論「卷、期」或

⓭　見書首〈編輯說明〉，頁 1。

「年、期」，統一加註出版年月，仍有其必要性。

　　⑵出版地加註與否應予統一。本目錄對於專書的著錄，通常在出版社前加上出版地，這樣有助於讀者辨識出版社的所在地。但這樣的體例並未統一，偶有未加者，例如頁 246 第 3282 條「山東大學出版社」前應加出版地「濟南」，頁 272 第 3611、3612 條「黃山書社」前應加出版地「合肥」，又例如頁 301 第 3907、3911、3918、3920 條等，均是未加出版地之例。此類例證較多，讀者隨手翻閱即知，毋庸贅舉。

　　⑶每類下各條之排列順序，仍應有適當規則。例如頁 265－266 是「元明・論文」之屬，其下計有十三條資料，這十三條並未依適當的順序排列。建議不妨可以用「元明合論」、「元代」、「明代」，即依時代的先後次第排列，可能較為適當。

　　⑷刊物之版別應予註明。因大專院校發行之學報，多由學院、系所各自分別編輯不同性質的刊物，而以版別加以區分，故著錄刊名時也應一併註明版別。以文史哲方面為例，刊物性質雖同，各學報版別名稱略異，有「人文科學版」、「人文社會科學版」、「哲學社會科學版」、「社會科學版」、「文科版」、「綜合版」等等，名目頗為紛雜，加註版別有利於辨識，自有其必要性。

　　⑸評介性文章依編排體例置於該文之下，且序號內縮一格以標明之，但本目錄中偶有未予以內移者，例如頁 27 第 0231 條即是。也有未置於該文之下者，例如頁 259 第 3436 條徐有富〈讀《鄭樵詩辨妄輯本》〉，是關於顧頡剛〈鄭樵詩辨妄輯本〉一文的評論性文章，理應放置在同頁第 3431 條顧頡剛〈鄭樵詩辨妄輯本〉之下。

(6)書名、篇名號的有無，可再斟酌。大陸地區對於標點符號的使用規範並不十分嚴謹，特別是「書名號」（《 》）、「篇名號」（〈 〉）混淆不清，且往往逕用雙箭號（《 》），讓人不易辨別究竟是書名或是篇名。如此紛亂不一的現象，似不如將書名、篇名號全數刪去。而且本目錄在著錄篇名時，對於原本的書名、篇名號也未照樣迻錄，因此建議刪去，以使版面體例更形統一。

3.應增加引用參考書目或主要參考工具書目

　　一部目錄在編輯的過程中，或多或少都要參考到一些已編輯出版的工具書，在前人已蒐集的基礎上進行增補，以求事半功倍之效。如果大部分是依期刊、書籍逐本抄寫，工具書只是用來相核對者，不附上「引用參考書目」，尚且不會引起太大的爭議；但如果是直接剪貼各工具書內的條目，僅少部分是自行抄寫、增補者，就應該在書末加上「引用參考書目」或「主要參考工具書目」，註明轉引的來源，這種作法既是對前人心血應有的基本尊重，另一方面也可方便讀者覆核。[14]就本目錄而言，近百年間的相關資料，散見於各種書刊中，絕不可能憑藉一人之力翻閱、逐一抄錄，本目錄作者自然也不可能是親手翻閱百年來的相關文獻後再加以抄錄，必定是彙集前人所編資料作為基礎，既然多有引用，理應加上引用參考書目，這才是較妥善且負責任的作法。

------

[14]　所謂方便讀者覆核，意指讀者可以根據這份參考書目的內容，得知該目錄沒有利用到哪一部工具書，如疑有漏收或想再作增補，可以另外尋找其他工具書，這樣就不用把所有相關工具書從頭再翻一次，可以省減重複查閱的工夫。

4.應編製作者索引

本目錄分類詳細，對於想查找某一《詩》篇或某主題相關研究成果，確實頗為方便，但讀者如果想要得知民國以後某位學者在《詩經》學上有多少研究成果？其研究焦點如何？這些問題仍需要仰賴「作者索引」，否則僅能逐頁逐條瀏覽，十分耗時費事。實際上一般工具書都會編製作者索引，但本目錄沒有，也許編者是為了想要節省數頁的篇幅，但這樣無法讓讀者利用作者名字作檢索，使用上較為不便。

5.書末「補遺」應在〈編輯說明〉中說明

本目錄在書末尚有兩頁「補遺」（頁 458、459），這大概是在目錄正文編輯完成、各條目流水號打上後，新蒐集到的而來不及收入的條目，所以在尚未付梓之前，附在書末添加上去。這種作法在使資料趨向完備，立意良善，本無不可，但編者似應在書前的〈編輯說明〉中稍加註明有這個「補遺」之舉，以便讀者在檢索某一類之後，還能記得再翻到書末，瀏覽一下補遺的部分，看看是否還有可參考的相關內容。

三 目錄內容

1.遺漏「互見」條目

部分條目內容橫跨兩個以上的主題，在編目時應以「互見」方式著錄，並載於所屬各類之下，但本目錄偶有未作處理的失誤。例如：

⑴頁 242 第 3225 條〈毛詩荀子相通考〉，除收於「毛詩」條外，也應互見於頁 230「荀子」條下。

⑵頁 280 第 3700 條〈王引之、俞樾《詩》詁異同平議〉，除

收於「王引之」條外，也應互見於頁283「俞樾」條下。

(3)頁 280 第 3703 條〈《毛詩後箋》與《詩毛氏傳疏》比較〉，除收於「胡承珙」條外，也應互見於頁280「陳奐」條下。

(4)頁 280「王念孫」條下沒有任何一條資料，而王念孫之子「王引之」條下則有五條，其中三條篇名均與「高郵王氏」有關，當係王氏父子之合稱，故應互見於「王念孫」條下。

(5)頁 418 第 5386 條〈論《無羊》《良耜》兩詩〉，除收於「無羊」條外，也應互見於頁447「良耜」條下。

2.缺漏經學家生卒年

本目錄在「經學解釋學史」類下所羅列的歷代《詩》學家，通常會在姓氏後面載註其生卒年，但也有不少沒有加上說明的。實際在編目時，如果該經學家的生平不易考證出來或是暫且存疑，則不妨用「？」（問號）來表示其生卒不詳，例如「成伯璵」（頁256）、「戴君恩」（頁 263）、「吳樹聲」（頁 283）、「羅次隆」（頁 293）等，均應加上「（？－？）」，如此可使全書體例一致。

至於能夠查得出生平者，則應儘量予以註出，不宜隨意從缺。本目錄缺註而實際上可以查知其生年或卒年者，茲補正於下：

(1)頁 252，「徐邈」，「343？－393？」❺

(2)頁 260，「周孚」❻，「？－1175」❼

---

❺ 據夏傳才、董治安主編：《清代著作存目提要》（北京：學苑出版社，2003年8月），頁44。

❻ 「孚」字，本目錄原誤作「浮」。

❼ 據《清代著作存目提要》，頁97。

⑶頁 268，「馮復京」，「1573－1622」

⑷頁 274，「賀貽孫」，「1605－1688？」❶⑧

⑸頁 277，「牛運震」，「1706－1758」❶⑨

⑹頁 277，「范家相」，「1715？－1769」❷⓪

⑺頁 279，「牟應震」，「1745－1825？」❷①

⑻頁 279，「馬瑞辰」，「1782－1853」

⑼頁 293，「陳柱」，「1890－1944」❷②

⑽頁 294，「林庚」，「1910－」

⑾頁 295，「劉大杰」，「1904－1977」

⑿頁 295，「程俊英」，「1901－1993」❷③

⒀頁 295，「孫作雲」，「1912－1978」

⒁頁 295，「陳子展」，「1898－1990」

---

❶⑧ 此據羅天祥：《賀貽孫考》（南昌：江西人民出版社，1998 年 3 月），「生卒年代」，頁 18－21。按，賀氏生於 1605 年，此無疑議，至於卒年，因在十二月，受陰曆、陽曆算法不同的影響，卒日在中旬以前是 1688 年，在中旬以後則是 1689 年，而羅天祥先生謂「卒日俟考」，故今暫定為「1688？」。

❶⑨ 據《清代著作存目提要》，頁 420。

❷⓪ 據陳鴻森〈清代學術史叢考〉之「范家相生卒年辨」，見《大陸雜誌》第 87 卷第 3 期（1993 年 9 月），頁 8。

❷① 據王承略〈清中葉棲霞學者牟應震的行年和著述〉，《山東圖書館季刊》1995 年第 3 期，頁 50。

❷② 據北流縣志編纂委員會編：《北流縣志》（南寧：廣西人民出版社，1993 年 10 月），頁 1054－1055。

❷③ 據戴從喜〈程俊英先生生平著述簡表（初稿）〉，收入朱杰人、戴從喜主編：《程俊英教授紀念文集》（上海：華東師範大學出版社，2004 年 12 月），頁 385、400。

⒂頁 295，「夏傳才」，「1924－」

⒃頁 296，「余冠英」，「1916－1995」

⒄頁 296，「林慶彰」，「1948－」

3.漏收資料

本目錄對於無任何研究論著之《詩》篇，仍列出標題，以致看似百年來竟乏人問津。實則部分是漏收資料，並非無人聞問。標題下無任何資料者，例如頁 329「甘棠」條，實際上至少有張劍〈〈召南·甘棠〉──我國最早的一首文物保護詩〉一條可以補入❷；頁 435「行葦」條，實際上有陳戊國〈說賓之初筵與行葦〉、〈讀詩札記（五）詩瞻卬第三章四章的起迄與行葦的分章問題〉兩條可以補入。❷

其次，標題下雖有收錄，但略有遺漏，仍可再增補者，例如頁 375「園有桃」條，有魯慶中〈苦悶的愛──〈魏風·園有桃〉主旨新解〉可以補入❷；頁 424「裳裳者華」條，有朱家平〈釋「左之」、「右之」〉可以補入。❷又例如頁 280－281「陳奐」條下，僅有兩條資料，實際上至少還可以增補江慎中〈陳碩甫〈東門之楊·疏〉駁義〉、滕志賢〈陳奐的校勘〉兩文。❷

---

❷ 刊載於《甘肅高師學報》第 3 卷第 3 期（1998 年），頁 56－57。

❷ 兩文俱收錄入陳戊國：《詩經芻議》（長沙：岳麓書社，1997 年 4 月），頁 180－196、頁 308－311。

❷ 刊載於《周口師專學報》第 13 卷第 2 期（1996 年 6 月），頁 1－3。

❷ 刊載於《武漢教育學院學報》第 14 卷第 2 期（1995 年 4 月），頁 95－97。

❷ 江慎中之文刊載於《國粹學報》第 6 年第 7 號（1910 年 7 月），頁 4－5。滕志賢之文收入其專著《詩經引論》（南京：江蘇古籍出版社，1996 年 12 月），頁 143－149。

　　另外，有些條目缺漏文章起迄頁碼。例如頁 218 第 2901 條李炳海〈《詩經》的比、興與《周易》卦、爻辭的象徵〉，收入《複印報刊資料·中國哲學史》1989 年 9 期，缺註頁碼；頁 223 第 2968 條張連第〈孔子美學思想探析〉，刊在《孔子研究》1991 年第 1 期，缺註頁碼。上述文章均刊載於一般性的刊物，並不難查找，故其頁碼不宜缺漏。

4. 誤收資料

　　《詩經·鄭風》中有〈緇衣〉篇，《禮記》中也有同名的〈緇衣〉篇，但前者為上古歌謠，後者為儒家典籍，兩者雖名稱相同，而內容實無關連。本目錄頁 199 第 2658 條〈論上海博物館所藏的一支《緇衣》簡〉、頁 200 第 2661 條〈郭店楚簡《緇衣》引《書》考〉，收入李學勤、廖名春兩位先生對上海博物館藏及湖北荊門郭店楚墓出土的戰國竹簡〈緇衣〉的研究論著，惟上博、郭店〈緇衣〉均與《禮記·緇衣》有關，而與《詩·鄭風·緇衣》無涉，本目錄誤以儒簡〈緇衣〉為詩篇〈緇衣〉，故誤收這兩條資料，應該刪去。

5. 內容訛誤

　　內容訛誤的情況，包括作者、刊名、篇名三種。

　　第一種是「作者訛誤」，例如頁 25 第 0205 條「歐陽竟鴝」，應是「歐陽竟無」（即歐陽漸）；頁 243 第 3235 條「陳鍾凡」，應是「陳鐘凡」；頁 448 第 5679 條「孫貽讓」，應是「孫詒讓」。

　　第二種是「刊名訛誤」，例如頁 114 第 1520 條「牡丹江師範學學報」，應是脫漏「院」字。

第三種是「篇名訛誤」，即篇名有訛字，例如頁 88 第 1132 條「『溫柔敦厚』——孔老二『克已復禮』的文藝標準」，「已」為「己」之誤；頁 218 第 2898 條「《詩》《易》中的『汽』」，「汽」為「汔」之誤。

三

如僅就經學這個領域而言，海峽兩岸目前已有數種中文專科目錄可資利用，其中，以林慶彰先生主編的《經學研究論著目錄》為開先之作。後來編者，往往以林先生目錄的分類和條目作為基礎，再加以增補。既然有可以仿效和引用的參考對象，理論上應該要能後出轉精，否則另行編輯一套經學或單經目錄，不啻是人力物力的浪費。因此，對於後來編輯出版的經學目錄，我們宜用較嚴格的眼光加以審視。

林慶彰先生所主編的《經學研究論著目錄》，目前已出版三套，收錄資料時間涵蓋一九一二至一九九七年，第四編（1998－2002）的編輯工作也正在進行中。這一系列的經學專科目錄，均交由隸屬政府的漢學研究中心出版，故屬於國家出版品。礙於臺灣現行法令規定，因此雖有大陸地區的出版社希望可以翻印，但目前尚無法順利取得授權。而漢學研究中心出版的數種專科目錄，基於臺灣市場因素的考量，印行數量往往不多，且一刷售罄後也不予再版，在本地流傳固不廣，更遑論大陸地區。是以因應大陸日益蓬勃的經學研究發展所需，大陸學者從事「經學目錄」（群經）或「專經目錄」（單經）的編輯，確有其必要性。因此，像本目錄這樣一部蒐羅民國以來《詩經》研究成果的專科目錄，可以說適時地提供

大陸眾多《詩經》研究者檢索資料上的便利。是故，本目錄雖然存在著部分編輯方面的缺失，卻不能掩蓋其實用價值。總體而論，不妨視為大陸地區編輯經學專科目錄的先導之作，以此作為基礎來調整體例、完善內容，相信大陸學界未來應能編出更嚴謹、更完善的專科目錄。

最後，筆者想特別指出的一點，本目錄雖號稱是二十世紀《詩經》學研究成果，但實際上僅收錄中國、香港兩地論著而已，我們如果想要借助一部目錄以窺見《詩經》學在二十世紀發展之全貌，該目錄除了不能遺漏臺灣地區的豐富資料外，理應還要再增加歐美、日本、韓國等域外各國的研究成果，如此才足以算得上是能夠較完整地呈現出上個世紀全球《詩經》學發展的風貌。當然，這樣規模龐大的一部目錄，編纂起來的困難度也相對地高出許多。我們期待寇先生能具備更大的魄力和企圖心，不但蒐羅中、港、臺三地，還能夠留心世界各地的論著，將海內外成果一併匯集起來。相信這樣一部目錄，是每個《詩經》研究者所衷心期盼的。

──原刊於《書目季刊》，第 40 卷第 1 期（2006 年 6 月），頁 117─127。

《二十世紀詩經研究文獻目錄》述評

莊珮瓴[*]

書　　名：《二十世紀詩經研究文獻目錄》

編　　者：寇淑慧

出 版 者：北京　學苑出版社

出版日期：2001 年 7 月

頁　　數：459 頁

一、前　言

　　豐碩的學術成果，若不加以整理、細分，難以看出其真正的學術脈絡價值；「專科目錄」於是因運而生。所謂「專科目錄」，其範圍大可以至一門學科，例如中國文化史、哲學、文學；小也可以至一人物編目，如〈臺港蘇軾研究論著目錄（1949－1999）〉❶、

---

*　　莊珮瓴，臺北大學古典文獻學研究所碩士生。

❶　　衣若芬：〈臺港蘇軾研究論著目錄（1949－1999）〉。

〈歐陽修研究書目〉、〈湯顯祖研究文獻目錄〉。而寇淑慧先生所編的《二十世紀詩經研究文獻目錄》，乃是繼林慶彰先生主編《經學研究論著目錄》❷以來，大陸學者所編成的一部經學類專科目錄。

　　《詩經》是我國最早的一部詩歌總集，它收集了從西周初年至春秋中期大約五百年間黃河長江流域各國詩歌，計有三百零五篇（不包括六篇「笙詩」）。其內容豐富，舉凡男女之間的愛情、告發社會黑暗面、或讚美偉人、祭祀及求福等，一切人間生活上所發生的各種事情，均錄於其中，它幾乎可謂「全體中國人的詩歌」。自春秋中葉編輯成書之後，一直受到後世讀者普遍重視。歷代學者對它做了許多傳、注、疏、解。解讀角度從宏觀到微觀；從篇章宗旨到作品核心探討。也正因如此，這部古籍跨越古今，累積出眾多蔚為大觀的研究成果。《本目錄》是將 1901－2000 年間，中國大陸境內和香港地區正式出版及發表之有關《詩經》研究專著和論文，加以分類整理。它的目的，在於提供讀者一份完整的二十世紀《詩經》學研究目錄。其體例分上下兩編，上編分為概說、今譯和注釋、札記和隨筆、書目和索引、基本問題、語言研究、文化風貌、詩經解釋學史八大項，其下有子目；下編則收錄針對詩經文本探討的相關篇章，分國風、大小雅、三頌。

　　據《書目季刊》第四十卷第一期〈評《二十世紀詩經研究文獻

---

❷　《經學研究論著目錄》（臺北：漢學研究中心），為延續性專科目錄，目前已出版三套，分別收錄 1912－1987、1988－1992、1993－1997 間兩岸三地的經學研究論著。

目錄》〉❸何淑蘋所評一文指出,將《二十世紀詩經研究文獻目錄》和《詩經研究文獻目錄》相互對照,可以發現其在體例編排方式上,十分相似,包括區分「單行本」與「論文」兩部份,以及「書評」置於原條目下並縮排,兩部目錄幾乎可以說是如出一轍。但《本目錄》並未於「編輯說明」或「參考書目」中稍作說明,似乎有掠美之嫌。換言之,清楚標明所參考之工具書是謹慎且負責的編輯態度。但無論如何,《本目錄》仍是可以作為二十世紀大陸地區關於《詩經》學研究的總結性作品。《詩經》的研究已有兩千多年的歷史,在漫漫的歲月裡,作者寇淑慧先生擷取後段 100 年(1901－2000 年),以 5729 條呈現一百年的研究成果,是否足夠呢?本文嘗試以編輯體例、收書範圍、收書資料來源,和一本優良目錄所應有之條件來評述《二十世紀詩經研究文獻目錄》之價值。

二、本書之編輯體例及優點

㈠ 分類靈活、類名恰當

本書共分成兩大編,上編為「詩經通論」、下編為「分類分編研究」,由於歷代關於《詩經》的研究眾多,所切入方向紛雜,倘若不加以區分,將使欲利用者如陷五里迷霧之中。其上編分成八大項,分別為概說、今譯注釋、札記隨筆、書目索引、基本問題、語言研究、詩經解釋學史。其中「基本問題」又將之細分為六小問題,分別為成書、篇名,采詩、刪詩、逸詩,詩序,六藝,詩教和詩樂。

---

❸ 全文請參閱《書目季刊》,第 40 卷第 1 期(2006 年 6 月),頁 117－127。

　　至於下編，則是針對詩經本文進行探討的相關論文。《詩經》有所謂的「六義」說，即指「風」、「雅」、「頌」、「賦」、「比」、「興」。「風」，各地音樂；「雅」，有大雅、小雅之分，大雅，多為朝會之樂。小雅，多為宴饗之樂。但也有人說，大雅，比較長大。小雅，比較短小。關於大小雅問題，至今仍無一個令人滿意的解釋。「頌」，是指頌揚、讚美的意思。又分成「周頌」、「魯頌」、「商頌」，分別頌揚周王、魯侯、宋公或者讚美其祖先功德偉業之詩。「賦」、「比」、「興」則是《詩經》的作法。

　　《本目錄》編者將所收文獻條目分為上下二編，把兩千多年的《詩經》研究，做了一個有效率且靈活的切割，讓後代有志於詩學研究的學者提供良好的方向及收集資料的捷徑。

〔二〕 部分單行本附有該書篇目

　　在眾多的《詩經》研究單行本中，找尋適切自己的材料。《二十世紀詩經研究文獻目錄》中，部分單行本附有該書目錄。例如頁1，第 3 條〈詩經研究　謝无量　上海：商務印書館 1923 年 5 月 148 頁　國學小叢書〉，其下又著錄了 1.詩經總論、2.詩經與當時社會之情勢、3.詩經的歷史上考證、4.詩經的道德觀、5.詩經的文藝觀；第 7 條〈論詩六稿　張壽林　北平：文化學社 1929 年 9 月 165 頁〉，其下又著錄了 1.詩經的傳出、2.詩經是不是孔子所刪定的、3.釋四詩、4.釋賦比興、5.三百篇之文學觀、6.三百篇所表現的時代背景及思想；第 20 條〈詩經六論　張西堂　上海：商務印書館 1957 年 9 月 140頁〉，其下著錄了 1.詩經是中國古代的樂歌總集、2.詩經的思想內容、3.詩經的藝術表現、4.詩經的編定、5.詩

經的體制、 6.關於毛詩序的一些問題。

　　此種著錄方式，便利讀者迅速檢核自己所需要的相關資料。工具書有三種特質，分別為用途上的察考性、內容的概括性、體例方面須有檢索性。《本目錄》也正符合了良好工具書的三項條件。

(三) 集大成的工具書

　　本書所收論著範圍，從 1901 至 2000 年，就時間點而言，《二十世紀詩經研究文獻目錄》似乎可謂「集大成」之工具書。《詩經》自戰國末年被列為「經」，二千多年以來，有關《詩經》的論著，數以千計，而該書也是爭議最多，派別最繁，說解最詳，問題最多的古代典籍。

　　《本目錄》的出現，可視為中國大陸百年間在此一領域的成果展現。而其對於學界的價值，莫過於提供了《詩經》研究者一份專門使用的目錄，可迅速縮短學者許多收集資料的時間。在知識需要被快速整合運用的時代裡，《本目錄》自有他功不可沒的價值。

三、本書待改進的地方

(一) 應擴大收錄範圍

　　根據《本目錄》的〈編輯說明〉指出，「本目錄收錄二十世紀（1901－2000 年）中國大陸境內和香港地區正式出版及發表的有關《詩經》研究之專著和論文」，明言本目錄所收並未包含臺灣地區。但臺灣地區的《詩經》學研究，並不遜色於中國大陸。此外，兩岸經學拉距最大的時期，是在 1966－1976 年文化大革命的十年動盪期，許多知識份子慘遭批鬥。文革十年，批儒評法，橫掃「四舊」，使當時經學研究，彷彿再遭「秦火」。

1966－1976 年，此十年中幾乎可謂「經學的空白期」，此一時期幾乎均未見經學文章。而寇淑慧先生所編的《本目錄》，其旨在「為讀者提供一份較完備的二十一世紀《詩經》學文獻索引」。倘若未將臺灣地區的經學研究收入其中，又豈可稱之為《二十世紀詩經研究文獻目錄》呢？

既名為《二十世紀詩經研究文獻目錄》，應以「世界」為範圍，而非僅收錄大陸地區的資料。雖然有一章節提到「海外部份」，但多半為韓國、日本和小部分越南。作者應全盤觀照詩經在「世界」的發展情況，因為宏觀的學術視野不是只在家裡找材料，應該以世界為書庫，進行面面俱到的整合。

例如，20 世紀，法國漢學家葛蘭言（Marcel Granet）所著《古代中國的節慶與歌謠》，葛蘭言認為，《詩經》裡均為祭祀歌曲；他的觀點影響了日本學者松本雅明，松本雅明因此選擇在鹿兒島觀察二年，他觀察原住民在祭典中如何歌唱，松本雅明進而寫出許多大部頭關於研究《詩經》的書。英國漢學家威利，以現代英文翻譯出口語化的《詩經》，雖然閱讀時讓人想好久，不知其所云為《詩經》中的篇章；美國詩人龐德，他也以英文的體式翻譯《詩經》，以現代英文加上押韻。上述三點都是國外關於《詩經》方面的討論。可見加入歐美文獻資料的重要性。

㈡ 應注明參考資料，並附索引

一本目錄在成書過程中，或多或少均要引用到一些已經編輯出版的工具書，在這些基礎架構上，進行蒐集增捕，以求更臻於精善。如果在編輯過程中，是依循書籍、期刊逐本抄錄，尚且不會引起太大的爭議；但若在已有的結構空間中進行修補，似乎不可隻字

未提，彷彿前無古人一般。《本目錄》書名取的可以「證古溯今」，頗有終結意味，但若未將參考或引用的資料附錄於後，將有掠美之嫌。

索引，是將書刊中的資料按一定檢索方式編排起來，在每一條目下注明出處，使讀者一索即得。它能幫助人們迅速找尋所需的資料，克服依靠記憶的不可靠性和侷限性，省去重複翻檢的時間和精力。索引，工具書的工具書，但本目中未見最重要的「作者索引」，此美中不足處，似乎普遍存在大陸學界。

㈢ 考慮列入「鑒賞辭典類」、「學位論文」的資料

從事學術研究工作，完整檢索資料是必備的專業能力。然而如何掌握資訊的來源，進而追蹤並有效率的消化利用。學位論文是各大專院校最重要的學術資產，其性質與期刊、報紙、劄記、專書類似，均屬紀錄知識文獻的重要資料。以學位論文而言，這些後出的當代研究，其範圍多半涉及前人尚未研究或是研究未臻於成熟的主題，在研究角度上有一定的開創性；此外，這些碩、博士論文均出自該領域學有專精的學者及專家指導下完成，從論文中的研究動機、目的、研究方法、撰寫過程、以及論證結果的提出，大都是在嚴謹的監督下獲得較具系統的具體考察，就學術價值來看，確實具備一定專業水準與參考價值。

學位論文對許多研究者而言，的確是一種不可或缺的輔助參考資訊；此外，有些學者也會將自己的研究心得發表於學術研討會上，但其所發表的資料並未收錄於期刊或學報中，而是納入「學術會議論文集」中，完整的目錄，應將這些訊息收齊，以利讀者利用。《本目錄》從其編輯說明中得知，並未包括「學位論文」和

「學術會議論文集」。此部分應可補入。

　　《本目錄》下編，所收錄內容多半是針對詩經本文進行探討的相關論文。對於無任何研究的詩篇，作者採列出標題的方式，但「空白處並非真正的空白」。雖然作者已在「編輯說明」中表示，其所收錄為論文部份，但為數不少的鑑賞辭典，多出於名家之手，若不加以收集應用，掛上《二十世紀詩經研究文獻目錄》，似乎也稍顯單薄。《詩經》是問題最複雜的古籍之一，從事《詩經》學研究，不免會出現許多難以解決的問題。例如詩經裡出現的人物、當時社會制度、名詞等等，透過辭典的輔助，得以迅速檢索獲取資訊，但在本目錄中，其並未引用。例如向熹所編的《詩經詞典》❹、遼寧人民出版社所編的《詩經百科辭典》❺、莊穆主編的《詩經綜合辭典》❻、任自斌、和近健主編的《詩經鑑賞辭典》❼、金啟華、朱一清、程自信主編的《詩經鑑賞辭典》❽、周嘯天、潘樹廣所編的《詩經楚辭鑑賞辭典》❾，均可作為《二十世紀詩經研究文獻目錄》中待補入的資料。

---

❹　向熹編：《詩經辭典》（修訂本）（成都：四川人民出版社，1986 年 3 月）。

❺　編者未知：《詩經百科辭典》（瀋陽：遼寧出版社，3 冊，1998 年 1 月）。

❻　莊穆編：《詩經綜合辭典》（呼和浩特：遠方出版社，1999 年 12 月）。

❼　任自斌、和近健主編：《詩經鑑賞辭典》（北京：河海大學出版社，1989 年）。

❽　金啟華、朱一清、程自信主編：《詩經鑑賞辭典》（合肥：安徽文藝出版社，1990 年）。

❾　周嘯天、潘廣樹編：《詩經楚辭鑑賞辭典》（南昌：江西教育出版社，1991 年）。

以三頌部份所留下的空處為例，將其與《經學研究論著目錄（1912－1987）》、《經學研究論著目錄（1988－1992）》、《經學研究論著目錄（1993－1997）》比對，如以〈維清〉篇為例，《二十世紀詩經研究文獻目錄》在此篇下全為空白，但實可補入吳龍輝所編的《詩經鑑賞辭典》頁 548－549、黃季耕所編的《詩經鑑賞辭典》頁 779－780、李大明所編的《詩經鑑賞辭典》頁 831－832 所收之資料。

(四) **出處不全**

本目錄在著錄專書時，通常在出版社前加上出版地，這樣有助於讀者辨識出版社的所在地。但此體例並未貫穿全書，偶有未加者，例頁 301 第 3902 條，僅著耕石書屋，並未加著出版地，僅僅著出版社名，使讀者無法判斷出版者是在那個地方？

在本目錄中，將資料型態分成單行本與論文。其中的論文部分，作者所摘選的資料多為大專院校之學報或期刊論文。以大專院校之學報為例，由於學報係由學院、系所各自分別編輯不同性質之刊物，而以版別加以區分，故著錄刊名時，也應該將版別一並錄之。以文史哲方面為例，刊物性質雖同，但各學報版別仍有所差異，例如「人文科學版」，有些稱「人文社會科學版」、「哲學社會科學版」、「社會科學版」、「文科版」、「綜合版」等等，各刊物的定名均不同，若不加以著錄，辨識時無疑加上一層網。

《本目錄》除缺註頁碼外，筆者發現頁 1 第 12 條，其著錄為〈學壽堂詩說 徐紹楨 石印本 1932 年〉。此著錄項，讓使用者無法運用該項資料，因為，著錄項目並無出版者。

四、結　論

　　《詩經》是重要的社會史料和文化史料，從《詩經》的詩句，可以探究中國固有的思想、另外，也有不少敘述人生涵養的詩篇，其中更有做人的基本修養、夫婦相處之道，以及描寫親情孝思的詩篇更是屢見不鮮，由此可說：《詩經》實為探究中國古代思想、倫理觀念的重要典籍。從詩經的詩句，可以窺見周代家族的禮制，中國古代家族的禮制，一般通行者有冠禮、婚禮、葬禮、祭禮等四種，除冠禮外，其餘皆可在《詩經》中窺見端倪。其在語言學上，是研究古代韻部最重要的材料。賦、比、興更是後世寫作技巧的典範。

　　研究這部我國古代偉大文學作品已有二千餘年的歷史。在這條漫漫長路上，《詩經》有自己的材料，自己獨立發展的歷史。任何學門的研究，均須繼承前代的研究資料。這部歷經許多時代的《詩經》，經過不同時代人們的解讀，從不同角度、方向進行「多角」研究。也累積了許多豐碩的研究資料。

　　進入新的紀元，總是想對上世紀的學術研究成果做一番整理。《本目錄》據編者的「編輯說明」，其旨為「提供讀者一份完善的二十世紀《詩經》學文獻索引」。但從其收錄範圍、語言選擇、所錄資料類型裡，這本作品似乎無法完整呈現所謂「二十世紀詩經研究文獻目錄」。

　　以收錄範圍而言，只收中國大陸境內和香港地區似乎略顯不足，既名之為《二十世紀詩經研究文獻目錄》，應該從多方觀照，不應只侷限於大陸地區和香港地區。此外，語言的選擇更不應只有

中文，《二十世紀詩經研究文獻目錄》，換言之，當廣收世界各地的《詩經》研究才是，如此一來，才可名實相襯。至於針對所錄資料而言，鑑賞辭典類的資料應可以考慮收入，由於許多鑑賞資料多出於名家之手。既然是要做「世紀回顧」的大工程，評鑑形態的資料理應納於其中，如此一來才可提升此書的完整性。

最後，筆者想建議作者可以除了紙本形式外有更大的突破，那即是「電子資料庫」。建立正確的治學方法是從事學術工作的首要。有了正確的治學方法，不但可以快速對資料進行分析歸納，也可以在時間內有效的獲得所須之研究成果。但在浩如湮海的古籍裡，古書勢必難以盡讀。由於二十世紀是科技飛黃騰達的世代，善用現代科技，將之整合後以電子資料庫呈現，學者不必皓首窮經，整日檢索繁複的圖書目錄或類書工具書，而只需要在彈指之間即能獲得所須，網路的出現，提供學者許多研究上的便利性，也節省了學者許多查找時所耗費的寶貴時間。

「資料庫的建立」更顯重要，但學界普遍所面臨的現象是缺乏橫向溝通，各自為政的結果，導致研究力分散，造成重複浪費，期待更精緻的電子資料庫之建立，免於資源浪費，相信也一併可以嘉惠更多學者。

評《中國哲學史論文索引》

林慶彰*

書　　名：《中國哲學史論文索引》

編　　者：方克立、楊守義、蕭文德

出　版　者：北京　中華書局

出版日期：第一冊　1986 年 4 月

　　　　　第二冊　1988 年 10 月

　　　　　第三冊　1988 年 10 月

　　　　　第四冊　1991 年 11 月

冊　　數：4 冊

一、前　言

　　作學術研究工作，必須藉助各種目錄來檢查前人的研究成果，這已是人人皆知的事。大家都知道目錄索引的重要性，願意為編目錄而犧牲奉獻的人，則少之又少。是以五花八門的學科，有目錄供人檢查的，就相當有限。

---

*　　林慶彰，中央研究院中國文哲研究所研究員。

　　中國哲學史這一學科，自清末興起，迄今已有八十餘年的歷史。研究的成果，如將專書、論文合計，可能有數萬篇之多。學者要檢索這些資料，如無適當的目錄，可說大海撈針，困難重重。這八十多年間，並沒有為這一學科的資料編過目錄，學者要檢索資料，祇能利用綜合性的目錄，如《國學論文索引》、《中國史學論文索引》、《中國近二十年文史哲論文索引》、《中國文化研究論文目錄》、《東洋學文獻類目》等書。這些目錄索引，既不專為「中國哲學史」一科而編，收錄資料自不夠完備，分類也時有錯誤。其不合需求也是理所當然的事。

二、體　例

　　自 1980 年 7 月，中國社會科學院哲學研究所圖書資料室即編有《中國哲學史論文資料索引》，陸續在《中國哲學史研究》發表，後來中斷未繼續。然以如此龐大的資料，要在期刊中連載，必曠日費時，且也不便檢索，其中斷也不必為之可惜。

　　天津南開大學的方克立、楊守義、蕭文德等三位先生有感於此種工作的重要，著手開始編輯《中國哲學史論文索引》。按計畫，這套書共有五冊，分別是：

　　第一冊：收錄 1900－1949 年間之論文。

　　第二冊：收錄 1950－1966 年間之論文。

　　第三冊：收錄 1967－1976 年間之論文。

　　第四冊：收錄 1977－1984 年間之論文。

　　第五冊：是附編，收臺灣、香港兩地 1950－1980 年間之論文。

全書五冊，預計收錄論文篇目 3 萬條。至 1992 年底，已出版前四冊。就已出版的四冊加以考察，全書的基本體例是：

㈠按時代和內容分類：計分總論、先秦、秦漢、魏晉南北朝、隋唐五代、宋元、明清、近代八大類。每一大類又分數十類，如先秦一類，又分概論、儒家、墨家、道家、法家、名家、陰陽家、兵家、農家、縱橫家、雜家、其他等十三類。每一類下又分數小類，或數十小類不等。

㈡收錄資料範圍：以公開發行的中文期刊、報紙為主，也收錄有關輯刊、紀念特刊、論文集中的篇目。

㈢各條目的目錄項：每篇論文均按篇名、著譯者、報刊名稱、卷期、出版年月等項著錄，一篇論文曾在兩種以上報刊發表者，第二次以下，僅錄報刊名、卷期、出版年月，且與第一次的目錄項並排著錄。

㈣書末附錄資料：每一冊後附有《所收報紙期刊一覽表》和《著譯者索引》，以方便檢索。其中，第三冊未附《著譯者索引》。

以上是本書編輯的基本體例。對基本體例有簡單的理解，才能進行下面數小節的批評工作。

三、優　點

要評判一部目錄的好壞，最簡便的方法是將該目錄與同時代同性質或性質相近的目錄相比較。可是，在以前並沒有人編輯過《中國哲學史論文目錄》一類的書，所以本書的優劣可能無法藉比較而得。但是，目錄是為方便檢索資料而設，資料是否齊全、分類是否合理、檢索是否方便，也成了評判目錄優劣的通則。

根據上述原則，本索引至少有幾點值得注意：

㈠第一套哲學史論文索引：寫一部前人未曾寫過的專著，蒐集資料，擬定章節，都得從頭開始，其困難不問可知。編一部前人未曾編過的索引，毫無資料可做憑藉，一條條的資料，全要重新抄錄，工作過程之艱辛，實非常人所可理解。本索引不論有多少缺失，此一開創之功，都值得後人感謝。

㈡涵蓋時間長，資料齊備：綜合性索引因收錄範圍廣，涵蓋時間都比較短。專門性索引，因專為某一學科而編，涵蓋時間往往很長。時間長，資料自然較豐富。本書收錄 1900 至 1984 年間，整整85 年間的資料，不但展示了這段期間學者研究的總成績，更可提示學者將來研究的方向，也間接提昇了中國哲學史研究的水平。

㈢兼收論文集，擴大索引的功能：以前編輯索引，往往期刊、報紙、專書分開編，論文集則當作專書處理，未能將所收的論文作分析條目。為能發揮論文集的學術功能，與期刊索引一起編排，實有其必要。民國初年，于式玉所編的《日本期刊三十八種中東方學論文篇目》和《一百七十五種日本期刊中東方學論文篇目》，已將期刊，論文集篇目混合排列。本索引第一冊收論文集 10 種，第二冊收93種，第四冊收159種（第三冊未收），合計收錄兩百餘種。雖然數量不夠多，但對讀者檢索論文集中的資料仍舊有不少幫助。

以上是本索引一些較值得注意的長處。

四、疏　失

編輯目錄是件偉大的學術工程，編者的識見，人力、物力是否能配合，資料蒐集是否齊備，都足以影響目錄編輯的優劣。以下所

提本索引的種種缺失，自與上述情況有關。

㈠未能兼收專著：索引的功用既在方便讀者檢索，則祇要這一學科內的資料，應不分專著或論文，一概加以收錄。日本人編的目錄比較有這種觀念，所以不叫「論文目錄」，而叫「文獻目錄」。大陸所編的各種索引，大多專書、期刊論文各自成一系統，非常不方便檢索。本索引已知收錄論文集，卻未能兼收專書，實為美中不足。

㈡按論文發表時間分冊，增加檢索的困擾：涵蓋時間長，資料多至數萬條的索引，往往必須分冊。分冊的方法往往依資料的性質而定。如以本索引來說，也許是先秦兩漢一冊、魏晉至五代一冊、宋元明一冊、明清近代一冊，比較理想。可是，本索引的編者，卻按論文發表的先後，先分為四冊，再配上臺港一冊，合計五冊。既以發表時代分，又按地區分。讀者要檢索一位哲學家的資料，就必須一至五冊全部查閱，這是多麼不方便！

㈢各小類未再細分，也不便檢索：本索引每一小類中的條目，都僅按發表時間先後編排而已。如果這一小類中的條目少，內容又單純，按發表先後排，也沒有關係。如果條目多，內容又龐雜，檢索起來就相當費時。如第一冊孔子一類，有 31 頁之多；周易一類，有 22 頁之多。要檢查其中某些論題的條目，必須逐頁檢索，有時眼睛疲倦，看走眼，又得重來。如果能將這些類目，再分成若干細目，將更方便讀者。

㈣未能標明起迄頁數：民國以來的各種目錄索引，目錄項都不夠完整，有的非但未註明起迄頁數，連出版年月也闕如。本索引雖已為每一條目標明出版年月，卻仍舊未標明起迄頁數。其實目錄索引中標明頁數，至少有兩點作用：⑴讓讀者一找到該期刊，即可查

到所需的論文，不必再查核該期刊的目次，確定頁數，再找論文。⑵可從標明的頁數看出該論文的分量，以初步決定是否要找來參考。本書的資料，既是實地查閱各期刊而得，把起迄頁數省掉，實有點可惜。

㈤附錄未能前後一貫，索引檢查不便：根據第一冊的「編輯體例」，每冊後均附有「著譯者索引」。可是本書第一、二、四冊有索引，第三冊卻沒有。這是本索引最嚴重的缺失。不論有多充足的理由，皆無法彌補此一疏失。再者，由於本書並未為每一條目編上流水號，作為代號，要編著譯者索引時，每一條目祇好以該條目所在的頁數作為代號。如要查嵇文甫的論文，打開第一冊著譯者索引，頭一個頁數是「24」，表示在第 24 頁有嵇氏的論文條目。可是，第 24 頁有條目 14 條，必須逐條核閱，才可查到所需的條目。時間上是多麼的不經濟！

㈥出版時間拖延太長，失去時效：每一種目錄，收錄資料都有其斷限。出版速度快，目錄才不會失去時效，本索引資料截止時間是 1984 年，這一部分資料收在第四冊。臺港資料則僅收到 1980 年，這一部份資料收在第五冊。可是第四冊出版於 1991 年 11 月，中間已隔了七年。第五冊臺港部分尚未出版，如能在今年出版，中間也隔了十二年。這些年間的資料，本索引皆無法收入，要資料新穎完備，就得再重新編一本。由此也可以看出大陸學界的工作效率是如何了。

五、結　語

大陸在這幾十年中，雖編有不少目錄，但依筆者觀察，除《中

國語言學論文索引》編輯體例較嚴謹外，其他各目錄體例上的缺失不少。如果要加以評分，大多僅及格邊緣而已。本索引是第一本中國哲學的論文目錄，有開天闢地之功，涵蓋時間長，也能注意收集論文集中的資料，使原本單一功能的目錄，變成雙重功能。這些都是值得稱許的地方。

　　至於本文所提的種種缺失，如：⑴未收專書資料；⑵按論文發表時間分冊，增加檢索困擾；⑶各小類未再細分，也不便檢索；⑷未能標明起迄頁數；⑸附錄未能前後一貫，索引檢查不便；⑹出版時間拖延太長等六項缺點，大都是本書的結構問題，除非把整部書重新編過，不然，已無法再補救。

　　唯一盼望的是，大陸以後再編目錄時，能多參考海外既有的目錄。在臺灣，綜合性的目錄，如國立中央圖書館的《中華民國期刊論文索引》，漢學研究中心的《漢學論著選目》；專科性的，如國立中央圖書館的《中國近二十年文史哲論文索引》、《中國文化研究論文目錄》，東吳大學的《中文法律論文索引》，和本人主編的《經學研究論著目錄》、《朱子學研究書目》。在日本，則有《東洋學文獻類目》。這些目錄體例比較完善，可給大陸學界參考的地方很多。能多參考、研究別人的長處，才能提昇編輯目錄的水平。

　　——原刊於《鵝湖學誌》，第 9 期（1992 年 12 月），頁173－179。

《兩漢諸子研究論著目錄
（1912－1996）》評介

黃議葦*

書　　名：《兩漢諸子研究論著目錄（1912－1996）》
主　　編：陳麗桂
編　　輯：李素娟
出 版 者：臺北　漢學研究中心
出版日期：1998 年 4 月
頁　　數：630 頁

一、前　言

　　凡是提到「目錄」的功用，大多會以章學誠《校讎通義・序》中「辨章學術，考鏡源流」一說為主，可見目錄的編製不僅限於圖書的著錄，而是可以透過目錄的分類及圖書著錄的變化、數量的增減，或目錄中的序跋等，進而觀察學術風氣的轉移與流變，以達到

　黃議葦，臺北大學古典文獻學研究所碩士生。

「辨章學術，考鏡源流」之目的，雖然這在目錄學中被視為是一種理想，但仍然確實可行，例如胡楚生先生所舉之例：

> 梁啟超曾據《隋書·經籍志》的經部禮類所著錄有關「喪服」的書籍，認為是可以反映魏晉南北朝時人們重視孝道的精神，這種藉目錄以考察學術進展的情形，專科目錄的作用，尤其顯得重要。❶

以上可知，專科目錄具有「考察學術進展」的功能，此外，胡先生還說專科目錄可為人們提供「蒐集參考資料」、「分析學人成就」、「比較研究方法」、「啟迪寫作靈感」等相關價值。大致來看，專科目錄是當從事學術研究，卻不知從何著手查詢資料時的最佳利器，然而隨著學術研究日漸廣泛多元，分工及所研究的議題更為細密專精，此種本以針對專門學科、人物或特定議題的專科目錄便更能切合需求。而臺灣近五十年來對於專科目錄的編纂，至林師慶彰主編《經學研究論著目錄》後，便成為往後其他專科目錄編纂的重要基石，如本文評介的《兩漢諸子研究論著目錄》，觀看其中的內容體例等部分也大多是承襲《經學研究論著目錄》（以下簡稱《經學目錄》）的形式，且主編陳麗桂教授也在序中敘述，編纂本目錄時曾獲林老師的傾囊指教，可見當代專科目錄的編輯熱潮及型態自《經學研究論著目錄》問世後，便已儼然成形。就此，本文也

---

❶ 胡楚生：〈專科目錄的利用與編纂〉，《書評書目》，第 94 期（1981 年 2月），頁 27。

會在某些部分將兩者內容差異做一對照，以顯示本目錄之優缺現象。

　　一般來說，只要是提到「諸子」，大多數人都會以先秦之九流十家為第一印象，畢竟那是百家爭鳴最輝煌的時代，然而到了漢代，「子學」做為一門學科在相較之下已漸漸大不如前代，因為自漢武帝獨尊儒術後，儒家「經」典便跟著提升，從《漢書·藝文志》所保留了《七略》的內容來看，已可見到分類排序為經學前子學在後，但雖然諸子學衰微，漢代學術仍與諸子學是密不可分的，如董仲舒的思想雖以儒學為主，但仍吸收陰陽五行等思想，成為新的儒學思想體系；劉安的《淮南子》著錄於雜家，而實為道家思想等❷，因此兩漢諸子的思想仍承繼先秦諸子思想，雖然至魏晉後，文集產生，諸子學說性質的文章被作為文集，歸入四部分法中的集部，在四部分法確立後，子部更退至第三位，但諸子學研究領域卻從未間斷，至今也還有代表性的學者；而在本目錄還未問世之前，學者們查找此一領域的研究資料，大多僅能從個別研究論集或索引中翻找，如《淮南子思想之研究論文集》❸或《史記研究資料與論文索引》❹等，常是一本翻完再翻一本，非但不方便也浪費很多時間，因此本目錄一出，對於研究兩漢諸子的學者學人們來說，實具有相當的便利性與價值。

---

❷　高路明：〈漢代諸子學略論〉，《北京大學中國古文獻研究中心集刊》，第4 輯（北京：北京大學出版社，2004 年 10 月），頁 149－151。

❸　李增：《淮南子思想之研究論文集》（臺北：華世出版社，1985 年 8 月）。

❹　王民信：《史記研究資料與論文索引》（臺北：學海出版社，1976 年 7 月）。

本目錄之形成，主要是由國家圖書館漢學研究中心，於 1997
年 1 月委託臺灣師範大學國文系陳麗桂教授，率領旗下學生劉為博
等二十餘人❺所編纂而成的，陳教授現仍為該校專任教授，其學術
研究以先秦哲學、兩漢學術、黃老思想等方面為主，曾教授過淮南
子、中國哲學史、兩漢諸子專題研討等課程，著作有《秦漢時期的
黃老思想》等及學術論文六十餘篇，從以上經歷來看，由她主編此
一目錄，可以說是相當適切，整體來說，本目錄的出現對於兩漢諸
子相關領域的研究，實有無比的貢獻。而陳教授之後也並未就此中
斷，仍持續進行編纂工作，再出版《兩漢諸子研究論著目錄（1997
－2001）》，更可見其對此領域的熱忱及用心。以下分數點對本目
錄做一評介。

二、內容體例概要

㈠ 收錄年限及地域範圍

本目錄所收錄之年限範圍如書名中所示，以 1912 年至 1996 年
間學者研究兩漢諸子之論著為主，而 1997 年之論著亦儘量收錄；
所收錄的資料範圍則主要以臺灣、中國、香港等兩岸三地學者之研
究成果為目標，並同時旁及國內所能收得的日文及其他外文論著，
以探討兩漢諸子相關問題之書籍，或各項刊載於報紙、期刊、論文
集或學位之論文為對象，其中還兼有美國哈佛大學哈佛燕京學社圖

---

❺　其他編纂成員有黃青萍、周慧華、黃瑩暖、劉俞嫻、鄭憲仁、張建群、吳清
　　輝、蕭義玲、陳錦湧、李黃臏、鄭燦山、崔世崙、楊百菁、范怡舒、羅彩
　　鳳、賴慧玲、朱書萱、林宜蓉、劉國平、李泰德、李辛玲、劉德玲、李天
　　祥、蕭鳳嫻。

書館、耶魯大學圖書館、加州大學柏克萊分校東亞圖書館之收藏，此部分在陳教授序中有提到，是其先生張靜二教授於美國進修期間協助印寄的❻，綜合以上來源共計六千餘種資料，以資料多寡度來看已屬盡心盡力，而資料蒐羅之地域範圍，仍因迫於身處臺灣，資料獲得有限而未能擴及至廣。

(二)　**收錄資料之內容標準**

　　至於收錄資料的內容標準，大致都在〈凡例〉中所列的五個方向內，其一為「綜合性通論兩漢思想之論著」，其二為「對兩漢子學重要課題」，如黃老思想、陰陽五行等之研究論著，其三為「對兩漢子學相關典籍」，如《黃帝內經》、《白虎通》等之研究論著，其四為「對兩漢諸子及其子學專著」，如陸賈與《新語》、賈誼與《新書》等之研究論著，最後為「對與兩漢學發展有一定關係之學者」，如司馬遷、鄭玄等之思想研究論著❼；由以上來看，本目錄所設定的收錄標準，基本上已能概括兩漢諸子的相關研究範圍。

(三)　**目錄分類及條目編排**

　　在目錄分類上，主要是依上述五項收錄標準中的細項，做為總目的名稱，如「陸賈與《新語》」即為其中一項總目，從第一項「兩漢學術思想通論」至最後一項的「讖緯」共二十五大類，其下再分別依編纂者所設定的主題分出子目，而大多被分出的主題以「考據」、「綜述」、「義理」、「其他」等四類為較主要的方

---

❻　見本目錄，〈編者序〉。
❼　見本目錄，〈凡例〉。

向，如：

> ◎兩漢學術思想通論
> 　(一)學術與哲學
> 　　　1.總論
> 　　　2.儒家
> 　　　3.道家
> 　　　4.法家
> 　　　5.儒道、儒墨、儒法
> ……
> ◎陸賈與《新語》
> 　(一)考據
> 　(二)綜述
> 　(三)義理
> 　(四)其他
> ……

其中的收錄原則在〈凡例〉中則已有註明，在此不再多述。至於內文條目的編排則是不區分專著或是論文，一律採混合排列，並依發表的時間先後做為編排方式。

(四) 著錄體例

　　因本目錄為承襲《經學目錄》之編纂方式，故其著錄體例也與其相仿，例如「專著」之著錄順序為先錄作者、其次為書名、出版地、出版者、頁數、出版年月；而「期刊論文」著錄順序則為作

者、篇名、期刊名、卷期、頁數、出版年月；今僅分別舉出二項，其他性質的論文著錄方式也多與《經學目錄》相似且甚至一致，著錄內容可詳細呈現，對於使用者來說無非是一種貼心，而此種著錄方式亦成為其他論著目錄著錄條目時的重要依據。

㈤ 附錄之設置

本目錄最後還設有「附錄」，收錄了作者索引，以及期刊、報紙、論文集一覽表，可供使用者之便，其排序方法皆依首字筆畫數由少至多為標準，作者索引部分，凡遇國外學者有中文姓名則皆與中文學者並列，本目錄的作者索引中，沒有中文姓名的國外學者僅約錄二十餘人左右，可見收錄資料的地域廣泛性實在稍弱；另外，學者姓名之下，則是將其所有論著流水號一一列出，如傅以輝名下列有 2212、6020 共二條，又如于北山名下列有 1167、3213、4548 等，藉此索引依學者姓名尋找其發表資料就十分方便。而期刊、報紙、論文集一覽表的部分，則是將所有條目資料蒐羅來源皆列於此，可呈現本目錄的收錄方向。

三、特色及優點

作為一本專科目錄工具書，本目錄有下列幾項特色及可取之處：

㈠ 收錄年限長

本目錄所收錄的資料，主要是從 1912 年至 1996 年之間，於單冊目錄中一次收錄將近長達八十五年間的相關論著，可以藉此達到檢索專科目錄時同時瞭解此領域學者的研究歷程與成就，也可視本目錄為近八十餘年來兩漢諸子研究的成果總匯集。但反觀收錄年限

如此之長，條目數量應是相當豐富，經過和其所承襲之《經學目錄》比較的結果來看，本目錄單一冊共收錄 6809 條，但《經學目錄》光是其中一編就有二至三冊，任一冊條目多則可達九千餘條，且收錄年限僅約十年左右，由此可看出兩項領域研究者及發表論著數量的懸殊差距，同時也可瞭解學術界研究方向的概況，不過也大膽猜測可能是漏收資料過多。

㈡ **兩漢諸子研究論著之總匯集**

在本目錄尚未問世之前，並沒有將兩漢諸子研究領域之論著作一匯集的相關專科目錄，有關於兩漢諸子研究資料的查找，多必須較為辛苦的據各刊物一一翻查，或者仰賴單一主題為主的論著索引，如《淮南子思想之研究》❽、《淮南子論文集》❾、《史記研究之資料與論文索引》❿等，在求取資料上可能會遺漏不少重要的論著，因此本目錄的編纂出版就顯得十分重要，陳麗桂教授將兩漢諸子相關研究條目做有系統的整合排列，讓研究該領域的學者可以較容易的查找到資料，同時也可視為是兩漢諸子研究論著目錄的總匯集，若說是集大成者也是相當適切。

㈢ **條目著錄詳實而清晰**

本目錄除一般基本項目如流水號、作者、書篇名、出版項，可助使用者在查找資訊上之擴充外，還儘量的著錄單篇論文之起迄頁碼，或專著及學位論文的總頁碼，以達便利使用者的考量，且對於

---

❽　同註❸。
❾　陳新雄、于大成：《淮南子論文集》（臺北：木鐸出版社，1976 年 3 月）。
❿　同註❹。

各條目之篇幅大小也可以有清楚的了解，例如：

> 0004　李本道　五德終始西漢主勝東漢主生考
> 中國學報　第 2 冊第 2 期（附錄類）　<u>頁 1－3</u>
> 1912 年 2 月
> 0010　王煥鑣　漢代五行者的異同
> 史地學報　第 2 卷第 8 期　<u>頁 89－102</u>　1924 年 2 月

由以上可知，本目錄之基本著錄項目大致具備，且幾乎沒有多餘符
號，使得整體版面清晰明瞭，著錄的頁碼則可以指引使用者在參考
上的選擇，如前條僅 2 頁，而後條則為 13 頁，若使用者依此判斷
本身需求，便可先行作一取捨。在學位論文部份又不嫌麻煩的將指
導教授名也著錄進去，如：

> 4893　彭美玲　鄭玄毛詩箋以禮說詩研究
> 臺北　國立臺灣大學中國文學研究所碩士論文　315
> 頁　1992 年 6 月　<u>張以仁指導</u>

如此可以讓使用者在查找學位論文條目時，更認識其師承或學術傳
承的根源，也可以算是本目錄一項著錄詳實的明證。

(四) 附錄資料豐富

一般來說，「附錄」是指附印在目錄正文以外的相關文章、文
件、圖表、索引、資料、肖像等，以幫助讀者查索或理解目錄正
文，通常置於書末，而專科目錄所收的條目皆為專書或單篇論文，

因此書後多附有「引用工具書目錄」、「引用期刊報紙目錄」、「引用論文集目錄」等項目，可供使用者檢索之用。⓫本目錄之附錄在功能擴充上已可以算是相當豐富，書末依慣例附有「作者索引」、「收錄期刊一覽表」、「收錄報紙一覽表」、「收錄論文集一覽表」以及「收錄外文期刊、論文集一覽表」等，作者索引除了方便使用者查找學者所發表之相關作品之建置外，還可了解該學者發表份量；而收錄刊物一覽表，則說明了條目收錄來源，同時也可視為使用者參考的擴充。本目錄收錄刊物在中文方面包括期刊、報紙、論文集；外文收錄方面則較中文部份少，種類數量並不多，主要以日文、英文等語言刊物為收錄範圍，在日文部份僅收期刊、論文集；英文部份則因更少，故不分種類，而中外兩類所收錄刊物總計共六千餘種；其中絕大多數又都著錄有出版地、出版者、創刊年月，以及更改刊名等資料，有助於使用者掌握有關於該領域的學術刊物資訊。

㈤ **電子資料庫的建置**

　　在資訊化的影響之下，使得不少學術資料的傳播與使用更為方便，像是已相當常見的數位典藏及各類的資料庫即是，而專科目錄提供網路化多元組合的查詢，可以讓專科目錄利用的效益更加擴大。本目錄是國家圖書館漢學研究中心負責出版工作，該單位對於電子資料庫的建置亦相當盡心，因此本目錄便與其他同為該單位出

⓫ 葉純芳：〈專科目錄「附錄」的檢討〉，《專科目錄的編輯方法》（臺北：臺灣學生書局，2001 年 9 月），頁 80。

版的目錄一樣，都有製作電子資料庫置於「漢學研究資訊網」❷，
而本目錄的「兩漢諸子研究論著目錄資料庫」主要是依據紙本資料
彙整而成的，由陳麗桂教授偕同張建群先生、劉為博先生編輯關鍵
詞及類目表，所提供的檢索方式有全文檢索、類目瀏覽、關鍵詞查
詢以及作者、書篇名、期刊論集名索引瀏覽等，讓沒有紙本目錄的
使用者，可以在任何有網路的地方進行查找，也讓本目錄的使用價
值更加提升。

(六) **編纂的延續進行**

　　正因為研究活動是沒有停止的一天，著作也就會不斷的出現，
而假如專科目錄沒有持續的編纂，就會隨著時間的拉長慢慢失去時
效性，也無法繼續反映研究的成果，且在該領域研究的查找上又會
重新回到較為辛苦的階段。而陳麗桂教授繼本目錄後，在 2000 年
向國科會提出申請，於 2003 年又出版了《兩漢諸子研究論著目錄
（1997－2001）》，也是本目錄的續編，如此能夠持續該論著目錄
的編纂，可說是相當的不容易，非常值得稱許。因為編輯論著目錄
相當費時費工，其辛勞程度並非一般人能夠體會，或許使用者在得
其便利之餘，若能珍惜編輯者的用心，將會使此項工作更為有力，
陳麗桂教授此一利人之舉，的確值得尊敬。

四、缺失分析

　　一本再好的專科目錄多少都會有些許缺失，畢竟本就難以十全
十美，一條不漏，且要顧全每一個細節是否都符合著錄條例，更是

---

❷　該網址為：http://ccs.ncl.edu.tw。

不易，要硬挑幾條做為其編纂缺失，實有苛責之嫌，且每一個使用者的定位不同，查找方式亦不同，良與弊之間實在很難說，因此，只要是盡心盡力編纂的專科目錄，都應該給予肯定，畢竟編纂專科目錄這件苦差事，不是人人都願意去做的，而提供了學者研究時的便利性，更是莫大功德；但屬於嚴重訛誤或較不妥之處仍須舉出，如此專科目錄的編纂內容在大家的討論之下，才會更上層樓，以下筆者斗膽列出幾項觀察：

㈠ 書名問題

　　從本目錄《兩漢諸子研究論著目錄（1912－1996）》的整個書名來看，「兩漢諸子研究」清楚的定義出所收錄的論著範圍；而「論著目錄」則說明了目錄性質，有別於「分類目錄」、「文獻目錄」、「索引」等；書名後的年代「1912－1996」也界分出收錄條目之年限，從這些細節來看書名可以算是完整而清楚，但是仍有可以再作微調之處。因為本目錄有持續的進行編纂，即《兩漢諸子研究論著目錄（1997－2001）》，因數字記憶較為不易，一般人往往不能記住正確年代範圍，假如要叫出目錄名，兩本擇其一於分享討論時、或借閱時、或引用書名時，多不能完整指出究竟為何本，因此若能以初編、續編或一編、二編代替書名中的年代，或許會較容易明白些，如《兩漢諸子研究論著目錄初編》及《兩漢諸子研究論著目錄續編》等。不過這是屬於非常細微且不足為觀的小問題，所以在此僅作為建議之用，並非挑剔指疵，望能見諒。

㈡ 〈凡例〉可再詳盡列述

　　若以編纂者角度來看，〈凡例〉的目的可以說是編纂時遵循的標準，對於使用者來說，則是使其清楚目錄的範圍限制及所提供的

有效範圍為何❸；而內容方面則主要是說明編輯範圍、材料來源及分類方式，本目錄的〈凡例〉基本上已包含以上項目，頗為清晰，且一部好的論著目錄，就是使用者不需要〈凡例〉即可容易的查找使用，在這方面本目錄其實可以說是相當成功，因為其條目內容的建置清晰明瞭，如篇名、出版項等，一眼便能知道所著錄的究竟為何，但再觀其〈凡例〉僅述四項，仍讓人感到有些不足，本目錄既然是承襲《經學目錄》而成，在〈凡例〉方面也可延續其相關說明，例如《經學目錄》中有「各類論著著錄項」之說明，可清楚知道條目的排列規則、著錄順序等，且正如前面所說，〈凡例〉也可就編纂者角度來看，所以若能更詳細說明像是著錄規則等，也可以算是編纂者在交代編纂時所遵循的標準，有負責任且訴說編纂時並非毫無規則的意味。

(三) 條目排序法未盡完善

如本目錄〈凡例〉中所述，條目的排序方式是採專著與論文混合排列，且依「時間先後」為序❹，但筆者在翻閱後仍發現有不少未盡完善之處，例如：

1484　郭湛波　漢初之儒家：晁錯──晁錯之反對王權及其重農輕商思想
　　　郭湛波　中國中古思想史　頁 67－69　香港　龍門

---

❸　陳進益：〈關於專科目錄中「凡例」的一些思考〉，《專科目錄的編輯方法》（臺北：臺灣學生書局，2001 年 9 月），頁 41。

❹　同註❼。

書店　　1967 年 12 月

1485　　周金聲　晁錯的經濟思想

　　　　周金聲　中國經濟思想史（二）　　頁 331－335　　臺
北　　周金聲著作發行所　　1965 年 7 月 21 日

又如 3060、3061 條，前條時間為「1971 年 5 月」，後條為「1975
年」，在以時間為序的規則上，也同樣出現錯誤。這或許是編纂論
著目錄的條目過多而產生的疏失，由此也可知，在編纂論著目錄
時，是需要花費相當的耐力與細心程度，的確是一件不容易的工
作。

㈣ 漏收問題

　　在前面體例部分有稍微提到，本目錄單一本收錄了長達八十多
年間的研究成果，與其所承襲之《經學目錄》在十年間光是單本即
有九千餘條相比，條目數量明顯較為偏少，可能是和研究領域成果
多寡有關，但筆者也大膽推測可能是漏收資料過多，在此先不論斷
是否真有漏收情形，不過若從本目錄出版之前，涉及此領域的相關
目錄、索引來看，或許可以稍微作一了解；例如本目錄的「司馬遷
與《史記》」部分，在此之前已有王民信先生的《史記研究之資料
與論文索引》，照理說前人的編纂成果應該多加利用，可說是現成
的目錄供收錄之用，但將兩者相比似乎並非如此，在本目錄「司馬
遷與《史記》」中的「生平與傳略」，從 2012 至 2058 共收錄 46
條，而翻開《史記研究之資料與論文索引》的「司馬遷的生平事蹟
及其學術貢獻」，就有頁 69 至頁 80 多達 11 頁，遠遠超過本目錄
的 46 條，如細加核對，可發現本目錄有不少漏收。如此沒有注意

到前人已編纂好的目錄而漏收，便顯得十分可惜。此外，本目錄因承襲《經學目錄》，所以亦可就附錄部分將兩者作一對照。在收錄的學報部分，兩者共收錄約376種學報，但其中就有223種是本目錄未收錄的，例如重要的《浙江大學學報》、《南京大學學報》、《湖南大學學報》等；而報刊資料部份，《經學目錄》收錄了33種報刊，本目錄卻僅收錄10種；如此多的數量，恐怕會嚴重遺漏掉許多重要的相關論文。既然本目錄是承襲《經學目錄》，那至少在《經學目錄》有收錄的刊物中，也應該儘量注意蒐羅，一方面也能省去編纂時列舉欲查找刊物的時間，這部分的確是本目錄有所疏忽之處。

伍 著錄問題

至於在本目錄的著錄問題上，也有一些值得提出的疑慮或錯誤，以下再略分數項進行分析：

1. 類目名稱問題

類目名稱的定名優或劣，通常會影響使用者對於內容判別上的差異，如果類目名稱不知所云，將會加深使用者查找資料的困難度，因此類目名稱宜簡潔且清楚所指之界定，而在本目錄的類目詳表中可見，其子目大多以「考據」、「綜述」、「義理」、「其他」等四類為主，其他如「宇宙論」、「天人與災異」、「政治」等，也基本上多能一眼明白所收條目內容為何，但仍有類目名稱讓人頗感突兀之例，像是「賈誼與《新書》」之下所分的子目「義理」一項，於下又細分出「賈誼思想」與「讀後」，前者尚能分辨，但後者「讀後」一項就容易使人迷惘，如此在定名上便有所失誤。

2.類目排序分類方式

本目錄〈凡例〉的第一條十分可取,即是將兩漢諸子研究領域相關論著收錄的內容性質,用五點清楚的敘述劃分,分別是「綜合性通論兩漢思想之論著」、「對兩漢子學重要課題」、「對兩漢子學相關典籍」、「對兩漢諸子及其子學專著」、「對兩漢子學發展有一定關係之學者」等,但再觀其類目詳表,卻沒有利用此一分類作為總目名稱,反而是以各家及其著作做為總目名稱,這樣恐怕會因各自獨立而散亂不知範圍,如:

◎《白虎通義》
　（一）考據
　（二）綜述
　（三）義理
　（四）其他
……
◎黃老思想
　（一）黃老思想與黃老治術
　（二）黃老帛書
……

筆者認為,既然在〈凡例〉中皆已清楚做出劃分,且又已說明何種類目屬於何種性質,因此何不利用此一分類,在類目詳表中將其統整,歸納至相同性質為一項,如下:

◎對兩漢子學相關典籍

一、《白虎通義》

　　(一)考據

　　(二)綜述

　　(三)義理

　　(四)其他

二、《太平經》

……

◎對兩漢子學重要課題

一、黃老思想

　　(一)黃老思想與黃老治術

　　(二)黃老帛書

……

3.附錄筆畫之疑慮

　　經過和《經學目錄》比對之後，在兩者附錄中的「收錄期刊一覽表」中發現有一處疑慮，就是歸類筆畫數的問題，且約有近十處不同，例如《經學目錄》「延」字歸於 7 畫，本目錄歸於 8 畫；還有前者「社」字歸於 7 畫，後者歸於 8 畫；前者「黃」字歸於 11 畫，後者歸於 12 畫等。據林師慶彰所述，《經學目錄》所依據的是國家圖書館檢字表，但本目錄在此部份或許也可以說是並非錯誤，不過究竟依據何種筆畫根據，就不易明白。如前面多次所述，本目錄承襲自《經學目錄》，在很多前人已趨向成熟的地方，其實是可以直接沿用的，既可省去一些蒐集、編纂條目以外的工夫，也

更能事半功倍，所以類似此一部份或許可以依據《經學目錄》中的方式，應該會更為一致。

4.作者著錄問題

　　有時候一位學者，可能會使用兩種以上不同的名字，而究竟是要取其中一個名字統一著錄，或是依不同名字著錄就容易產生麻煩，本目錄也同樣出現此種情形，如開篇第一條著錄的作者為「劉師培」，但實際翻查該期刊之作者名字卻為「劉光漢」，兩者其實為同一人，僅是名字使用上有所不同，而遇此種情形，仍建議應以期刊上名稱為主，也就是實際著錄，而非擅自改為同一人的其他名字，這樣一來可以保持原本的真實面貌，二來也會讓較為不清楚的使用者不至於產生混淆，以為非同一人而忽略此筆重要資料。

五、結　語

　　如前面所述，本目錄在出版後仍有的持續進行編纂工作，即《兩漢諸子研究論著目錄（1997－2001）》，編纂體例等大致上皆沿用本目錄而成，收錄年限則與書名上所示，以 1997 年至 2001 年間的論著為主，共計 3098 條，因為或許是有補收初編發行後五、六年間，有關於兩漢諸子研究所增加的議題論著之功用，故所收錄資料從初編的中外刊物六千餘種，降為三千餘種；〈凡例〉中也增加前面所述，初編所沒有的「論著著錄項目」；而附錄的「作者索引」前則增加「作者索引檢字表」供使用者更方便查找；在類目方面據編者所述，此時段因道教研究蓬勃發展，漢代《老子》學日益受到重視，所以較初編增列了「嚴遵與《老子指歸》」、「《老子河上公注》」及「《老子想爾注》」等三項；如此能持續的編輯出

版，其用心及造福學人的行為，實在是不得不令人佩服。

　　一本再好的論著目錄，若有心人想用雞蛋裡挑骨頭的心態去檢視，相信都一定可以挑出問題供大肆批評，也有不少人一生中從未嘗試過編纂論著目錄，但一說到使用心得或目錄優劣時，所給予的負面評價，卻比任何人都還要響亮，如此作法又有何意義。因此，與其高高在上攻訐錯誤，何不用謙恭的心態、建議的角度與編纂者作對話討論，在此筆者也僅以卑微的言語，自曝不成熟的想法，畢竟編纂論著目錄所需要付出的心力與時間，若沒有親身經歷夜以繼日、查查找找的苦差事，絕不可能瞭解的，因此，在享有便利翻得資料之餘，人人都必須有同情的了解。本目錄之編纂，因有前例可供參考，在體例上已可以說是相當成熟完備，且又是兩漢諸子研究論著的集大成，加上數位化電子資料庫提升其功能，使用起來更能滿足要求，對於研究此一領域的學者，就算目錄中有所缺失也是瑕不掩瑜，總而言之，《兩漢諸子研究論著目錄》在書海中絕對有其重要的價值，是不容抹滅的。

《魏晉玄學研究論著目錄》評介

陳逸軒*

書　　名：《魏晉玄學研究論著目錄》

主　　編：林麗真

編　　輯：紀志昌、黃翔、謝如柏、陳宏怡、蕭敏如、
　　　　　周欣婷、戎谷裕美子、金白熙、金貞淑、
　　　　　金昭晞、吳傑夫、陳寅清、楊揚

出 版 者：臺北　漢學研究中心

出版日期：2005 年 11 月

冊　　數：2 冊

頁　　數：818 頁

一、前　言

自 1987 年林慶彰教授主編《經學研究論著目錄（1912 -

*　陳逸軒，臺北大學古典文獻學研究所碩士生。

1987）》❶以降，臺灣文史哲各領域便以此書為模範，陸續有專家學人編輯相關目錄，雖在林師編此目錄之前，已有中國文化復興運動推行委員會主編《中國文化研究論文目錄》❷、漢學研究資料及服務中心主編《臺灣地區漢學論著選目》❸等目錄，由於當時電腦運用尚未普及，資訊傳遞與資料排比實屬不易，以致產生些許缺失，但這些「綜合性」目錄已為後來各個專科目錄立下不錯的根基。

在眾家出版者中，除了臺灣學生書局、臺灣大學出版中心、中央研究院中國文哲研究所籌備處之外，對專科目錄有最大貢獻的，莫過於長期大力支持編印的「漢學研究中心」（以下簡稱漢學中心），已有《經學研究論著目錄》（1912－1987）、（1988－1992）❹（1993－1997）❺、《兩漢諸子研究論著目錄》（1912－1996）❻、（1997－2001）❼、《敦煌學研究論著目錄》❽、《中

❶ 林慶彰：《經學研究論著目錄》（1912－1987）（臺北：漢學研究中心，1989年12月），1308頁。一般省稱《正編》。

❷ 中華文化復興運動推行委員會：《中國文化研究論文目錄》（臺北：臺灣商務印書館，1982年12月－1990年11月），共五冊。

❸ 漢學研究資料及服務中心：《臺灣地區漢學論著選目》（臺北：漢學研究資料及服務中心，1983年），共一冊。

❹ 林慶彰：《經學研究論著目錄》（1988－1992）（臺北：漢學研究中心，1995年6月），1003頁。一般省稱《二編》。

❺ 林慶彰：《經學研究論著目錄》（1993－1997）（臺北：漢學研究中心，2002年4月），1642頁。一般省稱《三編》。

❻ 陳麗桂：《兩漢諸子研究論著目錄（1912－1996）》（臺北：漢學研究中心，1998年4月），630頁。

❼ 陳麗桂：《兩漢諸子研究論著目錄（1997－2001）》（臺北：漢學研究中心，2003年9月），324頁。

國民族學與民俗學研究論著目錄》❾、《魏晉玄學研究論著目錄》❿
等，儼然是目錄學界的龍頭。該中心出版的專科目錄在質跟量皆具
有一定的水準，其中《魏晉玄學研究論著目錄》（以下簡稱此目
錄）乃是林麗真教授以十年之功，集百年玄學研究之大成。「玄
學」在兩岸甚至海外都有相當數量的研究成果，但多年來未有相關
論著目錄出現，對於研究此議題十分不便。林教授搜羅 1884－
2004 年中文、日文、韓文、西文⓫等相關論著達一萬兩千多條，
為玄學研究開啟一條捷徑。

　　中國從兩漢至清，不管學術主流為何，在政治上大體都以儒學
為統治之名，惟獨魏晉時期不假儒學而治。在漢、魏之際，社會動
盪不安，混亂的局面撼動了統治階級，曹操掌權後，因自己出身低
微，所以用人唯才，不重滿口仁義道德的士人，此時儒學衰微，玄
學逐漸取而代之。劉大杰先生說：「每當儒學的理論在當代成為威
權的時候，文學的活動必受其指導與限制。明瞭了這一點，便可知
道魏晉儒學的衰微與文學自由發展的關係了。」⓬從文學角度來看
玄學崛起，可知其發展在於自由的自體自覺，透過這種自覺，打破

---

❽　鄭阿財、朱鳳玉：《敦煌學研究論著目錄（1908－1997）》（臺北：漢學研
　　究中心，2000 年 4 月），652 頁。

❾　簡濤：《中國民族學與民俗學研究論著目錄（1900－1994）》（臺北：漢學
　　研究中心，1997 年 6 月），2080 頁。

❿　林麗真：《魏晉玄學研究論著目錄（1884－2004）》（臺北：漢學研究中
　　心，2005 年 11 月），818 頁。

⓫　西文包含了英、美、德、法、義大利、西班牙、瑞士、荷蘭、芬蘭、捷克、
　　斯洛伐克、俄羅斯等各國語言。

⓬　劉大杰：《中國文學發展史》（臺北：華正書局，2001 年 8 月），頁 258。

舊有的窠臼，重新尋找新的社會秩序。

　　玄學的影響是多面向的，「政治層面上，玄學是名教遭黃巾起義衝擊，統治階層本身破壞，以及經學家自身的逾越而陷入危機後，魏晉名士們為挽救名教，以服務於現實政治為鵠的；哲學層面上，玄學是從兩漢神學目的論轉變為有無本末之辯的本體論，實現了哲學思維的轉變與躍進；價值層面上，玄學是魏晉名士試圖從不同路徑建構新的價值體系的嘗試。」❸此外，玄學也與文學、社會、醫藥、信仰、生活等，有著深深的關係。當時思想上大致分為兩派，一為承襲漢代陰陽五行的舊說，一為以老莊自然為立論基礎的新學（或稱玄學），司馬氏篡位後，荼害更多士人，許多名士都往南逃命，導致玄學盛行於江左，尤以荊州宋忠見解最新，影響也最大，之後的王弼就是上承這一派的《易》學。

　　以往在處理玄學報告或研究，習慣性地從文學史、思想史查詢魏晉斷代資料，接著再到圖書館查找合適的圖書，但玄學又跨足許多領域，除了文學、史學、思想，也包含了社會、文化、宗教等等，難免會有遺漏；現今網路發達，搜尋資料較開架尋找方便，但一般查詢系統都是利用「關鍵字」，一樣難以迅速對玄學的研究成果有深入地了解，而此目錄即可解決上述問題，提供讀者系統性地瀏覽，可以得到全面而詳盡的論著資料，方便檢閱玄學近百年研究成果，是研究玄學必備的參考工具書。

---

❸　江增華：〈魏晉玄學之解讀〉，《上饒師範學院學報》第 22 卷第 1 期（2002年 2 月），頁 29。

二、前人評介

前人對此目錄的評介，目前僅有漢學中心聯絡組組長耿立群女士〈《魏晉玄學研究論著目錄》述介〉❶一文，現將耿女士述介內容摘要如下：

林麗真教授任教於臺灣大學中國文學系，在中國思想方面十分專精，尤以魏晉玄學、周易、老子、莊子、列子更是她的強項。在正式出版前五、六年，此目錄即已完成，當時與漢學中心聯繫，希望由漢學中心出版，但漢學中心審查之後，認為著錄項不夠完備，其後林教授的編輯團隊戮力修訂內容，以求符合漢學中心的要求，並孜孜矻矻繼續蒐集新的條目，經增訂後，漢學中心允諾出版，終於，此目錄在二〇〇五年問世。

魏晉時代以三玄（周易、老子、莊子）為思想根基，一反兩漢經學與黃老思想，發展出一種自然、自我的思維模式，藉由「清談」來精進自己的涵養。著名的玄學家有何晏、王弼、劉劭、郭象、竹林七賢等。這段時期的思想，對於後世的文學與學術發展有著極大的影響力。

本書特色：(1)辨章學術，考鏡源流的主題式分類。在玄學家研究和玄理玄風這兩部分，最能讓讀者快速掌握魏晉玄學整體的內容與特色；(2)收錄主題範圍寬泛。主要在於玄學與六朝經史子集之學以及玄學與六朝道教佛教這兩部分，對於當時思潮相關的領域也應同時關注；(3)收錄期限長且條目眾多。表示的確有做目錄的必要；

---

❶ 耿立群：〈《魏晉玄學研究論著目錄》述介〉，《全國新書資訊月刊》第 94 期（2006 年 10 月），頁 16-19。

⑷包含世界各國各種類型的研究成果。跨越國際，不閉門造車，才有開闊的視野，廣納各地的資料；⑸著錄詳實。應漢學中心要求的體例增訂，品質都在水準之上；⑹附錄資料豐富。從期刊、論文集一覽表近百頁的狀況，可知此目錄蒐集材料之廣，實在令人感嘆林教授編輯團隊的「上窮碧落下黃泉」。

修訂建議：⑴不必依刊物性質多設一層級。研究者各類型的資料都需參考，排列在一起可一次找齊；⑵編排或內容上的小瑕疵。例如，目次中未區分上冊、下冊、作者索引有遺漏、少數條目重出等等。

三、內容概述

本書收錄年代自 1884 年至 2004 年，共一百二十年來魏晉玄學相關資料（專著、學位論文、期刊論文、論文集、叢書論文、會議論文等），提供研究者參考檢索，目前漢學中心除了紙本目錄之外，也在國家圖書館漢學中心網頁上建構了網路資料庫。接著對本書整體內容略述如下：

正文分為四個部分：壹、玄學家研究。依玄學發展的四大階段（正始玄學、竹林玄學、西晉玄學、東晉玄學），列舉具有代表性的玄學家，再依他們的研究專長設立不同的專題。例如，「正始玄學」下分何晏、王弼、劉劭，每個皆有「生平論著考辨」和「其人其學通論」，何晏之下有「論語學」與「聖人論」，王弼有「本末有無論」、「自然名教之辨」、「聖人論、性情論」、「易學」等，劉劭則有「人物才性論」；貳、玄理與玄風研究。羅列了十五大項魏晉時代知識分子的哲學談論議題，也是研究者主要的切入角

度。例如，有無之辨、自然與名教、才性論、三教異同等等；參、玄學與六朝經史子集之學。如同前言提到過，玄學影響是多面向的，所以林教授設立了這一部分，延展玄學內涵與各領域相結合，在經部有禮、易、論語、左傳、尚書，在史部有政治、經濟、文化，在子部則舉曹操、諸葛亮、傅玄、郭璞等人，集部則收文學與美學領域；肆、玄學與六朝道教佛教。宗教對於玄學的影響極大，是研究者不可忽略的，本土的道教、外來的佛教、漢代政治舊有的儒教，三教既衝突又融合，激發出許多特別的火花。

依據此目錄凡例，其正文著錄體例：

期刊論文：作者　篇名　刊名　卷期　頁碼　年月

專著：作者　書名　出版社　總頁數　出版年月

學位論文：論文標題　作者　畢業所別　總頁數　年度　指導
　　教授名字

另有附錄，整理了「中、日、韓及西文四種期刊、論文集一覽表」與「作者索引」方便讀者檢索覆核。此外，林教授還有幾項體例設置方便讀者：在西文之各條目皆附上中文翻譯；書評皆附在所評或專著之下，不獨立成條；各條資料依其主題性質，做最適切地歸類，不採互見。

四、本書特色

在特色部分，耿女士已說得十分完備，僅有三點補充。

㈠已建構網路檢索系統：漢學中心已完成電子資料庫的建構，由於此目錄出版數量不大，收有館藏的圖書館有限，漢學中心將此目錄數位化，大大地方便學者遠距檢索。此目錄網路查詢方式有三

種：欄位瀏覽、分類查詢、進階查詢，使用者可依據所需點選不同功能。惟網路版與紙本收錄條目在數量上增加了百餘條，並未說明其增加了哪些條目？放置何處？是其可惜之處。

㈡著錄詳實、簡潔清晰：在漢學中心嚴謹的要求下，此目錄的「著錄項」十分完備，而林教授利用公私關係與會議交流，出入世界各地大小圖書館，乃得以蒐集不同地域多種語言的研究成果；且各條目沒有過多的符號，整體版面乾淨而有條理，在編輯上確下不少功夫。

㈢區分資料類型：在耿女士評介中，她將此編輯體例列為可修訂的部分，不需要做此區分，但在使用者與編者角度，這卻是個不錯的體例。從編者編排角度來看，單篇論文、專著、學位論文各有不同的著錄項，將彼此區隔，方便著錄清楚；從讀者使用角度來看，正如林教授在凡例所提「求刊物性質之分明，便於讀者配合一般圖書館之館藏方式，以利蒐尋。」耿女士提到的問題「本目錄因各主題項下細分層次不同，所佔篇幅亦不一，『專著』和『學位論文』有時列在第二層分類之後，再加上若該節『單篇論文』甚多，往往可能遺漏其後的『專著』和『學位論文』」[15]針對這樣的問題，建議此目錄可以把放置順序由「單篇論文」、「專著」、「學位論文」改為「專著」、「學位論文」、「單篇論文」，並將資料類型統一放在同一層級，不隨細分層級更動，好讓讀者容易翻檢。

---

[15] 耿立群：〈《魏晉玄學研究論著目錄》述介〉，《全國新書資訊月刊》第 94 期（2006 年 10 月），頁 18。

五、修訂建議

可再斟酌的地方，提出幾點小意見供修訂時參考。

㈠莊序用詞有誤：此目錄前有莊芳榮先生序言，在其第二段「本中心有鑒於專題文獻目錄具有總結前人的研究成果、傳布最新研究現況，以及引導學術發展方向等功能，故必須由專精該學科的學者編輯，方能正確選擇資料、安排分類。」在這段內容中，具有總結前人的研究成果、傳布最新研究現況，以及引導學術發展方向的不是「專題文獻目錄」，應為「專題研究論著目錄」。

㈡排序方法應更統一：在這部分問題分為兩點，其一，此書雜收了許多不同語言的研究資料，但並未使資料有順序地出場，不同語言在同一頁前後混合出現，一來造成閱讀的不流暢，二來無法呈現各國研究概況。如，頁 8，00151 中、00152 中、00153 中、00154 中、00155 日、00156 中、00157 日、00158 韓、00159 韓、00160 韓、00161 韓、00162 韓、00163 西、00164 中，這些條目都歸「王弼其人其學通論」，在同一頁中就包含中、日、韓、西四種語言，又如頁 490－493，

9706 日、9707 日、9708 日、9709 中、9710 中、9711 中、
9712 日、9713 日、9714 中、9715 中、9716 西、9717 西、
9718 西、9719 西、9720 西、9721 中、9722 中、9723 中、
9724 日、9725 中、9726 韓、9727 中、9728 中、9729 韓、
9730 日、9731 韓、9732 西、9733 韓、9734 韓、9735 中、
9736 中、9737 日、9738 韓、9739 韓、9740 韓、9741 韓、
9742 韓、9743 韓、9744 韓、9745 韓、9746 西、9747 西、

9748 西、9749 西、9750 西、9751 西、9752 西、9753 日、
9754 中、9755 中。

這些條目都屬「道教史料研究、學界動向」，由於不同語文交雜在
同一版面，顯得有些凌亂，建議在一個細項中，把相同語言歸放一
起，成為塊狀，即可解決上述問題；其二，在子目排序上，看不出
是以作者筆劃、篇名筆劃或出版年月排序，應在凡例上說明。

　　㈢第貳部分與第壹部分順序應對調：第壹部分為「玄學家研
究」，第貳部分為「玄理與玄風研究」，一般放置順序應從綜論到
分支，先有大範圍的概念，再了解一個個代表人物較為恰當，所
以，建議把玄理與玄風放在第壹部分，更能幫助讀者清楚知道這一
領域整體狀況。

　　㈣資料應更完備：此目錄所收資料大體完備，但偶有遺漏，以
中國期刊網試著覆核，發現仍漏收一些資料。如，〈玄學筆談〉❶、
〈略談玄學的產生、派別與影響〉。❶尤其是 2004 年收錄遺漏較
多，這也許是因為各方資料更新速度落差所導致，若此目錄還可修
訂出版，則可再補上。如，〈正始玄學與女性形象的轉變──以阮
籍與嵇康為例〉❶、《王弼與郭象之「性」及其比較研究》❶、

----

❶　何啟民：〈玄學筆談〉，《孔子研究》1994 年第 3 期（1994 年 3 月），頁 5
　　－6。
❶　萬繩楠：〈略談玄學的產生、派別與影響〉，《孔子研究》1994 年第 3 期
　　（1994 年 3 月），頁 7－8。
❶　劉淑麗：〈正始玄學與女性形象的轉變──以阮籍與嵇康為例〉，《天津社
　　會科學》2004 年第 1 期（2004 年 1 月），頁 139－142。
❶　許瑞娟：《王弼與郭象之「性」及其比較研究》（臺北：國立政治大學中國
　　文學研究所碩士論文，2004 年），153 頁。

《意在言外——對中國古典詩論中一個美學觀念的研究》❷、《漢魏晉南北朝漢人髮式、髮飾之研究》。❷

㈤缺「引用工具書一覽表」：林教授在前言雖有提到曾參考過的相關索引或文獻類目，但僅止舉數例代表，若能在附錄補足完整的參考工具書一覽表，呈現相關引用，則整部目錄就更盡完善。

六、結　語

在學術研究道路上，每接觸一門新的領域，總需要時間了解吸收相關資料，此時，論著目錄便是最好的幫手，林麗真教授在本書前言有說：「中程目標即企圖完成一部實用的《魏晉玄學研究論著目錄》，作為研究工作者檢索資料時的參考工具；長程目標則盼望能藉以推廣玄學人物、玄學專題、玄學風尚、玄學與宗教，以及玄學與經史子集之學的互動關係研究。」本書確為研究魏晉玄學必要翻閱的一本工具書，以本目錄為研究踏板，則可與玄學更加親近，希望透過本書進而推展玄學相關研究，所以樂於介紹此目錄，也提供一些淺見，作為將來修訂時之參考。

---

❷　凌欣欣：《意在言外——對中國古典詩論中一個美學觀念的研究》（臺北：中國文化大學中國文學研究所博士論文，2004年），345頁。

❷　洪子婷：《漢魏晉南北朝漢人髮式、髮飾之研究》（臺北：東吳大學歷史系碩士論文，2004年），406頁。

《朱子研究書目新編（1900－2002）》評介

袁明嶸[*]

書　　　名：《朱子研究書目新編（1900－2002）》
主　　　編：吳展良
出 版 者：臺北　國立臺灣大學出版中心
出版日期：2005 年 1 月
頁　　　數：548 頁

一、前　言

　　王鳴盛（1722－1794）在《十七史商榷》中說：「目錄之學，學中第一緊要事，必從此問途，方能得其門而入；然此事非苦學精究，質之良師，未易明也。」「凡讀書最切要者，目錄之學，目錄明，方可讀書；不明，真是亂讀。」目錄有指導讀者閱讀的任務，面對浩如煙海的文獻，目錄是打開知識寶庫的鎖匙。

---

*　　袁明嶸，臺北大學古典文獻學研究所碩士生。

　　而《朱子研究書目新編（1900－2002）》（以下簡稱《書目新編》）的出版，具有多重意義，一所以學術為導向的大學就應該有出版中心，能刊行足以展現此學校學術水準的出版品。臺灣大學已有出版中心，近年又成立東亞文明研究中心，學術活動頗為頻繁，並策劃《東亞文明研究資料叢刊》，第一本出版的就是《書目新編》。其原因有二：一則因為朱熹（1130－1200）學說於宋元間傳入韓國、日本、越南等地，影響東亞及東南亞諸國思想七百餘年。以今日觀之，韓國的退溪學、日本的朱子學，皆成為國際文化學術界的熱門課題。所以日本學者島田虔次曾推崇朱子學是「東亞文明的體現」，此說得到杜維明、劉述先、黃俊傑、狄培瑞等當代新儒學派的認同。二則，重現專科書目的編輯。朱子學既然是當今國際文化學界的熱門課題，所以彙編一本能反映百年來中外學界研究朱子成果的專科目錄，自有其必要性。

　　所以《書目新編》就反映了百年來中外學界研究朱子成果，為研究朱子學者提供了最佳指引門徑。主編為吳展良教授，《書目新編》的產生源自於教育部主辦大學學術追求卓越發展計畫「東亞近世儒學中的經典詮釋傳統之研究」項下「理學的世界觀與認知方式之基本特質：以朱子的經典詮釋為中心」子計畫中的副產品。

　　在此之前朱子學研究之相關書目，有趙炳熙的〈朱熹研究論著索引〉❶、戴瑞坤〈朱子研究論著目錄〉❷、吳以寧的《朱熹及宋

---

❶　趙炳熙：〈朱熹研究論著索引〉，《上饒師專學報》1986 年第 3 期增刊，頁104－120。

❷　戴瑞坤：〈朱子研究論著目錄〉，《陽明學漢學研究論集》（臺北：臺灣學生書局，1998 年 3 月），頁 383－434。

元明理學研究資料》❸等以為參考。但能集大成且有所超越前人者，為林慶彰教授的《朱子學研究書目（1900－1990）》❹，而《書目新編》就是以林慶彰教授的書目為範本，一方面繼承其收錄成果，一方面沿用其分類方式。而《書目新編》在林慶彰教授的規模及基礎上多收錄了 3570 條，其中主要是 1992－2002 年新出的研究，也補充了部份 1900－1991 年間的研究成果。故《書目新編》可以說是研究近百年來朱子學發展最佳的參考指導，以反映一代的研究風氣。

二、主編簡介——吳展良

1958 年出生於臺北市，籍貫貴州省三穗縣。臺灣大學機械系學士（1980）、歷史學碩士（1985），碩士論文為《朱子理學與史學研究》，美國耶魯大學歷史系文學碩士（1988）、歷史系哲學碩士（1989）、歷史學博士（1993）、博士論文為《*Western Rationalism and the Chinese Mind: Counter-Enlightenment and Philosophy of Life in China, 1915-27*》。❺曾任臺大歷史系講師及副教授、美國馬里蘭大學客座副教授、芝加哥大學訪問教授，現任臺大歷史學系教授、東亞文明研究中心專任研究員。

專長為宋代思想史。主要研究範圍是：中國近現代思想史、西

---

❸ 吳以寧：《朱熹及宋元明理學研究資料》（北京：國際文化出版公司，1990年 6 月）。

❹ 林慶彰主編：《朱子學研究書目（1900－1990）》（臺北：文津出版社，1992 年 5 月）。

❺ Yale University PhD Dissertation, Michigan University Microfilm, 1993.

洋近現代思想史、宋代理學史。最有代表性的著作有〈朱子認識觀
暨認知方式的基本性質〉、〈朱子的世界秩序觀之構成方式〉、
〈聖人之書與天理的普遍性：論朱子的經典詮釋之前提假設〉、
〈The Basic Characteristics of Zhu Xi's Worldview〉、〈朱子世界觀
的基本特質〉，還著有《中國現代學人的學術性格與思維方式論
集》❻及學術論文三十餘篇。

三、內容體例

　　《書目新編》主要收錄年限範圍為 1900－2002 年，其收錄地
域範圍包括臺灣、中國、香港、新加坡、日本、韓國、美國、歐洲
（德、法）等地學者研究朱子的相關論著。收錄資料性質主要可分
為「書籍」及「論文」兩大類。書籍包括：專著、現代人所整理、
標校的朱子著作、通論性書籍、論文集。論文包括：期刊論文、學
位論文、論文集論文、學術會議論文、國科會獎助論文、報紙論文
等類。收錄內容標準：⑴專門討論朱子其人、事跡或學術思想的書
籍或論文。⑵兼論朱子與他人之事跡或學術思想的書籍或論文。⑶
通論性書籍中專論朱子的篇章。⑷「論集」、「論叢」、「學術會
議論文集」或學術會議中以朱子為主題的文章等為其主要的收錄標
準。《書目新編》內容分類大體依循《朱子學研究書目（19000－
1990）》而時有所更動，更動之部分如在「參、經學」部分增列
「小學」一項，而「肆、思想體系」中的分類細目亦頗有改變。所

---

❻　吳展良：《中國現代學人的學術性格與思維方式論集》（臺北：五南圖書公
　　司，2000 年 3 月）。

收之各種論著，依題旨與內容分類，正文中同類條目的編排方式，依作者姓名筆畫順序而排列，不論其為書籍或論文。部分論文重複見於不同出處，不論其異同一律全部登錄，以顯示完整的出版及發表資料。專門討論朱子之期刊、論集或學術會議論文集，除將其全部篇目列於該期刊或論文集標題下，並將各篇依其題旨或內容分入各小類。至於一般性論集、學術會議論文集與書籍，則直接將有關篇章歸入相關類別。以日、韓、英、德、法文發表之論著條目，皆按原來文字著錄。因考量國內能讀韓文之學者不多，故韓文書籍、論文標題皆另譯出中文，置於原文後之括弧。

　　《書目新編》蒐集的管道有三：一為電子資料庫，包含臺灣及臺灣以外地區的圖書館網站、圖書及期刊聯合目錄、碩博士論文資訊網。二為紙本工具書，參考了《新編東洋學論集內容總覽》、《中國哲學史論文索引（1977－1984）》第四冊、《中國哲學史論文索引（1950－1980）》臺港部分第五冊、《東洋學文獻類目》1992－1999 共八冊及由林慶彰老師主編的《朱子學研究書目（1900－1991）》、《日本儒學研究書目》、《中國經學史論文選集》、《日本研究經學論著目錄：1900－1992》、《經學研究論著目錄》……等。三為直接至國內圖書館翻閱搜尋，計有臺灣大學圖書館、政治大學圖書館、中央研究院圖書館。中央研究院圖書館以中國文哲研究所圖書館、史語所傅斯年圖書館、近史所郭廷以圖書館為主。

四、內容分析

㈠ 優點

1.收錄範圍廣泛

《書目新編》是在《朱子學研究書目〔1900－1991〕》的既有規模上，多增加了三千餘條。其中通論性書籍或論集中包含專論朱子的篇章或論文，就多增加了近 1500 條。中國大陸及香港出版的朱子研究資料也有近 1900 餘條。西文方面新收 260 餘條，日文方面新收約 380 餘條。韓文方面新收約 510 餘條。其中西文包含了英、德、法文所發表之論著條目。可見《書目新編》的收錄的範圍廣泛，兼及亞洲與歐美。韓文部份，因顧及能讀韓文的學者不多，故韓文書籍、論文皆另譯出中文，置於原文後的括弧中，以方便讀者閱讀。

2.利用大量電子資料庫，可迅速獲得國內外研究成果資訊

在編輯《書目新編》之時，除了參考傳統紙本工具書之外，也使用了大量電子資料庫資料。在臺灣地區的如中華民國期刊論文索引、全國博碩士論文資訊網、行政院國家科學委員會科學技術資料中心國內資料庫……等。臺灣以外的更多，如中國期刊網題錄數據庫、香港中文期刊論文索引、Digital Dissertations、Academic Research Library (ProQuest)……等。電子資料庫的資訊往往較紙本書目來得快，所以《書目新編》也能較迅速的反映世界各地朱子學研究的最新成果。

3.條目分類、自成體系

工具書的編輯是將某一科目做有機的系統化的分類著錄，因此

類目析分，正是編纂者學養功力的展現。《書目新編》的類目與順序多沿襲《朱子學研究書目（1900－1991）》，但仍有部分調整。

較為特殊者，如《書目新編》將朱熹的著述與國際會議論文集皆安排在總論；《朱子學研究書目（1900－1991）》則將著述考置於朱熹生平之後；學術會議論文，則別立一目。《書目新編》第三部分是「理學暨思想體系」，分為：總論、宇宙及形上觀、認識觀與方法論‧讀書法、心性論、修養論暨功夫論、倫理學、朱子對前賢之評論、朱子與湖湘之學、朱子與陸象山、朱子與陳亮、朱子與王陽明、朱子與老莊、朱子與西方、朱學評價等 14 項，第四部分是「經學」；《朱子學研究書目（1900－1991）》第三部分是「經學」，第四部分為「哲學思想」，省略「朱子與湖湘之學」與「朱子與老莊」兩項。林慶彰教授從事經學研究多年，嘗言「研究經學史，不研究朱子，宋元明以後的經學，實在研究不下去。」❼因此先經學而後哲學思想。《書目新編》則是以「理學暨思想體系」在前，類目析分愈加細密。兩者對「四書」的排列亦有不同，林教授是：論語、孟子、大學、中庸。《書目新編》以朱熹《四書章句集注》為主，依序為：大學、論語、孟子、中庸。由此可見經學家與史學家兩者見解之差異。

4.確實反應當代研究風氣

專科目錄的另一個價值，就是能反應學術風氣。如「評朱子與林彪」的項目，計著錄 15 條，舉例如下：

---

❼ 林慶彰主編：《朱子學研究書目（1900－1990）》（臺北：文津出版社，1992 年 5 月），〈自序〉。

四川師範大學大批判組，〈朱熹的待人哲學與林彪〉，《四川師院學報》1974 年第 2 期（成都）

吉林師範大學政治教育系大批判組，〈林彪鼓吹朱熹「待人」之道德要害是「復禮」〉，《吉林師大學報》1974 年第 1 期（長春）

佚名，〈林彪和朱熹都是勞動人民的死敵〉，《湖南日報》（1974.6.9，長沙）

批林批孔會紀要，〈朱熹「待人」哲學與林彪的復祥辟詭計〉，《人民日報》（1974.6.29）

林劍鳴，〈林彪為什麼欣賞朱熹的「待人」哲學，《光明日報》（1974.6.8，北京）

林劍鳴，〈林彪為何念念不忘朱熹〉，《陝西日報》（1974.4.21，西安）

武漢大學哲學系工農兵學員大批判組，〈評朱熹的待人哲學〉，《長江日報》（1974.10.20）

武漢大學歷史系大批判組，〈偽君子朱熹和兩面派林彪〉，《光明日報》（1974.4.26）

林彪死於 1971 年 9 月 13 日飛機空難，其一生的功過毀譽自有史家論定，但朱熹與林彪兩人相差七百餘年，學經歷程毫不相干的人物，也能有 15 篇的相關論文，又集中發表在 1974 年，可以明顯的反應大陸文革時期的怪現象，此即為專題目錄發揮的功能。

5.書末附有光碟，方便全文查詢

《書目新編》另一個特色就是在紙本之外，還附有光碟全文。

近年出版的圖書附上光碟日益增多，但在文史類的書目索引工具書，在出版時能隨社會脈動，也隨書附光碟者，實為罕見。《書目新編》開風氣之先，提供閱讀者利用光碟，方便讀書做全文檢索，值得嘉許、鼓勵。

(二) 缺點

1.收錄標準範圍可更詳細說明界定

江戶時代為日本漢學之全盛時期，德川幕府成立之初，即尊重儒術，亦禮聘儒者為師，於是儒者隨踵而來。整個江戶時代的學風，即以朱子學為重心。那江戶時代的資料是否收入？《書目新編》在收入日本方面資料中並未說明。江戶時期的學術是否應納入朱子學之範圍，應加以說明。

2.收錄管道過度依賴電子資源，忽略紙本文獻

期刊文獻是最能反應當年學術資訊的管道之一，《書目新編》在查找期刊資源臺灣地區以《中華民國期刊論文索引（1991－2002）》為主，查找中國期刊資源主要是依據「中國期刊網題錄數據庫（1994－2002）」。臺灣地區應再查找「中華民國期刊論文索引系統（1970－1990）」部分，臺灣的期刊資源才較為齊全。而在中國地區的期刊資源，只依賴「中國期刊網題錄數據庫（1994－2002）」會有較大的疏漏。雖然「中國期刊網題錄數據庫（1994－2002）」分九大專輯，126 個專題文獻資料庫，包含中國 5300 餘種重要核心期刊，累積 600 多萬篇全文文獻，並以每年約增加 80 萬篇的速度增加。但這並不代表「中國期刊網題錄數據庫（1994－2002）」可以含括所有的中國期刊，僅以此來代表中國期刊中所有朱子學的資料，必然會有許多疏漏。如《文史知識》與一些未簽約

授權的期刊皆未收入。若只依「中國期刊網題錄數據庫（1994－2002）」來代表中國地區的朱子學研究成果顯然有所不足。再者，由電子資料庫的檢索方式來查尋朱子學文獻，由於檢索方式的先天限制，在電子資料庫若未下好每一文章的檢索關鍵詞，那此篇文章，將無法被檢索出現。

在過度依賴電子資源下，而忽略了去實際翻查紙本文獻。《書目新編》在編輯之時應先對臺灣及中國現有的期刊資源做詳細調查，以實際翻查為主，電子資料庫為輔，將漏收情況降至最低。而且臺灣早期雜誌，如《南瀛佛教》其中也有相關朱子學論文，但也未見收入。未能反應早期臺灣朱子學研究成果，十分可惜。

3. 內容編排，缺少人名索引

一本好的目錄應方便讀者查詢閱讀切於實用，切於實用的條件，除了取材精當、內容正確之外，另一項重要條件就是要方便查閱。但《書目新編》未編流水號與作者索引。要查詢某一作者所有論文作品，需從第一頁開始翻檢，十分不便。若無光碟配合，紙本的利用很難完全發揮。且書末也未附有「收錄期刊、報紙、論文集一覽表」，讀者在使用上較不便利。

4. 一稿兩投或有兩種出處者，著錄並未合併

例如：❽

傅武光，〈朱子對於惡的來源的說明〉，氏著《中國思想史

---

❽ 吳展良主編：《朱子研究書目新編（1900－2002）》（臺北：國立臺灣大學出版中心，2005年1月），頁225。

論集》（臺北：文津出版社，1990）

傅武光，〈朱子對於惡的來源的說明〉，《國文學報》第
18 期（1989，臺北）

可以合併為：

傅武光　朱子對於惡的來源的說明
　　　　國文學報　第 18 期　1989 年
　　　　中國思想史論集　臺北　文津出版社　1990 年

如此可以明確的了解，此一條目有二個出處，眉目上也較為清楚。

5.專書、期刊未著明頁碼，未能反應著作份量

《書目新編》所收的專書、期刊皆未著明頁碼，未能反應著作
分量。頁碼分量的多寡，與作品品質未必成正比。但在未實際閱讀
到作品之時，可依頁碼了解到文章的分量、多寡。可以了解此文或
書，是小題大作？還是大題小作？以做為是否參考此資料之依據。

6.排版略顯凌亂，版面並不整齊

《書目新編》的一般的版面排版方式如下：❾

林貞羊，〈朱熹與陸九淵〉，《中國國學》第 3 期（1974，
臺南）

<hr>

❾　吳展良主編：《朱子研究書目新編（1900－2002）》（臺北：國立臺灣大學
　　出版中心，2005 年 1 月），頁 238。

　　林啟彥，〈朱熹、陸九淵學術思想異同表〉，氏編《中國學
術思想史》第四章第一節之癸之「附錄」之二（臺北：書
林，1994）

　　林惠勝，〈試論朱陸異同——以心性論為主〉，《臺南師院
學報》第 24 期（1991，臺南）

　　武內義雄，〈朱子と陸王〉，氏著《儒教の倫理》第三章之
七，《武內義雄全集》第二卷（東京都：角川書店，1978）

　　邱黃海，〈儒學理論與具體實踐之關聯初探：以象山學朱子
學為例〉，《鵝湖》13 卷 9 期（1988，臺北）

在版面上標點符號使用過多，閱讀容易疲倦。若調整成林慶彰教授
所訂定的條目規範如下：

　　林貞羊　　朱熹與陸九淵
　　　　　　　中國國學　第 3 期　1974 年
　　林啟彥　　朱熹、陸九淵學術思想異同表
　　　　　　　中國學術思想史　第四章第一節之癸之「附錄」之
　　　　　　　二　臺北　書林　1994 年
　　林惠勝　　試論朱陸異同——以心性論為主
　　　　　　　臺南師院學報　第 24 期　1991 年
　　武內義雄　朱子と陸王
　　　　　　　儒教の倫理　第三章之七　武內義雄全集　第二卷
　　　　　　　東京都　角川書店　1978 年
　　邱黃海　　儒學理論與具體實踐之關聯初探：以象山學朱子學

為例

鵝湖　第 13 卷 9 期　　1988 年

在排版眉目上較為清晰，也沒有過多的符號干擾閱讀視線。

五、結　語

有人說「目錄」就像空氣一樣，平常感受不到他的存在，但一缺少他，卻是會令人窒息的。在從事學術活動蒐集資料，面對不熟悉領域之時，目錄就像一盞明燈，在前方照明、指引。

雖然臺灣大學出版中心出版的《書目新編》在著錄內容上未用流水號、未附人名索引及附錄，在紙本的版權頁上也未標明「含有光碟」的字樣，在一些編輯技巧上未臻成熟，還需努力外，但還是不影響《書目新編》的學術價值。

朱熹詩云：「問渠那得清如許，為有源頭活水來。」朱熹心目中的源頭活水，是個繼往開來的文化體系，有特別強烈的現代精神，文化生命如汩汩源泉活水那樣向前發展。《書目新編》的出版，深具意義，能使專科目錄的編輯，不斷的向前邁進。

《台灣民間信仰研究書目
（增訂版）》評介

潘啟川*

書　　名：《台灣民間信仰研究書目（增訂版）》
主　　編：林美容
出　版　者：臺北　中央研究院民族學研究所
出版日期：1997 年 3 月
頁　　數：391 頁

一、前　言

　　民國 75 年 8 月，中央研究院張光直院士提出「台灣史田野研究計畫」的構想，並由民族學研究所、近代史研究所、三民主義研究所、歷史語言研究所等四個單位組成策劃委員會及執行小組推動

*　　潘啟川，臺北大學古典文獻學研究所碩士生。

工作，將這所際合作單位正式訂名為「台灣史田野研究室」。❶其
所出叢刊之一為莊英章主編《台灣平埔族研究書目彙編》，叢刊之
二為張炎憲主編《台灣漢人移民史研究書目》，叢刊之三為林美容
主編《台灣民間信仰研究書目》（以下簡稱《初版》）；其中從
《初版》，《台灣民間信仰研究書目增訂版》（以下簡稱《增訂
版》）至現今的《網路版》，仍持續收錄當中。❷

　　臺灣有句俗諺：「吃水果，拜樹頭；飲泉水，思源頭。」編輯
目錄是份吃力卻不知是否討好的工作？上窮碧落下黃泉，左尋右覓
找資料。如果說宗教信仰行為是「慈善」的活動，那麼發心編纂
《本書目》則是「造福」的義務性事業。本文也是基於飲水當知思
源的回報心理，粗作介紹評論，期使《本書目》能達「日新又新」
之效。

二、作者簡介

　　林美容教授，1952 年出生，臺灣南投人。臺灣大學考古人類
學學士（1974）、碩士（1977），美國加州大學爾灣分校社會科學
博士（1983）。現任中央研究院民族學研究所研究員（1989.8）、

---

❶　參見莊英章主編：《台灣平埔族研究書目彙編》（臺北：中央研究院民族學
　　研究所，1988 年 6 月），頁Ⅱ，丁邦新序。

❷　叢刊之一參註一；叢刊之二，張炎憲主編：《台灣漢人移民史研究書目》
　　（臺北：中央研究院台灣史田野研究室，1989 年 6 月）；叢刊之三，林美容
　　主編：《台灣民間信仰研究書目》（臺北：中央研究院民族學研究所，1991
　　年 3 月）；網路版：中研院民族所自建資料庫 http://www.sinica.edu.tw/
　　ioe/tool/library/database/selfdatabase.htm。

臺灣宗教學會理事。❸研究專長為文化人類學、中國親屬研究、臺灣民間信仰、漢人社會組織；主要的研究成果展現在臺灣民間信仰與傳統社會組織的調查研究上；涉及的課題涵蓋祭祀圈與信仰圈、曲館與武學、岩仔與齋堂、地方社區與區域祭典、子弟組織、民俗佛教等。❹

　　從中央研究院民族學研究所「研究人員暨著作」網站，可檢閱其作品，從這些作品中，也顯示作者在此學域裡亦兼及編纂研究目錄，成果有《台灣民間信仰研究書目》（1991）、《高雄縣相關文獻書目》（1993）、《台灣民間信仰研究書目（增訂版）》（1997）、《臺灣民間信仰研究文獻目錄》❺（1998）、《臺灣媽祖研究相關書目介紹》（2002）、《臺灣保生大帝信仰及其廟宇相關書目》（2005）等六種；另有《五十年來民間信仰成果》❻（2003），皆與臺灣民間信仰研究有關。

---

❸　參見許雪姬、薛化元、張淑雅等撰文：《臺灣歷史辭典》（臺北：文建會，2004 年），頁 1100－1101。介紹臺灣宗教學會成立緣起乃是：(1) 1980 年代以來，各宗教團體活動強勁，但學術研究低落；(2)凝聚各宗教系所及研究單位，形成相交流的學術社群；(3)整合學術人才與不同學科，對國內外宗教學術議題進行更有系統與深度的研究，促進宗教學域的的發展。

❹　參 中 央 研 究 院 民 族 學 研 究 所 「 研 究 人 員 暨 著 作 」 網 站：http://www.sinica.edu.tw/ioe/chinese/staff/c9-1-06.html。

❺　林美容、三尾裕子合編：《台灣民間信仰研究文獻目錄》（東京：風響社，1998 年 3 月）。全書分為三類「著者‧編者別文獻目錄」、「年代順文獻一覽」、「文獻標題語彙索引」。

❻　林美容撰：〈五十年來民間信仰研究成果〉，《國科會「五十年來宗教研究評估計劃」民間信仰部分之報告》（臺北：國科會人文研究中心，2003 年 3 月提交）。

三、內容大要

編者對《本書目》下定義：「所謂臺灣民間信仰是指臺灣漢人之所有超自然信仰以及與超自然信仰有關的思想、儀式、組織、活動事物。」❼本書目的分類架構在編者從各種不同角度切入所完成，包括(1)從超自然信仰的對象來區分，分為祖先崇拜、人鬼信仰、神明信仰、自然信仰、巫術信仰；(2)從信仰源流來區分，分為佛教、儒教、道教、新興教派、民間信仰；(3) Sangren 的分類，分為地域性組織、進香中心、教派性組織；(4)從社會組織的觀點分類，分為群體性的民間信仰、個體性的民間信仰。以上四種方法，架構了本書分類上的體例。

由編輯目次可清楚其分類，分為總類、民間信仰、民俗藝術、教派宗教、民間俗信等五大類。壹、總類，是一般性的泛論臺灣的民間信仰，包含歷史與變遷、宗教與政治、法律、經濟、社會、文化、空間、心理、性別、宗教理念、宗教之間、改進與批判、書目與書評等十三類。貳、民間信仰，分為神明、陰神與鬼魂、自然信仰、祖先崇拜、寺廟、組織儀式與活動等七類。參、民俗藝術，分為戲曲、音樂、歌謠、俗諺、傳統故事、陣頭、工藝、廟宇藝術、神像藝術、畫、其他等十一類。肆、教派宗教，分為鸞堂、一貫道、先天道、弘化院、慈惠堂、軒轅教、道教、佛教、齋教、其他教派、善書等十類。伍、民間俗信，分為巫術信仰、生命禮俗、歲時習俗等三類。總計有五大類四十四類，各類下復分小類，部分小

---

❼ 見本書〈台灣民間信仰的分類〉，頁 VII。此文另載於《漢學研究通訊》第 10 卷第 1 期（1991 年 3 月），頁 13－18。

類細分子目；後附作者索引，依筆劃順序排列，方便讀者依人名檢
索。

四、本書優點

㈠ 具延續性與方便性

　　從臺灣研究目錄的編纂成果上看，早期（約 1989 前）多以
「綜合目錄」為主；約 1989 年以後，「專科目錄」編纂興盛；而
2000 年，數位網路興起，雖仍朝「專科目錄」發展，但卻改變了
檢索的形式；不論「專科目錄」或「綜合目錄」，可說皆「及書而
止」，只斷不續。❽本書從《初版》、《增訂版》至《網路版》，
十五年間，持續不斷，未曾稍歇，可謂臺灣研究目錄中「專科目
錄」之標竿。編者之用心，超乎常人，可敬可佩。

　　《初版》從 1991 年出版，收錄近四千筆條目；而《本書目》
短短五年，除中文資料外，又擴及日文、西文的收錄，總計約八千
筆，為《初版》二倍；迄今，《網路版》已收錄了 10,846 筆。❾
而參考的期刊文獻，也由《初版》的 86 種，擴增至 114 種。❿

---

❽　「綜合目錄」以國家圖書館臺灣分館所編最多，如《國立中央圖書館臺灣分
　　館西文臺灣資料目錄》（1976）、《國立中央圖書館臺灣分館日文臺灣資料
　　目錄》（1980）、《臺灣文獻書目解題》（1989）、《臺灣文獻資料聯合目
　　錄初稿》（1989）；「專科目錄」參註二，時間為 1988－91；另有劉還月：
　　《臺灣客家關係書目與摘要》（2000）、黃士娟：《臺灣族群研究目錄 1945
　　－1999》（2000）、林慶彰：《日據時期臺灣儒學參考文獻》（2000）。

❾　《初版》與《本書目》之編例並未言及收錄筆數，正確筆數應為《初版》
　　3,959 筆、《本書目》8,027 筆。

❿　《本書目》〈全覽期刊明細表〉所列有四種期刊是沒有收錄條目的，分別是

·133·

㈡ 内容從《初版》至《本書目》多所增修

1.作者索引

書後「作者索引」是按照筆劃排序，《初版》對於「作者不詳」的部分是採取不予著錄，致使有 39 筆在「作者索引」中無法從「作者不詳」欄尋得篇目。至《本書目》，已將「作者不詳」部分，統一以「n.a.」標示，並統歸於中文筆劃之最後欄位（第 389頁）。又兩書目對作者名有別稱者，採「參見」方式，解決不少讀者因不知作者為誰而無法因人尋書或因書尋人之困惑。如「獨逍遙」（參見伊能嘉矩）、「劉還月」（參見劉觸）。

2.校正

(1)誤字例：《初版》頁 23《祭孔釋奠八佾舞制面面觀》、《孺子可教也——祭孔大典中的六佾舞禮》，均已更正為佾（第64 頁）；頁 31《誤闖酆都城，地獄觀光記》，已更正為酆（第 76頁）；頁 22《三旦十四無風也無雨》，已更正為月（第 60 頁）；頁 5《清初台灣政治與王爺、媽姐信仰之關係》，已更正為祖（第9頁）。

(2)衍文例：頁 5《岩村的宗教活動：一個農村的工業化與社會區生活研究之三》，會為衍文，已刪（第 113 頁）。

(3)脫字例：頁 24《先賢儒廡之探討——兼正台灣孔廟東西兩廡奉祀賢先儒之錯訛》，為脫字，已增先字為先賢先儒（第 65頁）。

《人文及社會科學研究集刊》、《中國社會學刊》（臺灣社會學刊）、《心靈雜誌》、《外文期刊漢學論評彙目》。

3.分類例

《初版》「寺廟」類下設各縣市，然各縣市不獨有寺廟，舉凡風土民情、文化風物，歸之不妥；至《本書目》將「伍 民間俗信」增設「1 地方民俗」與「2 客家民俗」，方解決此問題，如《初版》頁 56《苗栗縣風土記——賴江質先生作苗栗竹枝詞七十首解說》，原屬「苗栗縣寺廟」類，改隸「地方民俗」類（第 298頁）；頁 39《彰化縣志》，原屬「寺廟」類，改隸「彰化縣寺廟」類（第 298 頁）。

4.引用期刊文獻例

《初版》頁 59，林衡道撰《彰化的聖王廟、國王廟》、《大饒的水德星君牌》、《秀水橋的風光》、《社頭鄉的古廟》、《大村鄉的風光》、《彰員路的勝蹟》、《彰化的福安宮》計 7 筆，卷期原著錄台灣文獻 30(1)，已改為 30(4)。

5.域外資料

廣收日文與西文資料。《初版》幾無收錄西文資料，❶至《本書目》所參考西文文獻有《*Journal of Chinese Religions*》（1973－1995，23 期）、《*Asian Folklore Studies*》（1942－1996，55 卷 1期）；日文資料，作者於《本書目·自序》云：「因緣湊巧，1992年 10 月起，我在日本訪問一年，得便蒐集了一些日文有關台灣民間信仰的資料。這番難尋已尋，遂埋下再編的契機。」❷

---

❶　僅有二筆翻譯文章。「Mackey，G·L·著，林耀南(譯) 1959 一個傳教師心目中的台灣漢人宗教生活台灣風物 9(2)：37－42」、「Albrecht Wirth 1955 國姓爺 台灣風物 5(4)：1－6」。

❷　參註❺，皆已收入《本書目》中。

(三) 體例著錄得法

1. 內容重載亦作說明

利用重載的體例不僅顯示編者的細心，也使得讀者檢索時因多了線索而更加方便。舉其例如頁 24，「李亦園　1987　和諧與均衡——民間信仰中的宇宙詮釋與心靈慰藉模型　林治平編《現代人心靈的真空及其補償》頁 5－44　台北：宇宙光　重載於 1987 文星 111：00-111」；頁 29，「莊英章、黃美英　1985　觀光與民俗宗教的結合———次官辦迎神賽會之檢討　李亦園、莊英章編《民間宗教儀式之檢討研討會論文集》頁 56－79　台北：中國民族學會　重載於中國民族學通訊 23：56-79」。

2. 內容相同亦作說明

重載可增加檢索管道，內容相同則可簡省檢索時間。如頁 29，「李亦園　1979　宗教與迷信問題　楊國樞、葉啟政編《當前台灣社會問題》頁 135－152　台北　巨流　內容與 1978〈宗教與迷信〉一文相同」；頁 39，「王世禎　1985　細說中國民間信仰　台北：武陵（內容與前筆資料相同，唯增加兩小節及參考資料一覽表）」。

3. 互見完備

編者善用互著體例，兼收並載，不以重複為嫌，方便檢索，如《台灣南部的古蹟古物》，互見於「台南市寺廟」與「高雄縣寺廟」；《萬華光復後改建寺廟楹聯碑錄》，互見於「碑記」與「匾聯」；《七夕與中元》，互見於「七夕」與「中元普渡」。

四 俗、雅兼容

《禮記·表記》：「殷人尊神，率民以事神，先鬼而後禮。」[13] 孔子云：「禮失求諸野」。「雅」、「俗」本是同源的，今之所謂「雅」，亦是由昔之「俗」所質化而成，無「俗」之奠基，何來「雅」哉？以「巫術信仰」為例，所收內容包括童乩、通靈人、法師、算命、收驚、風水、厭勝、大家樂等，皆尋常民俗文化信仰活動之必需，此在南部更是平常，載錄相關文章，才能充分反映社會樣態。就好像壞學校也有好學生，而這好學生是更加難得的。

《本書目》收錄《時報周刊》文章，從 1978 至 1990 年，總計收錄 228 篇文章。[14]雖書名名為「研究書目」，理應只需著錄學術性著作，但從書名《台灣民間信仰研究書目》細察，已言「民間信仰」，自是關涉普羅，非學術性著作能予兼收，對於社會上的民間學者，亦是美事一椿。

五、本書的闕失與建議

一 內容方面闕失

1. 誤植未改

《本書目》頁 49《關公纂位天公喊冤──雙公相爭寺廟颩起

---

[13] 參見姜義華注譯：《新譯禮記讀本》（臺北：三民書局，1997 年 10 月），頁 779。

[14] 從收錄的時限性來看，1978 至 1990 年，應為《初版》的年限，而《本書目》未再從 1991 年起收錄，作者自序中所提及：「《中國文化人類學文獻解題》中介紹這本書目時，提到書目中學術與非學術著作混雜蒐錄。」是否因之受影響而中止收錄，頗值再究。

一場風暴》，纂當為「篡」；頁 233《鐘馗畫像》，鐘當為「鍾」；頁 62《清水祖師的傳奇與靈蹟》，蹟當為「蹟」；頁 281《臺灣齊教研究之三：龍華教源流探索》，齊當為「齋」。《網路版》《臺灣的跳鐘馗》當為「鍾」、《大龍峒孔廟與保安宮胚談》當為「脞」；人名「吉岡義豐」當為「吉岡義豐」、「吳政恆」當為「吳政恆」；地名「台北市」當為「台北市」。

　2.錯置

　　如頁 57「王爺、瘟神」類《國姓爺登陸台灣》，當改隸「國姓爺」類。

　3.引用期刊文獻錯誤

　　頁 135「倪贊元　1959　雲林縣采訪冊　台灣文獻叢刊 34 種 共二冊　台北：台灣銀行」當為「第 37」；頁 125「蔡振豐　1959 苑裏志　台灣文獻叢刊第 49 種　台北：台灣銀行」當為「48」。❶頁 328「曹甲乙　1955　台灣婚俗一瞥　台灣文獻 6(3)：43－56」當為「文獻專刊」；頁 332「王金連　1955　台灣的喪俗　台灣文獻 6(3)：57-60」當為「文獻專刊」。❶頁 334「徐福全 1987　台灣喪禮「斂祖」一節考源　台灣文獻 39(2)：43-50」當為

---

❶　吳幅員撰：《臺灣文獻叢刊提要》（臺北：臺灣銀行經濟研究室，1977 年 6 月），頁 7－8 總目次。第 34 種為《臺陽詩話》（王松），第 49 種為《東溟奏稿》（姚瑩）。

❶　臺灣文獻編纂組編：〈臺灣文獻目錄（臺灣省通志館館刊創刊號－臺灣文獻 第二十二卷第二期）〉，《台灣文獻》第 22 卷第 3 期（1971 年 9 月），頁 155－167。《臺灣文獻》發行的源流為：1948.8《臺省通志館館刊》，共 2 期；1949.8－1955.12《文獻專刊》，創刊號－第六卷第四期；1956.6《文獻》，第七卷一－二期；1956.12 起《臺灣文獻》，第七卷第三期起。

「38」。

㈡ 體例方面闕失

1.編例未臻完善

《本書目》的編例分為〈編輯範圍〉、〈分類〉、〈編排方式〉等三部份界說，大抵與《初版》是相同的。唯兩書皆未言及收錄條目之數量與時限。數量可附加反映研究取向的概況及該學術領域某項專業的著作份量，以供後學研究方針；時限則可提供日後賡續參考以茲駁接。對一個學者而言，學術研究是一輩子的事，生命走到哪，研究就到哪；編輯書目亦同，時間走到哪，蒐錄就到哪。充分掌握時限與數量，則可精準的為往後的書名題為《台灣民間信仰研究書目 1997－2006》。

2.出版項參差

編者著錄書目體例，在「出版項」方面是採取省稱方式，但如頁 108「劉枝萬　1954　台灣中部碑文集成　台灣文獻叢刊第 151 種　台北　<u>台灣銀行經濟研究室</u>」，卻出現全銜，理應更正為「台灣銀行」，才符體例。

3.裁篇原題名未標示

如頁 140《學甲佳里鹽水的古蹟古物》，原篇名題《台灣史蹟調查紀錄》內容有〈學甲佳里鹽水的古蹟古物〉（台灣文獻 27(2):248－256）；頁 149《打鼓山的名勝古蹟》，原篇名題《台灣各地名勝古蹟調查（連載）》，內容有〈打鼓山的名勝古蹟〉（台灣文獻 28(3):73－77）；頁 150《內埔、潮州、竹田》，原篇名題《臺灣各地名勝古蹟調查（連載）》，內容有〈內埔、潮州、竹田〉（台灣文獻 28(3):78－85）。

㈢ 分類上的建議

1. 孤類可刪

《本書目》目次「肆 教派宗教」大類之「二 一貫道」類下又獨立設「1 一貫道批判」小類計 30 筆,卻無「2」以上之序號,將之歸併「二 一貫道」中,方見合理。

2. 刪細目以求勻稱

目次中僅「3 婚俗」、「1 過年」下設無編序碼之子目。「3 婚俗」下設「冥婚」18 筆、「相關諺語、傳說、語彙」10 筆、「客家婚俗」8 筆;「1 過年」下設「臘月」8 筆、「春聯」20 筆、「相關傳說、故事、歌謠」9 筆、「客家年俗」14 筆。子目筆數皆不多,若能將其分併於「3 婚俗」、「1 過年」中,整體目次才能顯得勻稱。

3. 主祀神的正名

從目次「一 神明」觀之,編者對神明分類的稱謂,是偏向一般民間稱呼的。從收錄條目檢閱,其神明稱謂紛紜多樣,如「關羽」即有「關公」、「武聖」、「關聖帝君」等三種名稱。然而,目次中雜有主祀神名及俗稱、另稱等稱謂,並無統一。如「1 玉皇上帝」、「2 三官大帝」、「4 王爺、瘟神」、「6 保生大帝」、「7 玄天上帝」、「9 祖師公」、「10 神農大帝」、「11 三山國王」、「15 臨水夫人」等,為主祀神的名稱❼;而「3 媽祖」、

---

❼　參見林衡道撰:〈臺灣民間信仰的神明〉,《台灣文獻》第 26 卷第 4 期,(1976 年 3 月),頁 96－103;《臺灣寺廟概覽》(臺中,臺灣省文獻委員會,1978 年 1 月)。

「5 觀音」、「8 國姓爺」「12 孔子」、「13 文昌」、「14 關公」、「18 灶神」、「22 土地公」等，則為俗稱或另稱，若正名為「3 天上聖母」、「5 觀音佛祖」、「8 開臺聖王」、「12 孔夫子」、「13 文昌帝君」、「14 關聖帝君」、「18 司命真君」、「22 福德正神」等，則較為統一。

4.「碑記」當拆散改隸

《本書目》「五 寺廟」類有「2 碑記」小類，收錄有 97 筆條目，其中收錄專書型態的資料甚夥，如邱秀堂編《台灣北部碑文集成》（頁 106）、劉枝萬編《台灣中部碑文集成》（頁 108）與台灣銀行經濟研究室編《台灣南部碑文集成》（頁 105），此皆叢集，無法清楚其單篇篇名。⑱對檢索者而言，所蒐尋的是以某一專題為方向的研究資料；例如，研究關聖帝君者，可從上述書籍內容中尋得《重修關帝廟增建更衣亭碑記》、《重修關帝廟碑記》、《重修郡西關帝廟碑記》、《重修武廟碑記》、《重建關帝廟捐題碑記》、《重建關帝廟碑記》、《武廟隆恩莊抽租碑記》等，將此七筆著錄於「14 關公」小類中，不僅解決「2 碑記」小類收錄書名標識難尋的問題，且可增加實際收錄筆數。

(四) 關於漏收問題

1.從《本書目》即類以求──專著之補遺

鄭樵《通志·校讎略》第十二略〈求書之道有八論〉：「一曰即類以求，二曰旁類以求，三曰因地以求，四曰因家以求，五曰求

---

⑱ 即使期刊文獻亦無法知其內容，如南瀛文獻《南縣古碑零拾(三)、(四)》、台灣風物《古碑拾遺》。

之公，六曰求之私，七曰因人以求，八曰因代以求。」⑲鄭樵點出了求書的各種方法，反映在現今編輯書目方面，就是追求「巨細靡遺，網羅殆盡」。

以編輯研究書目而言，「即類以求」就是利用前人既有的目錄，也是編輯目錄最實用的前置作業。以《本書目》為例，〈編例〉言：「本書目亦包括不少未全覽期刊中之資料，主要依據各種相關目錄、索引而得，如中華民國期刊論文索引（中央圖書館編，66 年度至 78 年度）及中華民國期刊論文索引光碟系統（中央圖書館，1975.1－1995.6）、台灣文獻分類索引（台灣省文獻會編，48年度至 75 年度）、台灣地區漢學論著選目（漢學研究資料及服務中心編，71 年度至 78 年度）等。」⑳編者總計列了四種相關書目，比《初版》多一中華民國期刊論文索引光碟系統。《本書目》出版期間為 1997 年 3 月，等於從《初版》至《增訂版》，這幾年間，主要以光碟系統為蒐集相關目錄的工具書。

尋此編例所導引線索，可再從其他相關書目蒐尋，如國家圖書館臺灣分館編《台灣研究資料聯合目錄初稿》（1991 年 6 月）、蔡慧瑛編《臺北研究文獻資料目錄（專書篇）》（1994 年 11月）、黃士旂編《臺灣研究要目》（1991 年元月）、等三部書目檢索收錄專著書籍，以達補遺之效。

---

⑲　〔宋〕鄭樵撰：《通志二十略》，王樹民點校（北京：中華書局，1995 年 11月），頁 183。

⑳　與《初版》編例言所列參考文獻書目幾近相同，所增者為中華民國期刊論文索引光碟系統（1975.1－1995.6）。

(1)台灣文獻資料聯合目錄初稿㉑

書　　名　　　編撰者　　出版年　　出版地出版者　　面數　　館藏

三山國王真經　魏錫清撰　民國 26 年　1 冊　台圖

川柳國姓爺　臺灣川柳社　昭和 15 年至　台圖　昭和 16 年

文廟祀典考（上、下）　龐鍾璐　民國 66 年　臺北市中國禮樂學
　會　2 冊　省圖

文昌帝君功過格　民國 29 年　台圖

文昌帝君孝經勵孝寶訓　蔡正元纂　民國 49 年　彰化市八卦寺　1
　冊　省獻

五文昌帝君經　邱長春編　民國 25 年　1 冊　台圖

正統鹿耳門土城聖母廟沿革暨風雲滄桑錄　鹿耳門史蹟研究委員會
　民國 70 年　編者　北獻

玉皇心印妙經真解　民國 60 年　臺北市吳林　1 冊　省獻

代天寶鑑　民國 69 年　彰代縣員林代天宮　1 冊　省獻

祀孔典禮通引儀注　民國 5 年　1 冊　台圖

祭祖大典　澎湖縣文獻小組　民國 70 年　南縣

祭孔禮樂之改進　民國 59 年　祭孔禮樂工作委員會　1 冊　省獻

開山王國姓公神像　安平開臺天后宮編　民國 61 年　臺南市編者
　1 冊　省獻

開元寺徵詩錄　黃慎淨編　民國 8 年　1 冊　台圖

㉑　國立中央圖書館臺灣分館推廣輔導組編：《台灣文獻資料聯合目錄初稿》
　　（臺北：該館印行，1991 年 6 月）。編例言：本目錄收錄 36 個典藏單位認
　　定值得推介著錄之台灣文獻資料，分書名索引上下兩冊及著者索引一冊。其
　　原始收錄總筆數為 50,366 筆，合併後共收錄 33,445 筆。

詩集媽祖祭春福版春龍　西川滿　昭和 10 年　台圖

媽祖第 1－3 卷 4 號　媽祖書房發行　昭和 9 年至昭和 11 年　台圖

臺南孔廟之調查與研究——碩士論文　陳森藤　民國 59 年　撰者
　　157　南圖

岳帝廟前　蔡胡夢麟　民國 71 年　著者　北獻南圖

臺南市寺廟木雕圖集　臺南市政府編　民國 78 年　編者　北獻

臺灣寺廟文化　仇德哉　民國 72 年　著者　北獻

臺灣客家八音之研究：由苗栗陳慶松家族的民俗曲藝探討之　蘇榮
　　興撰　民國 72 年　台北市鄭榮興　150　師大

臺灣客家三腳採茶戲——賣茶郎之研究　陳雨璋撰　民國 74 年
　　台北市陳雨璋　師大

　　⑵臺北研究文獻資料目錄（專書篇）㉒

編號　書　名　　　編著者　出版年　　出版地　印行者

0210　宗教五德備考　李春生　光緒 2 年　臺北　不詳

0215　佛教傳道雜誌　臺北市佛學研究會　民國 79 年　臺北市
　　　編者印行

0216　佛誕二千五百年紀念——佛說堅固女經講話　林秋梧　民國
　　　23 年　臺北　不詳

0217　臺北佛教　臺北佛教編委會　民國 76 年　臺北市　編者印

㉒　蔡慧瑛編：《臺北研究文獻資料目錄（專書篇）》（臺北：臺北市文獻委員
　　會，1994 年 11 月）。此書蒐集以涉及大臺北地區之研究為主，時限以民國
　　82 年 6 月底前出版之有關研究臺北文獻、人文等資料之單行本中文書籍為
　　限。內容分成總類、哲學、宗教、自然科學、應用科學、社會科學、史地、
　　語文、藝術等九大類。

行(月刊)

0219 臺北新約龍華佛教聖國山　蘇養　民國 16 年　臺北　不詳
保安堂華齋　教經書

0220 臺北無極三寶殿聖書　臺北無極三寶殿　民國 76 年　臺北
市　編者印行(雙月刊)

0221 覺修錄、鸞稿拾遺合冊　覺修宮　民國 72 年　臺北　不詳

0246 至聖先師孔子典禮儀注　臺北崇聖會　民國 21 年　臺北
編者印行

0247 聖廟釋奠儀節　林海籌　民國 22 年　臺北　不詳

0248 臺北孔廟　謝慶沛等　民國 74 年　臺北　大龍國小印行

0249 臺北市孔廟簡介　臺北市孔廟管委會　民國 72、76、79 年
臺北　編者印行

0250 臺北市孔廟籌建鄉賢祠及藏經閣規劃研究報告　李重耀　民
國 81 年　臺北　臺北市孔廟管委會印行

0251 臺北市各界祀孔暨尊孔人士團拜大會專輯　臺北市孔廟管委
會　民國 76 年　臺北市　編者印行

0252 一貫道簡介　中華民國一貫道總會　民國 77 年　臺北　該
會印行

0257 軒轅黃帝畫傳軒轅教圖表　王寒生　民國 61 年　臺北市　軒
轅教總部印行

0258 軒轅教　王寒生　民國 59 年　臺北市　軒轅教總部印行

0259 軒轅雜誌　軒轅雜誌社　民國 75 年起　臺北市　編者印行
(月刊)

0262 大龍峒保安宮調查研究與修護建議　楊仁江　民國 81 年

臺北市　臺北市政府印行

0265　竹林山觀音寺慶成建醮紀念誌　徐連國　民國 66 年　臺北縣　臺北縣竹林山觀音寺印行

0266　松山慈祐宮宮誌　臺北市松山慈祐宮　民國 78 年　臺北　編者印行

0267　指南宮(啟教百周年紀念)　指南宮管委會　民國 79 年　臺北　編者印行

0268　涂爾幹與韋伯宗教學說之比較及其在臺灣民間宗教之應用：以臺北行天宮為例　陳慧敏　民國 80 年　撰者印　撰者印行(政治大學社會學研究所碩士論文)

0269　新莊市廣福宮調查研究　漢寶德(主持)　民國 74 年　臺北縣　臺北縣政委託印行

0274　臺北市廟宇及其功能的實際　郝繼隆　民國 56 年　臺北市　不詳(社會科調查學論叢十七)

0279　臺北龍山寺　余昌儀　民國 57 年　臺北市　臺灣今日觀光社

(3)臺灣研究要目（1945－1989）㉓

書　名　　　　編著者　　　出版年　　　出版地　　印行者
佛光山　佛光山宗務委員會編　民國 64 年　高雄　編者印行
臺灣鄉土神話　昌博著　民國 68 年　臺北市　南琪

㉓　黃士旂編：《臺灣研究要目（1945－1989）》（臺北：捷幼出版社，1991 年元月初版）。敘言稱：原名《四十年來中華民國臺灣地區有關臺灣研究及著作要目》，收錄以在臺灣出版的中文專書，且見藏於臺灣各主要圖書館者為限，共收 6750 種。

關廟忠武　仇德哉編撰　民國 72 年　雲林縣北　編撰者印行

鄭廟臣將　仇德哉編撰　民國 72 年　雲林縣北　編撰者印行

天帝教獨具時代特性與實質內涵說明書　國 74 年　台中天帝教始
　　院印行

天帝教概況簡報　民國 75 年　台中天帝教始院印行

清虛宮弘法院教師講義第二集　民國 75 年　台中天帝教始院印行

普濟堂弘道寶籙　王錦隆　民國 75 年　丹懿堂印行

應化長青——神木參訪錄　台中縣烏日鄉三侯宮編　民國 76 年
　　台中縣烏日鄉三侯宮編

正道與玄奇——神佛參訪錄　民國 77 年　　台中烏日鄉三侯宮印行

基隆奠濟宮沿革簡介　基隆奠濟宮管理委員會編　民國 77 年　基
　　隆　福明出版

台灣的民間信仰　董芳苑著　民國 74 年　台北　武陵出版社出版

豐原慈濟宮廟誌　豐原慈濟宮管理委員會編　民國 75 年　台中
　　豐原慈濟宮管理委員會

台灣省各縣市寺廟名冊　台灣省政府民政廳編　民國 76 年　台中
　　台灣省政府民政廳

台灣的古寺古剎　陳泰裕著　民國 75 年　台北市　好兄弟出版社
　　印行

　　2.從《網路版》即類以求——論文之補遺

　　　論文的型態分為學位論文、學術性論文集、會議論文集、個人
論文集。在《網路版》收錄時限至 2006 年 11 月且持續蒐錄的情況
下，論文的補遺可參考國家圖書館網站《臺灣文史哲論文集篇目索

引系統》❷，分類中「民族學」大類之下的「禮俗」、「各地風俗」、「歌謠諺語」、「神話、傳說、迷信」等，亦可蒐得不少資料。

⑴黃麗馨主編：《民間信仰與神壇篇：宗教論述專輯第六輯》（臺北：內政部，2004 年 11 月）。相關論文有鄭志明〈臺灣靈乩的宗教型態〉、張家麟〈宗教儀式感受與宗教教義實踐：以鸞堂之扶鸞儀式為焦點〉、郭文班〈初探神壇的社會學意義——兩套資料的對比〉、賴建成〈民間信仰與神壇初探〉、游謙〈歷史創傷與儀式治療：以宜蘭民間信仰發展史為例〉、蔡維民〈都市神壇問題之研究——以臺北市為例〉、李崇信〈神壇的社會功能與法律問題研究〉、林美齡〈變身——非常結構下的八將家青少年文化〉、黃慶生〈神壇行政管理初探〉。

⑵馬起華主編：《兩岸學術論文集》（臺北：中華會，1999年 6 月）。相關論文有陳正枝〈臺灣寺廟與民間信仰〉、朱建新〈日本殖民宗教政策下的臺灣媽祖信仰〉、何麗萍〈媽祖在清代航海史上的地位〉、鄭崇陽；吳志德〈淺談清代官方在臺對媽祖信仰的推動〉、楊彥杰〈從城關廟會看閩西客家的媽祖信仰〉。

⑶李豐楙、朱榮貴主編：《性別、神格與臺灣宗教論述》（臺北：中央研究院中國文哲研究所籌備處，1997 年 4 月）。相關論文有朱榮貴〈臺灣延平郡王信仰初探——兼論臺灣民間宗教的特殊性〉、李秀娥〈鹿港夫人媽信仰的分佈初探〉、王見川〈轉變中的

---

❷　王國良、劉寧慧計畫：《臺灣文史哲論文集篇目索引系統》（國家圖書館網站：http://memory.ncl.edu.tw/tm_sd/index.jsp）。

神祇──臺灣「關帝當玉皇」傳說的由來〉、游謙〈標準化與非標準化──臺灣石頭神祭典日的分析〉、戴思客〈明德堂靈媒經驗：整體與層次〉。

(4)江柏煒主編：《金門歷史、文化與生態國際學術研討會論文集》（金門縣：金門縣立文化中心，2003 年）。相關論文有宋怡明〈祠堂、村廟、與衙門：簡論明清時期福建地區民間信仰與文化統一〉、李豐楙〈禮生、道士、法師與宗族長老、族人──一個金門宗祠奠安的拼圖〉、林麗寬〈金門的王爺信仰〉。

(5)翁佳音編撰：《異論臺灣史》（臺北縣：稻香出版社，2001年 2 月）。相關論文有翁佳音〈吳鳳傳說沿革考〉、翁佳音〈新的吳鳳故事‧新的歷史感覺〉、翁佳音〈彰化縣陝西村的神話〉、翁佳音〈媽祖信仰變遷中的一些有趣問題〉、翁佳音〈關公媽祖在笑世間人〉。

(6)鍾仁嫻主編：《義民心，鄉土情──褒忠義民廟文史專輯》（新竹縣：新竹縣文化局，2001 年 9 月）。相關論文有鍾仁嫻〈褒忠義民廟歷史初探〉、〈褒忠義民廟大事年表〉、劉敏耀〈褒忠義民廟建築藝術〉、〈義民廟對聯〉、莊吉發〈義民與會黨──新竹義民與林爽文之役〉、羅烈師〈竹塹客家地方社會結構的拱頂石──義民廟〉、邱彥貴〈從祭典儀式看北臺灣義民信仰──以枋寮褒忠亭丁丑年湖口聯庄值年中元為例〉、賴玉玲〈新埔枋寮義民廟的客家公號〉、范國銓；陳雯玲〈臺灣各地義民廟簡介〉。

(7)王見川；李世偉主編：《臺灣的寺廟與齋堂》（臺北縣：博揚文化事業有限公司，2004 年 1 月）。相關論文有王見川〈台灣的岳飛廟──碧霞宮瑣談〉、王見川〈光復前的北港朝天宮〉、王

見川〈光復前的中壢圓光寺〉、王見川〈日據時期的台南開元寺
（一八九六－一九二四）〉、王見川〈光復前的大崗山超峰寺——
兼談其派下寺院〉、王見川；李世偉〈日據時期的嘉義城隍廟〉、
李世偉；王見川〈台北大龍峒保安宮的創見與近代變遷——兼談林
拱辰的貢獻〉。

(8)紀麗美主編：《澎湖研究第一屆學術研討會論文輯》（澎湖
縣：澎湖縣文化局，2002 年 4 月）。相關論文有吳永猛〈澎湖村
落五營信仰的探討〉、陳信雄〈媽祖與澎湖——澎湖開拓與媽祖信
仰的密切關係〉、陳怡安〈澎湖本島傳統民宅之營建儀式考察——
從「動土」到「入厝」〉。

(9)曾永義、沈冬；國立臺灣大學音樂研究所主編：《兩岸小戲
學術研討會論文集》（臺北市：國立傳統藝術中心籌備處，2001
年5月）。相關論文有林茂賢〈臺灣的牽亡歌陣〉、黃玲玉〈臺灣
歌舞小戲（陣頭）在九年一貫課程中的應用——以八家將、水族
陣、車鼓陣為例〉。

(10)吳榮順主編：《國立傳統藝術中心獎助博碩士班學生研撰傳
統藝術論文學術研討會論文集》（宜蘭縣：國立傳統藝術中心，
2005 年 7 月）。相關論文有鄭碧英〈新竹市區祠廟傳統供桌之探
討〉、蔡沛霖〈臺灣城隍廟儀式空間之研究〉。

(11)謝劍、鄭赤琰主編：《國際客家學研討會論文集》（香港：
香港中文大學香港亞太研究所海外華人研究社，1994 年）。相關
論文有王增能（WANG Zengneng）〈客家的喪葬文化〉、劉錦雲
（LIU Jin-yun）〈試論客家文化中的禁忌習俗〉。

以上總計參考三本專書文獻目錄，補遺 62 筆條目；利用網路

索引系統，補遺 11 種論文集 52 篇條目。

六、網路版糾謬

地名的「台」與「臺」兩字的使用是最不易引起關注的字，而國人的使用是應時的，正式時用「臺」，如公文、論文；非正式時用「台」，如書信、筆記；有時又是隨機式的兩者混用。以大陸地區實施簡體字，統一用「台」，固無此問題；但在臺灣，尤其是臺灣的研究目錄，使用此字是最頻繁的，以《台灣文獻資料聯合目錄初稿》為例，專著條目有二冊約 2,000 頁，以「臺」為首之題名則約有 650 頁。兩者若混用，檢索時，資料若為紙本，尚能掌控全書顯性的著錄內容；倘使用網路檢索，則無法規律性的瞭解隱性資料庫內所著錄的內容。

「台灣史田野研究室資料叢刊之一－三」這三部書均將地名的「臺」字，統一為「台」，如台灣、台北、台中、台南、台東。❷對於其所收錄的原始文章、書籍、論文，設若「台」、「臺」夾雜，必會使編者產生困擾，將之統一，不失為明智之舉，值得讚賞。但是，《網路版》並未將其統一，致使在檢索蒐尋上出現歧異現象，資料有無法找到者或重出者。以下分列各種蒐尋方式，以釐清其問題所在。

1.以重要字詞檢索：「台」字有 1,581 筆、「臺」字有 5,375 筆；「台灣」有 1,282 筆、「臺灣」有 3,770 筆。

---

❷　除《台灣平埔族研究書目彙編》詹素娟〈從中文文獻資料談平埔族研究〉一文，是以「臺」稱外，餘皆作「台」。

2.以期刊名檢索:「台灣文獻」有 91 筆,「臺灣文獻」有 535 筆;「台東文獻」0 筆,「臺東文獻」有 3 筆。㉖

3.以著錄條目檢索:「台灣人的宗教生活」(第 2 頁)、「關聖帝在台灣」(第 67 頁),均顯示〈找不到〉。

理論上,無論以「重要字詞」、「期刊名」、「著錄書目」等方式檢索有關「台」或「臺」之關鍵字,其出現筆數應是相同的。若數字出現差異,以資料庫而言,有二種可能,其一為有兩派輸入人員,一派輸「台」,另派輸「臺」(佔多數);其二為照原書目著錄。以系統言,系統對此二字應是相斥、互不相容的。

另以線索「台灣文獻」這部期刊檢索所得的 91 筆,檢閱「詳目」之「分類號」,出現有二個區段:

1.民間俗信、地方民俗、客家民俗、童乩、法師與法術、民俗醫療、占卜、風水、禁忌與避諱、生命禮俗、生育習俗、成年禮、婚俗、喪俗、壽誕、歲時習俗;

2.民間信仰、神明、玉皇上帝、三官大帝、媽祖、玄天上帝、國姓爺、祖師公、孔子。

依此訊息,對照《本書目》目次,可發現,從「民間俗信」到「歲時習俗」屬一類(約第 289－336 頁);「民間信仰」到「孔子」為另一類(約第 39－63 頁)。這兩個區間,資料庫均輸入「台」字,其他則輸入「臺」字。這是以「台灣文獻」期刊所尋得

㉖ 以《台灣文獻》這部期刊作為檢索標的,是因編者在全覽期刊明細表中,列出《台灣文獻》所收錄時自 1949 年 8 月至 1996 年 3 月,其詞目是相對較多的;反之,「臺東文獻」則較少之故。

的區間，頁次難免會有誤差。經在此區間前後檢索校對，所得數據應是第 289－343 頁、39－65 頁。準此推演，所衍生的問題是：⑴在這兩個區間以外的範圍，若輸入有「台」字的條目，皆蒐尋不到；⑵經驗證，頁 39－65 區間，「臺」字可尋得；頁 289－343 區間卻無法尋得；⑶頁 39－65 區間，若以書目省略「台」字的方法檢索，如頁 41《□灣信仰傳奇》，則會出現二筆內容一樣分別為「台」和「臺」之書目❷，可見這個區間兩者是相融的，而總筆數是否為 10,841 筆？有待商榷。❷如此複雜的怪異現象，目前最保險的方法，只有請讀者檢索時，兩字多多關照了。

網路版的功能較之書本是更能嘉惠大眾的。蒐尋快速，節省的時間也以數倍計。但是資料的數位化，有時錯誤在哪？卻是難以控制和掌握的。如上所舉，是根據網路版因輸入的未統一，可能會使檢索者試著以不同的字詞重複蒐尋，或者因一次未尋得而認定並無該筆資料。導致使用者在檢索上的諸多不便，這是屬資料庫的問題；相關字與字間的相融性，則是屬系統方面的問題。比較好的著錄方式應是回歸《本書目》的統一原則，或者將搜尋系統設定地名

---

❷　二筆有時差異之處是文獻類型的不同，或為期刊文章或為論文，而完全相同的文獻類型則是圖書。這個現象在其他區間是沒有的。

❷　參註❷，「民族所自建資料庫」介紹「臺灣民間信仰書目資料庫」言收錄 9,328 筆，而在此資料庫的檢索畫面是顯示 10,846 筆，多出 1,518 筆。前者言持續收錄中，後者時限為 2006 年 11 月，兩者是不衝突的。又《增訂版》收錄約八千筆。綜言之，可推斷 10,846 扣減（頁 39－65 重複部分）再減（互見部分）應是合理的推斷。

的「台」、「臺」二字可相通，若能如此，問題自然迎刃而解。㉙

<h1 style="text-align:center">七、結　語</h1>

　　編輯「專科目錄」應該是有一套標準作業流程的。如從編輯前的準備工作而言，需具備學識的培養和編輯的前置作業，前置作業須內含確定收錄時限和資料類型、確定資料條目之體例、編輯參考用書目錄；再從如何蒐集資料言，需利用前人既有之目錄和補抄前人目錄所不足之資料；最後則是如何整理資料與資料之分類與編排。㉚

　　從《初版》至《本書目》，所收資料可謂豐碩，尤其擴大收錄臺灣地區以外的資料，使得讀者之視角亦因之擴大，若能再從其它相關目錄收集，數量必定可觀。另從著錄的內容與體例言，間有改正，亦多舛誤，以編輯書目的主要目標即是廣蒐資料而言，這點或許是小疵；但從讀者角度而論，有時只因一字之錯，或引錯文獻，後果不可謂不大。再從《本書目》至《網路版》而言，《網路版》的內容主要是根據《本書目》而來，而網路資料庫的內容才是利弊的關鍵，在這方面，標準作業流程未達完善而讀者卻為求真實的情況之下，嘗試錯誤反成了必經路徑。形式體例絕斷了原始認知，反而只是習慣問題。當讀者面對螢幕前的搜尋網站，在簡單的導引，輕易輸入文字即可取得所需資訊的情況下；或許，校勘的工作也是

㉙　同註㉓。其方式為依照收錄篇目的原文著錄，未加更動；且搜尋系統對此是相融的。如輸入「臺灣」、「台灣」同是 4,631 筆。

㉚　節錄林慶彰主編：〈專科目錄的編輯方法〉，《專科目錄的編輯方法》（臺北：臺灣學生書局，2001 年 9 月），頁 15－30。

作業流程的必備。

　　以蒐集資料言，編者所採用的期刊文獻資源是相當完備的，且收錄嚴謹，少有漏收與誤收情況。另由條目的數量言，從 1991 年 3 月《初版》至 1997 年 3 月《本書目》，六年間增加約四千筆；至 2006 年 11 月《網路版》，近十年間增加近三千筆，相較於前階段，這段時間收錄相對是較少的。十餘年來，臺灣本土意識抬頭，各大學紛設臺灣文學、宗教、民俗等與臺灣文獻有關之研究所，按理資料應是愈加豐富的。

　　林美容教授在《初版》〈出版謝辭〉中說：「恐怕讀者的批判才是我應該當心的，難保這本書目在眾緣集聚之下還是會有一些瑕疵，分類上的謬誤或是資料上的不完整或是編輯上的疏忽，敬祈海內外方家讀者不吝指正。」前哨兵總是最孤寂的，披荊斬棘，面對未知的埋伏，尚得憂心後方的同伴。

【歷　史】

《戰國秦漢史論文索引》評介

吳福助*

書　　　名：《戰國秦漢史論文索引》

編　　　者：張傳璽、胡志宏、陳柯雲、劉華祝

出 版 者：北京　北京大學出版社

出版日期：1983 年 3 月

頁　　　數：478 頁

　　戰國秦漢時期，是我國古代社會一個經由劇烈變化轉趨定型的時期。這一時期在政治上，由封建諸侯割據混戰邁向統一，並建立中央集權君主專制的多民族國家；在經濟上，土地國有制度崩潰，個人私有制度逐步在全國確立，農業、手工業和商業跟著飛躍發展；在文化上，各地區的文化特質互相輝映，彼此影響，進而隨著帝國的建立，兼收並蓄，完成新的綜合與創造。總之，戰國秦漢是中國古代史中最重要的階段，它為此後兩千年歷史的發展奠定了深厚的基礎。自此後中國社會儘管有不斷的演變和創新，但它的體制

────────────────

*　　吳福助，東海大學中文系教授。

和風貌則大抵沒有脫離這個基礎的規範。研究中國歷史的人，不論其為研究那一階段，都必需先對戰國秦漢史有透切的瞭解，方能竟其全功，其原因即在於此。

戰國秦漢史的重要意義，在清末民初的史學界已有了相當認識，並開始做了一些初步研究。此後由於若干政治因緣的推動，研究風氣日趨興盛。特別是近三十多年來發掘或發現屬於這一時期的遺址、墓葬、簡牘、帛書以及其他文物，其數量的豐富及史料價值之高，均為後來任何朝代所不及，因而造成學術研究空前未有的熱潮。總計自一九○○年至一九八○年的八十年間，單就發表於國內報刊有關此一時期的文章而言，即有一萬數千篇之多。總結、整理這八十年來國人研究成果，便利中外學術研究工作者檢索參考，乃屬迫切需要。中國大陸中國社會科學院歷史研究所與北京大學歷史系合編《中國史學論文索引》❶，復旦大學歷史系與四川省哲學社會科學研究所合編《中國古代史論文資料索引》❷，以及香港余秉權編《中國史學論文引得》❸，以上三書都收有不少屬於戰國秦漢的論文。其後馬先醒編《漢史文獻類目》❹，日本坂出祥伸編《秦漢思想史研究文獻目錄》❺，早苗良雄編《漢代研究文獻目錄：邦文篇》❻，則為有關此一時期的專題工具書。數年前張傳璽等編

---

❶　科學出版社，北平，1957年。又續編，中華書局，北平，1979年。

❷　1975年。又附冊，1978年。

❸　亞東學社，香港，1963年。又續編，哈佛燕京圖書館，美國麻州，1970年。

❹　簡牘學會，臺北，1976年。

❺　關西大學，大阪，1978年。

❻　朋友書店，京都，1979年。

《戰國秦漢史論文索引》，則是最後出版，專收國人論著，且涵蓋時間較長而又較具規模的新著。本文特就張氏新著加以評介。

《戰國秦漢史論文索引》一書著錄國人有關戰國秦漢史的論文和資料，由張傳璽、胡志宏、陳柯雲、劉華祝四人合編。本書取材自國內一千二百四十餘種中文報紙期刊，凡著錄一萬二千餘篇，約起自一九○○年，止於一九八○。全書根據文章內容，分為十八類：㈠戰國秦漢史概況，㈡政制和法律，㈢經濟和財政，㈣社會，㈤農民叛亂，㈥少數民族和民族關係，㈦中外關係，㈧地理，㈨軍事，㈩經學，㈪諸子，㈫語言、文學，㈬文化，㈭科學技術，㈮宗教，㈯傳記，㈰歷史文獻，㈱考古與文物。每類下有目和子目。書前序言說明編輯宗旨云：「學問的研究是千秋萬代的事業。前人之辛勞，常常是後來者的出發點或基礎。因此，我們批判地繼承前人的成果，在已有的基礎上前進，是必要的。只是反映已有成果的文章數量很大，綿互時間很長。舊社會的報刊印數不多，歷經毀損，已難尋求；一九四九年以來的臺灣如天地懸隔，香港的地位也屬特殊，兩地報刊我們能見者不多；……後我們的報刊雖如雨後春筍，可是有關歷史研究的文章則極其分散，至於戰國秦漢一段的文章，當然更加分散，查找很不容易。為此，我們決定編這本『索引』，一方面為八十年來對本段歷史的研究做一鳥瞰式的小結；另一方面亦為從事本段歷史的教學和研究的同行提供一個檢閱前人成果的方便。」編者總結、整理文獻資料，服務學術界同好的用心，可謂深具卓識鴻裁。至於編輯過程，序言又云：「這本『索引』的編輯費時兩年，對文章出處的核實，對內容的研究，對應歸類目的安排，都認真地進行了工作。」其編輯態度，亦頗認真負責，值得吾人欽

敬。本書嘉惠士林，啟導初學的宏效，諒可預卜。

工具書的編輯體例，不厭求詳，愈完善愈便利使用。為責善求全起見，不揣翦陋，謹提出修訂意見如下，以供再版時參考：

㈠本書所收論文，篇名之前均宜依序列「編號」，並將此編號起訖號碼列於書前「目錄」中各類目下，以取代原有的頁碼。如此不但便於編排及檢索，亦可統計全書或各大類、各子目論文確實數量。

㈡凡文章內容可同時歸屬於不同類目者，應不避重複採互見例，分別歸入有關各類。此類文章為數不多，增加篇幅有限，但如此編排則為效甚宏。

㈢書末附錄「所收報刊一覽表」，僅列出報刊名稱，未免不足。宜增列創刊（復刊）年月、出版地、出版者，以及本書收錄卷期、收錄篇數、涵蓋的年代，以便讀者尋檢。

㈣書末宜增編「著者索引」，以輔助分類類目的不足。如此便於檢索某著者論文收編於何類，亦可藉以查考著者研究的方向和成果。

㈤「作者索引」之後，宜仿中國社會科學院歷史研究所《中國史學論文索引》一書之例，另就人名、地名、原有標題及各種專名（包括書名、物名、種族名以及歷史上有名史實），編成「輔助索引」，以助檢查。

戰國秦漢有關論著，目前已出版者甚多，不僅限於報刊，亦不僅限於國人所著。為提升學術效用，擴大服務對象，俾成為國際通用的工具書起見，本書實有拓展範圍，出版「續編」的必要。謹再貢拙如下：

㈠臺灣地區出版報刊，本書收錄不多，僅有一百六十種左右。而國立中央圖書館《中國文化研究論文目錄》❼所錄卻有近千種。應據以增補。

㈡本書僅收錄「期刊」、「報紙」兩類資料。個人自著或二人以上合著的「論文集」,，以及各大學研究所「學位論文」，均未收入。宜參考國立中央圖書館《中國文化研究論文目錄》、楊國雄及黎樹添《現代論文集文史哲論文索引》❽等書增錄之。

㈢歷代文集、隨筆、雜著之部，有關著作，精義甚多，頗堪玩味，宜參考馬先醒《漢史文獻類目》、佐伯富《宋代文集索引》❾、陸峻嶺《元人文集篇目分類索引》❿、王重民等《清代文集篇目分類索引》⓫、京都大學東洋史研究會《中國隨筆索引》⓬、佐伯富《中國隨筆雜著索引》⓭增編。

㈣書籍之部，關係尤大，宜參考日本京都大學《東洋學文獻類目》、中國科學院歷史研究所《「1900－1975」七十六年史學書目》⓮增編。

㈤歐美、日人有關論著，宜參考《東洋學文獻類目》、北京圖

---

❼　商務印書館，臺北，1985 年。
❽　香港大學亞洲研究中心，1979 年。
❾　京都大學東洋史研究會，1970 年。
❿　中華書局，1979 年。
⓫　北平圖書館，1935 年。
⓬　京都大學東洋史研究會，1954 年。
⓭　同前註，1960 年。
⓮　科學出版社，1981 年。

書館《國外研究中國問題書目索引》❶增編。

　　——原刊於《中國文化月刊》第 122 期（1989 年 12 月），
　　頁 106－110。

---

❶　書目文獻出版社，北平，1981 年。

《戰國秦漢史論著索引》
（一～三編）述評

王桂蘭*

書　　名：《戰國秦漢史論文索引（1900－1980）》

主　　編：張傳璽

編　　輯：胡志宏、陳柯雲、劉華祝等

出 版 者：北京　北京大學出版社

出版日期：1983 年 3 月

頁　　數：478 頁

書　　名：《戰國秦漢史論著索引續編

　　　　　（論文 1981－1990　專著 1900－1990）》

主　　編：張傳璽

副 主 編：劉華祝、張怡青

編 輯 群：王淑珍、甘杜紅、陳柯雲、張海青、楊振紅

---

* 　王桂蘭，臺北大學古典文獻學研究所碩士生。

出 版 社：北京　北京大學出版社

出版日期：1992 年 11 月

頁　　數：826 頁

書　　名：《戰國秦漢史論著索引三編（1991－2000）》

主　　編：張傳璽

副 主 編：張怡青、甘杜紅、張海青

編　　委：于振波、王文濤、王淑珍、朱　清、劉華祝、
　　　　　劉曙光、冷鵬飛、楊憲偉、楊　凌、張美青、
　　　　　張冠梓、岳慶平、原曉方、龔汝富、蔣非非

出 版 社：北京　北京大學出版社

出版日期：2002 年 10 月

頁　　數：811 頁

一、前　言

　　一門學科的入門與研究是否成熟發展，有兩類書籍引領其研究途徑。其一是基本的概論書籍，它引領我們對該學科的認識與該學科的架構，如以學科來說，「中國歷史概要」、「國學概要」之類的書籍就不可少。其二是該學科研究的論著目錄，它指導我們了解該學科現階段研究成果概況與進一步想研究該領域相關資料蒐集的利器。因此，進行某專科研究論著目錄的編輯正表示該學科的成熟與壯大。若是沒有基本認識，如何進行更深入研究？又如何能對研究現況有所了解並補其不足，知己知彼可避免重複許多相同研究，

造成資源浪費。兩者重要性不可言喻，同樣都該重視。

戰國秦漢這一階段的歷史時期，是由動盪不安轉而趨於穩定的重要歷程。政治上走向大一統，中國傳統的儒家思想亦是從此時期開展，平民教育得以崛起，對社會階層產生流動，有機會受教育。而近代出土的考古文物，簡牘帛書，亦以戰國秦漢時期出土的為多，興起學術研究的熱潮。為便於學術研究者的檢索，編輯研究論著目錄是最佳的途徑與需要。

本文嘗試以使用者角度來分析戰國秦漢史的研究目錄編輯體例，評述張傳璽先生編輯戰國秦漢史目錄的成就與待商榷之處，期待將來若有新的目錄出現，能夠更符合使用者需求。也希望使用者在使用這些目錄上能更有效利用，並注意到它的侷限性。

二、編輯緣起

㈠ 秦漢史與研究關係

戰國秦漢時期是中國古代史中最重要的階段，它為此後兩千年歷史的發展奠定了深厚的基礎。中國社會如何演變與創新，大致上其體制和風貌不脫離此範圍。不論研究那一朝代的歷史，需對戰國秦漢史有所了解，才能竟其全功。

清末至民國初年，許多政治家和學者開始注意到戰國秦漢時期的制度和政策，此時期是先秦社會轉變、政治走向大一統、經濟和文化發展漸漸對往後歷史產生深遠的影響。

㈡ 編輯原因

戰國秦漢史的研究者逐漸受到重視，因此產生的研究作品增多，為便於學術上的尋檢，產生編輯緣起之因，可歸納下列幾點：

1.作品數量多

自 1900 年至 1980 年八十年間，有關於戰國秦漢史所發表在報刊中的數量多達一萬餘篇。❶所涉及的領域包含政治、經濟、文化、軍事、民族、中外關係、歷史地理、及考古、文物等，並具有學術上的價值，所以為凸顯學者們的貢獻，更需要有人為作品留名。

而相關的歷史學論著目錄，前人亦有編錄，例如：中國科學院歷史研究所與北京大學歷史系合編《中國史學論文索引（1900－1937）》❷、《中國史學論文索引第二編（1937－1949）》❸；復旦大學歷史系資料室編《中國古代史論文資料索引（1949.10－1979.9）》上、下冊❹；香港余秉權編《中國史學論文引得（1902－1962）：據香港大學馮平山圖書館所藏期刊及縮影膠片》❺、《中國史學論文引得續編（1905－1964）：歐美所見中文期刊文史哲論文綜錄》❻；馬先醒編《漢史材料與漢史論著綜合目錄》❼、

---

❶ 《初編》凡例說明取材自中國將近一千二百四十餘種中文報紙期刊、並著錄一萬二千餘篇。

❷ 中國科學院歷史研究所第一、二所與北京大學歷史系合編：《中國史學論文索引（1900－1937）》（香港：三聯書店，1980 年 1 月）。

❸ 中國科學院歷史研究所編：《中國史學論文索引第二編（1937－1949）》（香港：三聯書店，1980 年 5 月）。

❹ 復旦大學歷史系資料室編：《中國古代史論文資料索引（1949.10－1979.9）》上、下冊（上海：上海人民出版社，1985 年 1 月）。

❺ 余秉權：《中國史學論文引得（1902－1962）：據香港大學馮平山圖書館所藏期刊及縮影膠片》（香港：香港亞東學社，1963 年）。

❻ 余秉權：《中國史學論文引得續編（1905－1964）：歐美所見中文期刊文史哲論文綜錄》（美國麻州：哈佛大學哈佛燕京圖書館，1970 年）。

《漢史文獻類目》❽；日人坂出祥伸編《秦漢思想研究文獻目錄》
❾；日人早苗良雄編《漢代研究文獻目錄：邦文篇》❿；中國上古
史編輯委員會編《中國上古史中文文獻分類書目》⓫收錄專書及論
文，時間則以民國元年（1911）至民國五十八年（1969）論文為
限。

　　這些有關戰國秦漢史的論著、和有關戰國秦漢時期的專題工具
書著錄不少，但大多為通代或單一朝代的著作。通代論著目錄礙於
收錄不易齊全；而單一朝代又無法看出前後的關聯性。而張傳璽先
生等編的《戰國秦漢史論文索引》（以下簡稱《初編》）、《戰國
秦漢史論著索引續編》（以下簡稱《續編》）、《戰國秦漢史論著
索引三編》（以下簡稱《三編》）出版後，其書具連續性又較上述
論著目錄晚出，具有新穎性；且其內容涵蓋戰國秦漢時期約六、七
百年間的時空背景，具有規模性。

　　相對於之前如欲查找這時期的論著目錄，則要一本一本的翻閱
以上所列通史等大範圍之書，查閱過程相當煩瑣，待三編出版之
後，解決了煩人的手續，畢其功於一役，研究戰國秦漢時期的學者

---

❼　馬先醒：《漢史材料與漢史論著綜合目錄》（臺北：中華學術院中國文化學
　　院史學研究所，1970 年）。

❽　馬先醒：《漢史文獻類目》（臺北：簡牘社，1976 年 6 月）。

❾　坂出祥伸：《秦漢思想研究文獻目錄》（大阪：關西大學廣報部，1978 年 4
　　月）。另有臺北木鐸出版社，1981 年 7 月景版印行。

❿　早苗良雄：《漢代研究文獻目錄：邦文篇》（京都：朋友書店，1981 年 5
　　月）。

⓫　中國上古史編輯委員會：《中國上古史中文文獻分類書目》（臺北：中國上
　　古史編輯委員會，出版年不詳）。

專家，翻閱該書，能明確指引與快速地得到相關訊息，達到事半功倍之效。

2.時機成熟

近年來出土的遺址、墓葬、簡牘、帛書及其他文物為數甚多，且提供此時期豐富的歷史資料。將這些戰國秦漢史研究的成果集結成書，是了解戰國秦漢史研究的捷徑。為致力於編輯此目錄，在《續編》前言中，張傳璽先生說：

> 一方面為若干年來對本段歷史的研究成就做一個鳥瞰式小結，另一方面亦為從事本段歷史的教學和研究的同行提供一個檢閱前人成果的方便。

時勢所趨，學術交流的活絡，更開通閉塞的學術環境，加上條件已成熟，知識地球村的時代已來臨。

3.增補新資料

《初編》所收的時間斷限，礙於兩岸尚未開放，加上香港資料取得不易。因此臺灣、香港的資料許多並未收錄。且《初編》在出版若干年之間，新研究論著陸續產生，為補缺前者之失，編者近乎十年為一階段，而有《續編》、《三編》的作品產生。

4.全面收羅

前人亦有編纂過相關的論著目錄❷，但各偏於一隅。張傳璽先生所主編三編內容則是以斷代史且涵蓋範圍全面而完整收羅相關的

---

❷　見註❷－⓫。

論著條目。

三、編輯者

本書的主要編輯者為張傳璽先生，關於他的簡歷，整理如下：

張傳璽（1927－）北京大學歷史學系教授。出生於山東日照。家中世代務農，從小家貧，並在艱困中完成學業。八歲時，上私塾接受傳統教育的啟蒙，十六歲才小學畢業，後在簡易的師範學校就讀。1945 年，抗戰勝利後，因政局變動，學校停辦，張先生為了求學，隻身到青島，以半工半讀的方式，完成中學的學業。並以同等學歷，於 1946 年進入青島山東大學先修班就讀，次年正式為中文系的學生，後來因為參加中共青島市委山東大學地下工作組工作，轉入歷史系就讀。1951 年，派到教會學校私立青島文德女子中學擔任政治教員。陸陸續續在中學任副教導主任之職。1956 年，考進北京大學歷史系，師承馬克思史學家翦伯贊先生，並攻讀秦漢史專業副博士研究生課。1961 年畢業後，便留在北大教授講學「中國通史」、「秦漢史研究」、「中國土地制度史研究」等課程。

歷任學術之職務為：中國地震歷史資料編纂委員會北京市編委會副主任，中國秦漢史研究會副會長、顧問，中國北京史研究會理事、學術顧問，教育部全國中學歷史教材審查委員會委員，全國普通高等學校招生統一考試學科命題委員會委員，全國各類成人高考統一招生考試大綱審定委員會副主任兼歷史學科組組長，中央廣播電視大學主講教師，香港珠海書院，韓國高麗大學客座教授。

張先生的研究專長主要為秦漢史、中國契約史、土地制度的研

究等。其主要論著為《中國古代史綱（上、下冊）》、《簡明中國古代史》、《秦漢問題研究》、《中國歷史文獻簡明教程》、《中國歷史契約會編考釋（上、下冊）》、《翦伯贊傳》、《北京史》、《北京歷史地圖集》、《中外歷史問題八人談》、《中國古代史教學參考地圖集》等，以及發表的論文兩百多篇。

《戰國秦漢史論著索引》目前出版共有三編，其他編輯人員則羅列於下：

《初編》主要編輯人員為張傳璽、胡志宏、陳柯雲、劉華祝等。《續編》主編為張傳璽；副主編為劉華祝、張怡青；編者群為王淑珍、甘杜紅、陳柯雲、張海青、楊振紅。《三編》主編為張傳璽；副主編為張怡青、甘杜紅、張海青；編委為于振波、王文濤、王淑珍、朱清、劉華祝、劉曙光、冷鵬飛、楊憲偉、楊凌、張美青、張冠梓、岳慶平、原曉方、龔汝富、蔣非非。

四、體例內容介紹

《初編》所收文章條目以「戰國秦漢史」相關的論文或資料為主，對於有爭議的戰國、東漢的時間斷限，有些條目收錄時限則放寬。而收錄的中文報刊，就筆者統計書後附錄的「所收報刊一覽表」則約有 1234 種，其中包含臺灣、香港、中國大陸等地所發表的報刊文章。

㈠收錄時間為西元 1900 至 1980 年，凡「評法批儒」的文章，只著錄有代表性的。

㈡目錄的編排，則根據文章的內容分為十八類，類下有目和子目。每一篇章條目按分類屬性編入，並以發表時間先後次序排列。

（類目名稱詳見表一）

㈢條目的著錄方式，依篇名、著譯者、報刊名稱、卷期、出版年月排列。

《續編》增加專著部分，編輯體例分為兩部分：上編為論文、下編為專著部分。

㈠論文方面，收錄的大陸報刊時間以 1981－1990 年為範圍，但所收臺灣、香港、澳門的報刊則自 1949－1990 年以補第一編的不足。專著方面，則收 1900－1990 年中國大陸所見的中文圖書。

㈡資料來源，以北京圖書館、中國社會科學院歷史研究所圖書館、北京大學圖書館和歷史系資料室、考古系資料室所藏中國大陸、臺灣、香港、澳門出版的報刊、圖書及相關的工具書。和臺、港學術界學者所贈的文章和書籍。

㈢條目的著錄方式，上編論文，依篇名、作譯者、報刊名稱、年月日、卷期輯版排列；下編專著，依書名、作譯者、出版單位、年月排列。

《三編》所收時間斷限以 1991－2000 年為主。並補收前兩編缺臺灣、香港、澳門相關論著部分。就筆者統計書後所附的「所收報刊一覽表」則約有 1650 類。條目的著錄方式則與《續編》同。

表一　《戰國秦漢史論著索引》目錄分類比較異同表

	《戰國秦漢史論文索引（1900－1980）》	《戰國秦漢史論著索引續編（論文1981－1990專著1900－1990）》		《戰國秦漢史論著索引三編（1991－2000）》	
前言 凡例				代序〈秦漢史研究九十年評述〉❸ 英文目錄	
		上編論文	下編專著	上編論文	下編專著
一、戰國秦漢史概況					
二、政制和法律		政法概述			
三、經濟和財政		生產狀況、技術 畜牧、林業等 運輸與運輸工具			
四、社會		大地主、大商人、中家 宗族、家族 生活、風俗			
五、階級鬥爭和農民戰爭					
六、少數民	雲南、川西	雲南、貴州			

---

❸　張傳璽：〈秦漢史研究九十年評述〉，《秦漢史論叢》，第 6 輯（南昌：江西教育出版社，1994 年 12 月），頁 1－13。

族和民族關係	地區考古 甌越	、川南、川西地區考古 甌越、蠻 <u>蘇</u>、<u>浙</u>、湘 、鄂、贛、 閩、粵、桂 、黔東考古			
七、中外關係					
八、地理	川澤 長城 地理思想和著作	川澤、山海 長城、關塞 地理思想、 著作和地圖			
九、軍事		兵種、<u>兵器</u> 、<u>馬政</u>			
十、經學					
十一、諸子		墨翟、墨者 鄒衍與陰陽 五行家 《<u>呂氏春秋</u> 》與雜家	<u>其他法家</u>	《三編》未 著錄「農家 」	《三編》未 著錄「其他 法家」
十二、語言 、文學		賦家、賦、 連珠			
十三、文化		<u>文化綜述</u> 音樂、舞蹈 、戲劇、體 育、<u>美術</u>	版本、目錄 學		版本、目錄 學、<u>索引</u>、 <u>詞典</u>
十四、科學技術		物理學、<u>化</u> <u>學</u>			
十五、宗教					
十六、傳記					

十七、歷史文獻		司馬遷與《史記》班固與《漢書》		
十八、考古與文物		絲毛織品銅器、漆器銘文	度量衡簡牘綜述	其他簡牘帛書綜述
	盟書、符節、契券	印章、封泥符節、契券銅鑄、石雕		
附錄一、所收報刊一覽表二、英文目錄		附錄一、所收報刊一覽表二、英文目錄		附錄一、所收報刊一覽表二、所收專著出版單位一覽表

＊ 橫線為三編相互比較後，其書增刪之處。

五、優缺點

　　編輯論著目錄是一項艱巨的工程，浩瀚學海如何能充分利用史料，前人辛苦的研究成果，如缺少後人系統的整理，終將埋沒於紙堆之中。論著目錄的編輯不僅是嘉惠自己並嘉惠後人的學術利器，且提供了資料檢索的最大利用價值。這部論著目錄也是一樣，筆者認為有以下優點：

㈠ 具延續性

　　編輯論著目錄最重要的是收錄時間的確立，所收時間要長，研究成果作品的產出是永無止盡的，完成一部論著目錄的同時，下一編也在著手進行，才能追溯成果的連貫性，二編、三編……延續性的發展編輯，編著的辛苦持續編輯更可看出時代的脈絡足跡。

㈡ 領域範圍廣

此時期的歷史觀，無論是政治、經濟、社會、文化、考古、民族、風俗、語言……等。都能作為各個領域學者專家的參考，或多或少都可找到相關資訊。

㈢ 清末民初資料多

一九四九年以前的資料蒐集不易，由於編者的用心，使清末民初這一動盪不安時期的作品條目得以呈現，對當時社會的研究動向有所了解。

㈣ 子目分類詳細

目錄的分類最忌流於瑣碎，本書在分類上可說是分類適中，在十八類目，下分子目，一目了然地，使用者能清楚找到相關的類目。

然筆者對於此書使用查閱後所疑議之處，提供約略的想法就教於編者與學術界前輩，以解若干疑惑。

㈠ 凡例的說明未詳盡

凡例的記載僅說明收錄內容範圍、論著時間斷限、本書體例的分類、時間符號的表示、個別論著兼收、目錄和附錄。對於初使用者，無法得心應手的查找，茲舉《三編》一條目如下：

篇名	作譯者	報刊名稱	年月日	卷期輯版
荀子的理想人格⓮	盧有才	中州學刊	1999.5	

⓮　張傳璽：《戰國秦漢史論著索引三編（1991－2000）》，頁227。

　　對於使用者來說「1999.5」代表的意義是「1999年5月」還是「1999年5期」，雖然大陸期刊的標示法代表「1999年5期」，但在凡例時間的符號有說明以「.」表示年月，讓使用者產生誤導。且期刊分季刊、雙月刊、半年刊等，期數不一定等於月份，就筆者查閱，該期刊出刊月份為「1999年9月」，若依凡例說明，「年月日」該項應著錄「1999.9」而非「1999.5」，第5期則應放在「卷期輯版」。詳細註明年月、卷期，對於資料的查尋，提供效率與便利性。

㈡ 未編「流水號」

　　流水號的排列是為了明瞭該研究領域的成果，便於統計全書的條目，如有書後的索引，也可藉由流水號而方便使用者查閱所需的條目。

㈢ 書後未有「作者索引」

　　專科目錄的工具書索引、附錄雖說是附屬品，但缺少索引、附錄，使用此類工具書，則要花更多的時間，才能對此工具書有所了解，或找到我們所要的資料。有「作者索引」的檢索是極重要的一環，藉由此方法查找可以知道學者的研究動態、學術成果趨於那一方面，此為一般工具書基本的附錄項，未著「作者索引」，對於欲查找的條目僅能逐頁逐條瀏覽，效率既低又耗時，也違背了目錄工具書便利的功效。

㈣ 英文目錄未列頁碼

　　本書另附英文目錄，可提供更多數人的參考，並嘉惠更多外國學者的使用，唯其缺失則未著錄頁碼，對於尚不熟悉中文的使用者空有目錄，而不知如何著手查尋；或編者之意是讓國內使用者單向

知其代表意涵，方便找尋國外資料時可參考對照？

(五) 報刊出版地應註明

　　附錄「所收報刊一覽表」、「所收專著出版單位一覽表」僅按筆劃將刊物名稱列出，並未註明出版社、出版地、出版時間等，使用者不知其為何地的刊物，然附錄的標示僅以「○」說明為臺灣出版，「△」為港澳出版，易造成錯誤判斷。

　　以《人生》❶這一期刊為例，《初編》、《續編》均標示為「△」，而《三編》則標示為「○」。就筆者查證結果，《人生》其出版地應在香港，《三編》與前二編出版的標示不一。

　　又一《初編》附錄中有兩個「中央日報」❶以符號標示，只知其一在臺灣、其一在大陸，未列出出版地、出版社、出版時間等，易產生混淆。

(六) 條目重出

　　在同一類目同一頁下，著錄兩筆相同的條目，以在《三編》❶重複著錄條目舉例如下：

篇名	作譯者	報刊名稱	年月日	卷期輯版
論漢初的「孝治」	季乃禮	學術月刊	2000.9	
論漢初的「孝治」	季乃禮	學術月刊	2000.9	

---

❶　張傳璽：《戰國秦漢史論文索引（1900－1980）》，頁 464；《戰國秦漢史論著索引續編（論文 1981－1990　專著 1900－1990）》，頁 811；《戰國秦漢史論著索引三編（1991－2000）》，頁 794。

❶　張傳璽：《戰國秦漢史論文索引（1900－1980）》，頁 465。

❶　張傳璽：《戰國秦漢史論著索引三編（1991－2000）》，頁 38。

㈦ 報紙版次體例不一

關於報紙條目的著錄，應著錄版次為宜，方便使用者的查尋。但同樣是光明日報，有些條目有版次，有些條目卻未著錄，易造成使用者查尋的不便，且編排應力求統整性。茲舉例如下：

篇名	作譯者	報刊名稱	年月日	卷期輯版
談孟子的貴民思想❸	田兆陽	光明日報	2000.7.4	

篇名	作譯者	報刊名稱	年月日	卷期輯版
漢初的黃老思想❹	胡曉娟	光明日報	1998.7.10	⑦

㈧ 應採條目互見

編者為了將著錄條目較少的類目均衡，而分散各類目於他處，但未用互見的方法，增加使用者查找的困難度，以上述〈談孟子的貴民思想〉一條目為例，該書將條目置於「政制與法律」之類目下，筆者欲在「諸子」類目下找尋「孟子」該條目卻未見著錄，又苦無索引可查找，對於該書的實用性將大大降低。

㈨ 學位論文未收

《戰國秦漢史論著索引》至今已出版三編，只收期刊、報紙、專書部分，而會議論文、論文集論文部分微乎其微，博碩士論文研究該時期者則未見該書著錄，編者應廣泛收羅，使該書更完備，臺灣部分資料仍嫌不足。另可參考前人編輯的目錄，列舉如下：

---

❸　張傳璽：《戰國秦漢史論著索引三編（1991－2000）》，頁38。
❹　張傳璽：《戰國秦漢史論著索引三編（1991－2000）》，頁334。

1. 周迅、李凡、李小文編《1522 種學術論文集史學論文分類索引》❷⓿

2. 華東師範大學歷史系中國古代及中世紀史教研組編《中國古代及中世紀史報刊論文資料索引》❷⓵

3. 張錦郎編《中文報紙文史哲論文索引 1936－1971》共二冊❷⓶

4. 國立中央圖書館編《中國近二十年文史哲論文分類索引》❷⓷

5. 王仲孚主編《中國上古史研究專刊》❷⓸

6. 國立中央圖書館編《中華民國期刊論文索引》❷⓹另見「中文期刊篇目索引影像系統」網址：http://readopac2.ncl.edu.tw/ncl3/intro.jsp?la=c

（十）國外漢學研究成果收錄少

　　就筆者統計《三編》的外國學者專家發表在中文期刊上的條目約略如下：

---

❷⓿　周迅、李凡、李小文編：《1522 種學術論文集史學論文分類索引》（北京：書目文獻出版社，1990 年 2 月）。

❷⓵　華東師範大學歷史系中國古代及中世紀史教研組編：《中國古代及中世紀史報刊論文資料索引》（東京：大安株式會社，1967 年 11 月）。

❷⓶　張錦郎編：《中文報紙文史哲論文索引 1936－1971》共二冊（臺北：正中書局，1973 年 11 月）。

❷⓷　國立中央圖書館編：《中國近二十年文史哲論文分類索引》（臺北：國立中央圖書館，1976 年 3 月）。

❷⓸　王仲孚主編：《中國上古史研究專刊》（第三期）（臺北：蘭臺出版社，2003 年 6 月）。

❷⓹　國立中央圖書館編：《中華民國期刊論文索引》（臺北：國立中央圖書館，1970 年一）。

《三編》外國籍學者於中文期刊發表文章一條目

國別	日	韓	美	加	德	法	俄	英	澳	新西蘭	新加坡	波蘭	荷蘭	瑞士	奧地利	挪威	香港
條目	70	30	25	1	6	2	2	1	1	1	3	1	1	2	1	1	1
總數	149																

　　筆者在查找過程中亦發現某些屬外國籍者，並未標示，或香港部分應該不只一條，粗略統計後發現亦有其他國家學者的研究成果，那麼發表在外文刊物上的應不在少數，應儘可能補足，才能看出全球的研究動態。如要查找國外學者的研究成果，可參考「東洋學文獻類目」。

　　綜說以上查閱該書的想法，《戰國秦漢史論文索引》曾有學者❷評介該書，曾列舉該書編輯體例不完善之處，並提出修訂建議，以供再版時的參考，然而編者在《續編》前言提到對吳福助先生惠贈書籍與評介該書的感謝之意，《續編》亦略增補臺灣、香港等地研究成果的不足，對於體例修訂建議乃用前書之例，並未修訂，編者則說明礙於人力和時限，只有待於將來。如今《三編》已出版，體例依舊承襲前編，並未見有大幅度的修正，上述羅列之缺疑處依舊存在。

　　雖然有如此的缺點，張傳璽先生在龐大的資料中完成本書的編

---

❷ 吳福助：〈《戰國秦漢史論文索引》評介〉，《中國文化月刊》第 122 期（1989 年 12 月），頁 106－110。

輯，資料的蒐集不免疏漏，但終不掩編者的學術貢獻。

六、對本書的期許

㈠ 持續新資料蒐集

專科目錄所收條目，無法求全在所難免，或許因十年年限過長，一時無法在短時間內蒐集齊全，就筆者想法或許可先蒐集近一、兩年內的作品，並發表於刊物上，到時再集結編成論著目錄出版，漏收條目之情況可望減低。例如：鄭阿財先生發表的文章〈2001 年至 2002 年臺灣地區唐代學術研究概況——敦煌學〉**㉗**，將近期學術界有關敦煌學研究概況做小部分整理，以利編輯論著目錄的前置作業。《戰國秦漢史論著索引》帶給後學對近百年研究戰國秦漢史學術成果上的認識，對這段歷史的初步概念有所建構，本書特點可供後學參考。

㈡ 網路檢索系統建置

因應時代的需求，網路檢索的系統功能的建置，具有相當的必要性。以戰國秦漢史研究來說，我們目前可以藉由以下系統找尋到部份相關資訊：

1.臺灣文史哲論文集篇目索引系統**㉘**：

http://memory.ncl.edu.tw/tm_sd/index.jsp

㉗ 鄭阿財：〈2001 年至 2002 年臺灣地區唐代學術研究概況——敦煌學〉，《中國唐代學會會刊》第 12 期（2004 年 12 月），頁 95－109。

㉘ 從國家圖書館館藏目錄系統進入即可。

2.經學研究論著目錄資料庫❷：

http://ccs.ncl.edu.tw/ccs/TW/ExpertDB2.asp

3.兩漢諸子研究論著目錄資料庫；

http://ccs.ncl.edu.tw/ccs/TW/ExpertDB1.asp

4.敦煌學研究論著目錄資料庫：

http://ccs.ncl.edu.tw/ccs/TW/ExpertDB3.asp

但這些也僅是部分，不是很齊全的。因此建議張傳璽先生可以試著建構網路檢索。或者是國內學術單位可以將本書數位化以方便學者使用檢索。

七、結　論

綜合以上敘述，對於《戰國秦漢史論著索引》一至三編，將近一百年關於戰國秦漢時期，編者對學術界研究成果的展現不遺餘力。目錄的分類詳細、且編者致力於編著此項艱巨的工作，筆者深

---

❷　國家圖書館漢學研究中心「專題資料庫」。

深感念，其書更有效地嘉惠使用者。但前修未密，後出理應轉精，使用者用嚴格的眼光來審視，為求論著目錄能達到最高的價值，否則編輯論著目錄，將成為人力資源的浪費。《初編》的編輯或許礙於 1949 年以前的資料不足，且兩岸之間往來的管道不暢通，近年來政策開放後，兩岸的交流甚廣，資訊的流通亦大，編者可參閱的資料更豐，臺灣地區不乏有系統且具權威性的論著目錄可參考，例如林慶彰先生主編的《經學研究論著目錄》可說是開起專科目錄編輯的先河，深受國內外學術界的好評，以《經學研究論著目錄》的體例編排為範本，以之作為內容、體例的調整，編出更嚴謹、更完善的論著目錄，充分發揮論著目錄的功用。

以使用者的角度而言，類目的分類詳盡，所要找尋的相關條目，可按類索驥；而凡例的說明，應不厭其煩的將各種代號說明清楚，體例的統一，期刊卷期、期刊頁碼的著錄，篇名、作者的索引尤其重要，這些都能幫助使用者快速查找資料的關鍵。然而此目錄雖存在編輯方面的缺失，卻不掩實用之價值，對於研究戰國秦漢時期的作品，使後生晚輩有更深刻的了解。

資訊時代的來臨，學術的交流不再是閉門造車，不論是日本、韓國、越南、歐美等域外各國的研究資訊都應充分掌握，《三編》雖有著錄美、日、韓等國之作品，但數量過少。論著索引資料庫的建置也是時代的趨勢，目錄的編輯者應有更大的企圖心，條目的蒐集，做地毯式的搜索，儘量求其全，以展現全球學術發展的風貌。

新方志四十三年回顧

——《中國新方志目錄 （1949－1992）》析評

周　迅[*]

書　　名：《中國新方志目錄（1949－1992）》

編　　者：全國地方志資料工作協作組

出 版 者：北京　書目文獻出版社

出版日期：1993 年 8 月

頁　　數：644 頁

在漫長的中國歷史上，以省市縣等行政區劃為單位，隔一段時間就要修一次地方志，是中華民族一項獨特的文化傳統，存留至今的約佔中國現存古籍十分之一的地方志，時間上縱貫千年，空間上覆蓋全國，內容上包羅萬象，構成了一個蘊藏極富的地方知識寶

***

[*]　周迅，北京圖書館研究館員。

庫，舉世聞名。

中華人民共和國成立以後，這一優秀傳統得到充分的繼承與發揚，編修新方志，作為國情調查的一項系統工程，不僅受到政府的支持，而且獲得全社會的理解和回應。從 50 年代初開始醞釀，80年代在全國形成空前的聲勢和規模，到 90 年代初已經碩果累累。新編地方志以記述新中國的情況為主，遵照《新編地方志工作暫行規定》，其下限一般截止於 80 年代中期或志書完稿之日，以最新的資料及時記錄了我們這個飛速變化的時代。同時，它也發掘了大量舊志未載的史實，特別是民國時期的史料。其資料價值與收藏價值已引起國內外各行各業研究工作者及文獻收藏機構廣泛的注意。

為了向各方面系統介紹中國新方志的編纂進度和出版狀況，「中國地方志資料工作協作組」從 1990 年起開始編輯《中國新方志目錄》。鑒於新方志數量眾多而且尚在陸續出版中，該目錄計劃分為三冊，以 1949 至 1992 年出版者為第一冊，1992 至 1996 年為第二冊，1997 年至本屆修志結束為第三冊。第一冊已於 1993 年 8月由書目文獻出版社出版。

《中國新方志目錄（1949－1992）》（以下簡稱《目錄》）為精裝十六開本，644 頁，正式與非正式出版的志書均在收錄之列。每書介紹書名、編纂者、出版者、出版時間、冊數或頁數。全書按1992 年全國行政區劃表編排。它的編纂者「全國地方志資料工作協作組」實為全國各省、各主要城市地方志編纂委員會資料工作部門的聯合。具體承擔編纂的，都是多年在方志資料工作第一線踏實奮鬥的人。因此，就掌握資料的全面、豐富而論，具有無可置疑的優越條件和權威性。

　　目錄是從事學術研究的入門必由之途，早已是中國學者的經驗之談，在信息量激增的現代社會尤其如此。朱士嘉先生的《中國地方志綜錄》，及在《綜錄》基礎上擴而大之的《中國地方志聯合目錄》，是中國方志目錄史上眾所公認的里程碑。正是由於它們對中國現存 1949 年以前的舊志下了一番普查和清理的工夫，今天需要利用舊志的人才能夠很方便地按圖索驥，同時，我們才有可能從宏觀上把握這部份珍貴歷史遺產的全貌，從而才有可能對舊志作有計劃的大規模的整理開發。如今，《中國新方志目錄》又為讀者開列出了迄今為止最完整的一份新編地方志的清單，一冊在手，近幾十年的修志成果歷歷在目，正和《綜錄》及《聯合目錄》前後相承，成龍配套，為開發利用新方志作了重要的前期準備。而且，一部收錄比較齊全的專科目錄，實際上是可以作為一部專科發展史來讀的。《目錄》正是從特定的角度，對我國新一代修志者四十餘春秋的業績作了一個回顧和小結，略加分析，不難從中窺見我國新方志發展的脈絡。

　　這部目錄，共收錄 9391 條目，每一條目為一種志書，或為多卷集志書之一卷。從內容上可以分為兩大部分，一部份是綜合性志書，一部分是各類專志。

　　綜合志中，區、縣以上志書 1157 條目。無論是 50 年代還是 80 年代，正式要求修志的範圍都是省、市、縣三級，其他不作規定。因此，這 1157 條雖然所佔篇幅不多，卻是全部修志成果中最核心、最重要的部分，可以清晰地反映新方志編纂盛衰起伏的軌跡。

　　其中，共收 50 至 60 年代編纂出版的縣以上志書 32 種，計縣

志 28 種（按省區分，為福建 9 種、吉林 5 種、山西 4 種、四川 3
種、湖北、貴州各 2 種、江蘇、江西、寧夏各 1 種。其中福建《詔
安縣志》註明為志稿，且已遺失，故實為 27 種）。另吉林有市志
1 種，湖南有省志 3 卷。除《湖南省志》3 卷及貴州水城、鎮寧兩
志屬正式出版外，其餘都是內部出版或志稿。

應該指出，《目錄》所收五、六十年代志書缺漏不少，僅據北
京圖書館所藏，及筆者所見各種目錄的記載，當時業經正式出版的
至少還有湖北的《浠水縣簡志》、《咸寧縣簡志》、《孝感縣簡
志》、《漢川縣簡志》、《廣濟縣簡志》、《應城縣簡志》；河北
的《懷來新志》。內部印行的，還有湖北《石首方志》、《江西
《奉新縣志》、山西《嵐縣新志》、《聞喜新志》、河南《輝縣
志》、廣東《惠陽縣志》、《高要縣志》、遼寧《營口市志 1949
－1959》等。不過，即使加上這些，正式出版者也不過十種左右，
而且大部分是十萬字上下的「簡志」。五十年代中期，在國家統一
規劃下，全國曾掀起修志熱潮，1960 年，據國家檔案局調查，已
有二十多個省市自治區和五百三十多個縣開展修志，約二百五十個
縣已寫出初稿。《目錄》所收雖僅區區 32 種，卻涉及十個省區，
也可以約略看出當時修志之普及。可惜到 60 年代中期中途夭折，
成書者寥寥，只是為後來修志積累了經驗，積累了材料。

新方志再度走向繁榮，始於 80 年代初。1980 年，胡喬木在中
國史學會代表大會上呼籲用新的觀點、新的方法、新的材料繼續編
寫地方志。此後，1981 年成立中國地方史志協會，提出了編修新
方志的建議草案。1985 年恢復中國地方志指導小組，並公布《新
編地方志工作暫行規定》，對編修新方志的指導思想、體例、組織

領導等都作了明確規定。《目錄》收錄 1980 至 1992 年區、縣以上志書共 1125 條目，表 1 的分省統計，生動地描繪出新方志在全國遍地開花的態勢，當然也反映了各省進度的不平衡。❶

表 1：1980 至 1992 年新編區、縣以上志書分省統計表

	省志		市志		地區志		縣志		區志		總計		
	正式	內部	正式	內部	正式	內部	正式	內部	正式	內部	正式	內部	合計
北京										1		1	1
天津			2				3				5		5
河北	4						20		4	2	28	2	30
山西	4				1	1	25			1	30	2	32
內蒙古				1		1	7	3		1	7	6	13
遼寧			17				11	7	7	4	35	11	46
吉林	15		9			1	11	1	2		38	1	39
黑龍江	9		4			1	40	5	1	5	54	11	65
上海							9	1			9	1	10
江蘇			4				18	4	4	12	26	16	42
浙江	1		4	1			31	2			36	3	39
安徽	5	1	5	4	1	3	23			48	34	53	87
福建	3	3		5	1		7	3		8	11	19	30
江西			4				46	6			50	6	56
山東	5		7			1	35	7	8	2	56	9	65
河南	6		6			1	51			9	73		73
湖北	14		18			1	38	2		13	70	16	86

❶　由於行政區劃不斷變動，為便於統計，此表及以下各表均按志書書名所標「市志」、「縣志」、「區志」等分類，不再考慮如縣已升級為市，以及直轄市、地級市、縣級市等區別。

	省志		市志		地區志		縣志		區志		總計		
	正式	內部	正式	內部	正式	內部	正式	內部	正式	內部	正式	內部	合計
湖南	18		1		5		11	1	1	7	36	8	44
廣東			2				7	4		13	9	17	26
廣西	6						15	1			21	1	22
海南			1				1	3		5	2	8	10
四川	1		3				48	9	2	45	54	54	108
貴州	15		13	1	27	3	23	2		4	78	10	88
雲南	4				1		14				19		19
陝西	10		1				24	1		1	35	2	37
甘肅	16		2				8	6			26	6	32
青海			1		1		3				4	3	7
寧夏								1	1		1	1	2
新疆	2		2				6				10	1	11
總計	138	4	106	13	39	10	536	71	38	170	857	268	1125

　　省及大城市的志書，一般都是幾十卷上百卷的多卷集。表中「省志」一欄，除山西、浙江各有一種簡志外，其餘都是分卷。「市志」中含 63 個分卷（正式 53、內部 10）；「地區志」含 39 個分卷（正式 33、內部 6）；「縣志」含 15 個分卷（正式 1、內部 14）。所以，這 1125 個條目，準確地說是 868 種另 257 卷。其逐年的出版情況則見表 2：

表 2：1980 至 1992 年新編區、縣以上志書分年統計表

	省志		市志		地區志		縣志		區志		總計		
	正式	內部	正式	內部	正式	內部	正式	內部	正式	內部	正式	內部	合計
1980								4				4	4
1981								2		1		3	3
1982								2		3		5	5

1983			1				2	1		8	2	10	12
1984	1			1				2	6		11	3	18	21
1985	1							6	8		17	7	25	32
1986	1		3	1		4	9	8		26	13	39	52
1987	2	1	1	1	1	1	20	11		37	24	51	75
1988	4	1	4	2	2	4	27	14	4	18	41	39	80
1989	15		14	2	7	1	76	8	5	20	117	31	148
1990	19	1	19	2	7		120	4	6	13	171	20	191
1991	47		24	1	7		128		12	6	218	7	225
1992	48	1	40	2	15		146	2	11	4	260	9	269
年份不詳			1				1		6	1	7	8
總計	138	4	106	13	39	10	536	71	38	170	857	268	1125

　　統計明顯地表達了兩個趨勢，一是新方志出版數量與年俱增，表明新志編修正在全國範圍內按預期計劃正常地、持續地、紮紮實實地開展。到 1992 年底，完成的總數已達預計編條數的 15% 左右。另一是非正式出版的志書所佔比例在逐年減少，表明新方志從指導思想到編製技術都日臻成熟。千年以來，在相對封閉的環境中，志書的主要功用是「輔治」，即主要為當政者提供情況和經驗。進入近代以後，人們驚喜地發現了它對於各行各業、各種學科的無與倫比的資料價值，從而大大地擴展了志書接觸社會的層面，而隨著改革開放大幅度地開拓著人們的視野，隨著中國大踏步走向世界，人們更進一步認識到地方志不僅是我們自己的國情教科書，也是世界了解中國的一個重要的窗口。地方志逐步脫離「內部參考」的格局，這不僅僅是出版形式的變化，它表明新一代方志作者對於志書功用的認識，對於志書內容的要求，都邁入了更新的境

界。

　　《目錄》所收的綜合志中還有大量鄉鎮志，及極個別的村志、街道志，總共 1162 種。其中 50、60 年代各一種，其他都成書於 80 年代以後。見表 3：

表3：1980 至 1992 年新編鎮志統計表

分省統計				分年統計			
省名	正式	內部	總計	年份	正式	內部	總計
河北		1	1	1980		1	1
山西	2	3	5	1981		10	10
遼寧		4	4	1982		32	32
吉林		26	26	1983		100	100
黑龍江		4	4	1984		182	182
上海	11	61	72	1985		180	180
江蘇	25	163	188	1986	1	217	218
浙江	21	15	36	1987	1	113	114
安徽	1	20	21	1988	6	84	90
福建	3	17	20	1989	12	54	66
江西		26	26	1990	11	50	61
山東	1	62	63	1991	29	451	70
河南	2	1	3	1992	14	12	26
湖北		40	40	年份不詳		10	10
湖南		13	13				
廣東		22	22				
廣西	1	2	3				
海南		2	2				
四川	6	585	591				

貴州		2	2				
雲南		6	6				
陝西	1	1	2				
青海		1	1				
寧夏		8	8				
新疆		1	1				
總計	74	1086	1160	總計	74	1086	1160

　　鄉鎮以下志書本不在這次修志的規劃之列。從《目錄》的著錄看，鄉鎮志的出版一般早於本縣縣志。分年統計也表明，其高潮約在 1983 至 1987 年間，以後漸漸減少，而且 93% 以上沒有正式出版。可見絕大多數鄉鎮志的編纂目的主要是為上一級志書作資料準備。但是，近年來，我國鄉鎮經濟異軍突起。成為地方經濟中的重要力量。特別是其中一批發展較快的明星鄉鎮，它們的歷史、現狀和發展經驗，已是舉世矚目，因此，有關的省、市、縣對於編纂這些鄉鎮的志書相當重視。鄉鎮企業比較發達的上海、江蘇、浙江，正式出版的鄉鎮志明顯較多，且在 1988 年以後呈逐漸興旺的景象。《目錄》所收如上海的松江、泗涇等鎮；江蘇的盛澤、黎里、洛社、梅村及《長江三角洲鄉鎮志叢書》的千燈、巴城等鎮；浙江的餘杭、錢塘、橋頭等鎮，都是既有悠久歷史，又是開放較早的重點工業城鎮。江浙等省並醞釀在省市縣三級志書完成以後，將在鄉鎮志方面投入更多的力量。這是一個值得注意的趨勢。

　　此外，《目錄》還附有 1949 至 1992 年臺灣省新編志書（綜合志）的目錄，特邀北京圖書館地方志和家譜文獻中心徐蓉津先生編纂。同是中華兒女，於繼承民族優秀文化傳統是心心相契的。臺灣

省從 1948 年起著手編纂《臺灣省通志》，到 1973 年完成。其各縣、市四十餘年中也都在陸續修志。徐蓉津先生根據北京圖書館的館藏，以及臺灣各報、刊、目錄中關於地方志出版情況的報導，彙成這個較為完整的集錄，作為《目錄》的補充，使讀者能更加全面地了解四十餘年來我國地方志事業發展的現實狀況。

《目錄》中篇幅最大，佔總條目 75% 以上的是各類專志。《目錄》所收各省專志的數量見表 4。

表 4：1949 至 1992 年新編專志分省統計表

	正式	內部	總計
北京	7	13	20
天津	7	12	19
河北	59	48	107
山西	19	60	79
內蒙古	39	34	73
遼寧	29	124	153
吉林	5	168	173
黑龍江	17	133	150
上海	35	47	82
江蘇	90	386	476
浙江	75	303	378
安徽	26	284	310
福建	22	97	119
江西	21	187	208
山東	62	523	585
河南	74	34	108
湖北	47	478	525
湖南	24	295	319
廣東	65	560	625

廣西	10	20	30
海南	14	39	53
四川	67	1578	1645
貴州	6	119	125
雲南	27	251	278
陝西	24	225	249
甘肅	10	28	38
青海	16	19	35
寧夏	9	73	82
新疆	1	27	28
總計	907	6165	7072

　　這七千多種專志，內容極其廣泛。其中經濟部類——工商業、農林牧業、財政金融、交通郵電、水利等專業志書 2400 多種，加上工礦企業、農林牧場等經濟實體的土書 1100 多種，佔據了總條目的 50% 以上，既可見經濟建設在當今我國各項工作中的中心地位，也可見經濟主題在當今修志事業中倍受關注。教育、科技、文化、醫藥衛生事業及學校、研究所、醫院等志書總計在 1200 種以上，約佔總條目的 15% 強。此外，還有 370 多種地理、地名、山水名勝志，數百種政府機構、政協、工會等部門志，以及軍事、環保、風俗、人物等其他各類志書，幾乎涉及今日社會生活的一切方面。但是，和鄉鎮志一樣，這些專志絕大多數屬「內部印發」，正式出版者不足 13%。

　　專志古已有之，它的歷史可以追溯到漢魏兩晉，但發展到今天這種規模，則是新中國方志史上一大新景觀。究其原因，實為形勢發展的必然。首先，隨著社會的進步和科學文化的發達，學科的分支、部門的分工都愈益細密，專志的專題必然越來越細而且越來越

專，專志的數量和品類自然要超過歷史上任何時期。其次，是隨之而來的修志方法的進步。當代修志，面對這林林總總的專業與部門，難得有人能「萬事通」。為了保證志書真正能綜述百科而又確能抓住要領，詳所當詳，略所當略，必須廣泛動員社會力量，請各個領域的專家參加，讓各種神仙各顯其能。廣修專志，正是動員社會力量採擇、審訂專科資料的行之有效的重要方式。而最後，正是由於各人士的廣泛參與，使更多的人，包括專志的修撰人及專業部門的領導人，對於地方志的性質和功用有了較為深切的了解，認識到它確實是回顧歷史、總結經驗、保存史料、教育從業人員及宣傳自身成就的極好形式，由此激發了修纂專志的積極性。一些國家級專業部門也採用專志的形式，在全國範圍內系統地按地區整理本專業的有關資料，例如由全國地名委員會主持普修地名志，由水利部主持修全國江河水利志等。從而形成了今天這種萬花競放的局面。

　　瀏覽一下《目錄》中專志和鄉鎮志的條目，我們可以切切實實地感受到我國政府及各界人士為編修新方志所傾注的心力，可以約略窺見 80 年代以來開展修志的深度與廣度。鄉鎮志和專志絕大多數是集體編纂的，參加者大都是長期身處基層的各行業的內行。如以每一志平均五人參加工作計，僅《目錄》所見專志和鄉鎮志而言，直接承擔收集整理資料的已達四萬餘人，至於那些僅僅提供了素材，沒有獨立成書，因而沒有收進《目錄》的，就更是計其數了。我國新編縣以上綜合志是立足在多麼宏闊堅實的資料基礎之上，由此可見一斑。同時，縣以上綜合志因篇幅所限，對於多方匯聚的材料只能擷其精華，尚有大量更深入更細緻更原始的論述，保存在這些專志和鄉鎮志中，成為縣以上綜合志的重要補充。它們和

省、市、縣志互相呼應，從不同的層次、不同的角度，共同反映著我國歷史的進程，於保存一代文獻，其價值同樣是不可估量的。

關於專志，雖然方志界歷來公認它是中國地方志的一個種類，是地方志的重要組成部分，但較為重要的地方志專目，包括《中國地方志綜錄》、《中國地方志聯合目錄》、《臺灣地區公藏地方志聯合目錄》，以至日本的《中國地方志綜合目錄》、美國的《國會圖書館藏中國方志目錄》等，無不是只收綜合志，不收專志。將專志作為正式內容，著意搜集，列入全國性的地方志目錄，此可謂第一家，構成了《目錄》的一大特色。專志的搜訪，較之綜合志要困難得多，因為它數量多，涉及的學科多，編纂出版者分散，而且非正式發行者居多。《目錄》的編纂者知難而進，取得這樣的成績，實在很不容易。

不過，作為一部高質量的工具書來要求，本書也不免留下若干遺憾。筆者不可能逐條查核，僅就初讀所見，《目錄》存在以下一些問題：

首先是仍在遺漏，有的還是較為重要的遺漏。五、六十年代正式出版的修志成果本來不多，卻失收大半，已如前述。西藏雖然由於種種原因開展修志較遲，但參照他省體例，看來並不是一無可述。粗粗翻閱了一下北京圖書館的藏書目錄，即見有 1982 年版《西藏風土志》，1983 年版《西藏鳥類志》、1985 年版《西藏風物志》（此書為《中國風物志叢書》之一，屬同一叢書的其他十幾個省市的風物志均已收錄）、1983 年至 1987 年版五卷本《西藏植物志》等。而打開書前目次，西藏自治區竟付闕如。另如各地地名志，僅北京圖書館不很完整的收藏已超過 400 種（均出版於 1992

年以前），而《目錄》所收不過 300 種左右。其中河北 21 種，《目錄》僅 2 種，湖北 72 種，《目錄》12 種；新疆 33 種，《目錄》一種也沒有收。全國江河水利志中，《黃河志》已於 1991 年出版卷一大事記、卷六規劃志及卷七防洪志；《珠江志》亦於 1991 年及 1992 年分別出版了第一、二卷，《目錄》均未收。說明編纂者的視野和思路還應該更開闊一些。

在目錄編製技術方面，也有一些可加改進之處。如各省市收錄標準似不完全統一，特別是如何處理志稿、內部出版與正式出版的關係？志稿是否收錄？在什麼情況下收錄？又如，作為一般目錄的通則，應該註明所收圖書的製版形式是鉛印？打字油印？複印？抄本？還是稿本？這是識別版本和判斷圖書價值的一個重要參數，而《目錄》的著錄項目缺此一項，於查找、求購或研究版本都甚為不便。書後所附書名索引，佔篇幅不少而用處不大。讀者使用《目錄》不外乎從三個角度：或查某地全部志書，或查某一門類的專志，或查某一部具體的志書。「書名索引」對前二類都不能提供幫助。如果是查某部志書，則必須將書名記得十分確切，是《丁蜀鎮志》還是《宜興丁蜀鎮志》？是《中建農場志》還是《國營中建農場志》？稍有差錯，即多費周折。所以，不如將書名索引換成包含地名、專業名稱及書名中關鍵詞的主題索引，可以大大提高《目錄》的使用價值。

此外，著錄中有多處缺項、錯字或誤記。有的出版時間與原書版權頁不一致，如《陝西省志·測繪志》出版於 1992 年 7 月，著錄為 1979 年 7 月，無端榮升為「文革」後出版的第一部志書（此項在前面的統計表中已經改正了）。又如《宜都縣志》錯為《枝城

縣志》（宜都確實已經改名為枝城，但志名並未更改）。《本溪市志》及著錄為 1991 年實為 1992 年 12 月出版的《沙市市志》，都只是該志的第一卷，而《目錄》未加說明。諸如此類，均有待以適當的方式刊誤更正。

當然，瑕不掩瑜。這是各省市方志資料工作者第一次成功的協作，以參與協作的地域之廣，人員之多，完全統一步調原是極不容易的事。相信有了這次的經驗，以後的第二、第三冊會越編越好。重要的是，我們畢竟有了第一部能夠全面反映新中國修志成就的目錄。它為現代和將來了解、利用、研究、收藏新方志創造了良好的條件，也為研究新中國方志史鋪下了一塊堅實的基石，《目錄》已獲得江蘇省地方志優秀成果一等獎，無論就編纂者付出的心血，還是就《目錄》本身的質量和價值而言，這都是它應得的評價。

——原刊於《北京圖書館館刊》，1998 年第 4 期，頁 84－90。

評《中國家譜綜合目錄》

徐建華*

書　　名：《中國家譜綜合目錄》

編　　者：國家檔案局二處、南開大學歷史系、
中國社會科學院歷史所圖書館

出 版 者：北京　中華書局

出版日期：1997 年 9 月

頁　　數：754 頁

　　家譜，作為一種內容與形式均比較獨特的特殊圖書形態，其價值日益受到學術界和社會各方面的關注與重視。然而，由於其數量巨大和收藏分散，給人們了解、掌握和使用帶來極大不便。要想從整體上了解和把握國內家譜現存與收藏情況，幾乎是不可能的，因為要滿足這種需要，只能依賴於聯合目錄的產生。

　　聯合目錄在家譜目錄中的地位，同樣為海內專家所認識。80年代初，恢復不久的國家檔案局已在大陸範圍內調查家譜的收藏狀

*　徐建華，南開大學商學院訊息資源管理系教授。

況。1983 年，南開大學歷史系又組織力量對北京地區重要圖書館中家譜收藏進行調查。1984 年始，在這兩次調查的基礎之上，國家檔案局、南開大學歷史系、中國社會科學院歷史所圖書館通力合作，聯手編製一部能夠反映當時海內外家譜收藏狀況的大型聯合目錄《中國家譜綜合目錄》，此目錄歷時十多年，終由中華書局於 1997 年 9 月正式出版，為我們掌握海內外家譜收藏情況提供了一個便利工具。

新編成的《中國家譜綜合目錄》共收錄 1949 年以前編纂的大陸與臺、港、澳地區（不包括海外其他地區）華人家譜 14719 部，所錄家譜依次著錄順序號、書名、卷數、作者及其時代、纂修時間、出版時間、版本、冊數、收藏者、間或有些注釋。所有家譜均按譜主姓氏筆劃為序排列，同一姓氏，再按各家族居住地排列，書後附有地區索引和報送目錄單位索引。

仔細考察一下，本目錄大致具備如下特點：

第一，收錄宏富。家譜收藏的分散是有目共睹的不爭事實，其收集的難度之大也是能夠想像的。在現有海內外出版的各類家譜目錄中，《中國家譜綜合目錄》的收錄無疑為最多，達 14719 部，其餘如日人所編目為 12697 部，臺灣目為 10600 部，猶他目為 3109 部，山西目則更少，僅 2565 部。其收錄來源，除通常人們已知的諸如圖書館、文化館、文管會、博物館、紀念館、檔案館（室）、修志會、文物商店以及個人私家收藏之外，還包括了遠遠超出人們想像之外的公安局和清退辦，從此亦可見本目錄的編製者用力之勤。

第二，正文編排科學。本目收錄的公私所藏 14719 部家譜，均

按譜主姓氏筆劃為序編排、同一姓氏，再按各家族居住地編排，每姓下先排全國性譜，然後依次排列各省，省下再細分為地縣。這樣一來，本目不僅具有供查檢某一家族存譜狀況的功能，還具有統計某一家族在各地區分布的功能，同時，還能從同一家族在不同時期的修撰情況看出這個家族的繁衍走向，使得原本僅供查檢的工具書具備了某種學術意味。從這個變化我們也可看出，學者編製的目錄與普通目錄編製者所編目錄的內在差別了。

第三，著錄完整。本目對所錄家譜的著錄依次為：順序號、譜名、卷數、纂修時代、纂修者、纂修時間、出版時間、版本、冊數、收藏者、備註等項。譜名項中對原譜名中沒有標明居住地或所標地名與今地名不相同者，均用方括號標注今地名、所標地名為省地或省縣兩級。在纂修時間或出版時間的歷史紀年後均加公元紀年。在收藏者項中對於海內收藏者均寫清省份。而對海外收藏者則僅註明國別或地區，同時還註明所藏的完整或複本情況。備注項裡按需要間或註明諸如譜主的居住地、譜書的異名、始修、續修、何人始修、記事止於何時等內容。這些內容的著錄極大地方便了讀者完整地了解和準確地選擇所需譜書，體現了編者對讀者負責的科學態度。

第四，本目後附的「地區索引」與「報送目錄單位名單」兩個附錄，較有特色。「地區索引」按譜書反映的地域特徵，地區集中。在全國性譜之後，依省市縣和不明地區為序，將各譜的順序號附著於後。一方面，讀者可以按圖索驥，擴大了目錄的檢索途徑，以滿足讀者多途徑、多角度的檢索需求，增加了目錄的檢索價值。另一方面，由於譜書按地區集中，又給研究者的統計工作帶來了極

大的方便,增加了目錄的學術價值與教育功能。「報送目錄單位名單」的存在,對全目的來源進行了交待,從一個角度增加了目錄的可信程度,使目錄的可靠性與權威性均得到了相應的加強。

此外,本目以繁體字出版,減少了海內外交流中的流通障礙。從某種意義上說,也增加了目錄的影響力。

本目雖具有如上特點,然並沒有達到十全十美的地步,歸納一下,本書的不足大概表現在如下幾個方面:

本目最突出的特點是收錄宏富,而最大的不足也在這個方面。雖然本目收錄海內外公私所藏 1949 年以前編纂的各類家譜 14719種,是現時收錄最多的家譜目錄,然全國現存的家譜總數遠不止此。由於缺乏統計,準確數字暫不可知,但從某些已知大體數目的圖書館收藏來看仍可提出大致估計,上海圖書館收藏的家譜原件當在 11200 種以上❶,北京圖書館藏有 3000 多種❷,另據筆者調查所得,南京圖書館也藏有 1000 多種,其餘收藏數百至千餘種的圖書館還有不少。以上海圖書館為例,其所藏家譜大多集中在上海、江蘇、安徽、浙江、江西、福建、湖南、湖北等東南與中南數省,其餘東北、華北、西北、西南、華南等地則收藏極少,雖說江南、中南一帶現存家譜數目較多,然其他幾個地區之和也決不會少於此數。再加上現存的少數民族家譜,大陸所存的家譜總數決不會少於 2 萬種。本目所收,除去海外所藏,也僅大約收錄了一半左右。由

---

❶　陳寧寧:〈家譜研究的歷史與現狀〉,《圖書館雜誌》,1998 年 2 期。

❷　張志清:《北京圖書館藏中國家譜綜述:譜牒學研究》第 3 輯(書目文獻出版社,1992 年)。

此亦可看出，家譜聯合目錄的編製任重而道遠。

　　與前文的不足之處相比，其餘不足可說是微不足道的，或者說是技術性的，主要集中在著錄和編排方面。除了編者在後記中所言之外，通閱全目之後，我們覺得不足之處還有如下這些，諸如：正文之中的收藏者項著錄不是很規範，尤其是海外收藏，只註明臺灣、日本、美國，沒有具體的收藏者，我們能夠理解，這部分材料的來源是三部海外目錄，然目錄編製者都應明白，僅從他目中抄錄是不可靠的，如果原目有誤，難免以訛傳訛。另外，由於本目是各地報送目錄，有些家譜是否為同書，無法辨別，如 618－623，極有可能是同書，卻又無法判定。另外，序號為 7885「江蘇揚中　孫氏家譜　不分卷」的收藏者項僅著錄為「江蘇揚中縣」具體收藏者不清。9838「張氏族譜　不分卷」的版本著錄為「抄本間稿本」，意義不明。8992「浙江紹興　道墟章氏珉一房一線譜　不分卷」的收藏者項註明為「南開」，不知是否為南開大學，抑或其他可簡稱為南開的單位。5848「江蘇無錫　錫山秦氏宗譜　十二卷」、12095「雲南大理　龍關趙氏族譜　一冊」僅著錄收藏者項和備註項，十分不全。正文後的附錄之二「報送目錄單位名單」的編排以收到目錄先後次序為序，不太科學，無統計和檢索價值，不妨易之以字順排列。此外，如果增加兩個附錄，一為各單位收藏統計，一為縮略語對照，費事不多，卻極便檢索者和研究者。除此之外，在排列上還有些小疵，如 3654 誤作 8654，7858 誤作 2858，14383、14543 排列不齊，10340 全部為黑體字，均為排版有誤，與全目價值無關。

　　指出本目存在的不足，並不意味著對本目的否定，而是一種積

極的肯定。家譜文獻的重要性越來越得到學術界和社會其他各界的
認同與重視，了解家譜文獻現存的最簡捷方式是使用聯合目錄，也
已成為大家的共識。本文的目的，是想通過對本目的分析與評價，
試圖找出一條編製家譜聯合目錄的正常途徑，以便更好地服務於學
術界和社會其他各界。

    ——原刊於《圖書館工作與研究》，2000 年第 4 期，頁 59
    —60。

《百年甲骨學論著目》述評

趙威維*

書　　名：《百年甲骨學論著目》
主　　編：宋鎮豪
出 版 者：北京　語文出版社
出版日期：1999 年 7 月
頁　　數：1596 頁

一、前　言

　　從甲骨被發現至今已經有上百年了，在這個過程中，對於甲骨的研究始終沒有中斷過。在光緒二十五年（1899）時，王懿榮發現了甲骨的刻字，自此以後，開始了一百年來對於甲骨的種種研究。

　　甲骨的名稱所指的是龜甲與獸骨，在甲骨上刻有上古時代的占卜刻辭，即是我們所稱的甲骨文。甲骨的發掘基本上分為兩個時期，即早期的亂發掘時期與 1928 年以後的科學發掘時期。亂發掘時期是由甲骨最初發現開始算起，在當時的河南小屯村農地裡，發

＊　趙威維，臺北大學古典文獻學研究所碩士生。

現了甲骨片。羅振玉在《殷商貞卜文字考》❶的序中有提到：「於刻辭中得殷帝王名諡十餘，乃恍然悟此卜辭者，實為殷室王朝之遺物。」因此而確定了當時出土甲骨的小屯村一帶，即為殷商時期的都城。《史記・殷本紀》張守節〈正義〉中引《竹書紀年》：「自盤庚徙殷，至紂之滅，七百七十三年，更不徙都。」❷後來再經過陳夢家先生的考證，殷王朝建都的實際年代約在西元前 1300－1027 年左右。

　　而從 1928 年開始，在中央研究院的領導下，在歷史語言研究所成立了考古組，展開了殷墟的發掘。從 1928 年到 1937 年間，先後進行了 15 次的發掘，在這十五次的行動當中，總共獲得了25954 片的甲骨。之後因為對日抗戰而停止，直到 1950 年之後才又有挖掘活動。而 1950 年到 1991 年 10 月為止，又進行過 16 次的發掘，所得到的甲骨有 6243 片。根據統計，甲骨文自 1899 年被發現以後，至今藏於全世界的甲骨已經累積了約有十五萬片左右❸，資料之豐富也為甲骨學的研究立下了有利的基礎。

　　對於甲骨學研究的發展，可以從董作賓先生在《甲骨學六十年》書中所說一窺端倪，先生提到：「這六十年來，分成四個階段。第一、是字句的考釋，第二、是篇章的通讀，第三、是分期的

---

❶　甲骨文研究資料編委會：《甲骨文研究資料匯編》第 5 冊（北京：北京圖書館出版社，2000 年）。

❷　范祥雍編：《古本竹書紀年輯校訂補》（上海：上海人民出版社，1957年），頁21。

❸　王宇信：《甲骨學通論（增訂本）》（北京：中國社會科學出版社，1999 年8 月），頁1。

整理,第四、是分派的研究。」這是對於甲骨學由 1899 年到 1959 年間,甲骨學的發展情況所做的描述。而在黃競新先生〈九十年來甲骨學的發展〉❹一文中,再接續了董先生之後,對 1960 年到現在的三十年間做了說明。

到了 1999 年,對於甲骨學的整理到了另一個階段,由王宇信、楊升南、宋鎮豪三位先生所主持的「甲骨學一百年」計畫,要對百年來的甲骨學做一個總結,其中就包含了《百年甲骨學論著目》。

而在此目之前,有許多的學者在不同的時期做過論著目的整理。如 1952 年胡厚宣先生所做的《五十年甲骨學論著目》,當中對於前五十年來的甲骨學做了一個整理。在胡先生之後,陸續有劉一曼與郭振錄、徐自強合編的《北京圖書館藏甲骨文書籍提要》❺、濮茅左《甲骨學與商史論著目錄》❻與黃競新《九十年來甲骨學的發展》等。由此可見,每當經過一段時間,都有整理甲骨學的論著目錄出現。在二十世紀結束之前,對於這個世紀以來甲骨學的總整理,就表現在「甲骨學一百年」中的《百年甲骨學論著目》。

此目由宋鎮豪先生主編,內容則匯聚了一百年間海內外所有公開或正式發表關於甲骨文與商代史的專著論文,「不加檢選,全部

---

❹ 黃競新:〈九十年來甲骨學的發展〉,《甲骨學與資訊科技學術研討會論文集》(臺南:國立成功大學,1992 年),頁 154-339。

❺ 劉一曼、郭振錄、徐自強編:《北京圖書館藏甲骨學書籍提要》(北京:書目文獻出版社,1988 年 8 月)。

❻ 濮茅左:《甲骨學與商史論著目錄》(上海:上海古籍出版社,1991 年 12 月)。

收錄。」❼在趙誠《二十世紀甲骨文研究述要（下）》中有對於此書的評論，趙誠認為當中存有的失誤包括了重出、漏收與作者的同名異人問題。❽然而其所說的並不完全，其中並沒有深入的對於此書的內容與格式作探討，可以說僅是一篇簡介而已。而論著目錄的重點在於其收錄內容是否與名稱相符，並且以符合現代學術研究的格式來加以表現。因此本文將就其所收錄的內容是否足以包含這個世紀的甲骨學，與著錄方式是否符合現代學術的著錄方式來加以討論。

二、內容簡介

《百年甲骨學論著目》是「甲骨學一百年」計畫當中的第三部分。這部分所想完成的成就是「展示甲骨文與甲骨研究所取得的成果，及時傳遞信息，掌握學科發展動向，弘揚學術，為研究提供便利。」❾基於這樣的目標，本書中所規劃的內容大致可分為兩個部分，即論著篇目與書後索引，茲分別敘述如下：

㈠ 論著篇目的收錄與分類

本書所收錄的範圍，時間由 1899 年至 1999 年 6 月，約一百年間所發表的有關甲骨學與殷商上古史的論文及文章，總數約 10946 條。所收的地域範圍除中港臺之外，亞洲有日本、韓國、俄國、新加坡，美洲的美國、加拿大，歐洲的英國、法國、德國、義大利、

---

❼　甲骨文研究資料編委會：《甲骨文研究資料匯編》，頁3。

❽　趙誠：《二十世紀甲骨文研究述要（下）》（太原：書海出版社，2006 年 2 月），頁 870－871。

❾　甲骨文研究資料編委會：《甲骨文研究資料匯編》，頁3。

比利時、荷蘭、瑞典、瑞士、匈牙利等，收錄時也包含了數種語言，並不以中英日文為限。

在收錄資料方面，收錄的內容基本上是甲骨學與商代史的資料，並且在所有條目之後，再以附錄的方式，附上殷墟考古學，以及殷墟以外甲骨等刻文符號的發現與研究的相關條目。除此之外，還將有關甲骨文而展開的古代史、古文字或其他類作品，在本書中均一律加以收入。另外在收錄的資料型態上，以報紙、期刊、專著為主。凡例中已經言明，對於其所收錄上述範圍的論文專書「不加檢選」。所指的意思一方面是不會擇取資料的類型，如報紙上的報導與論文、期刊論文，與專著等均予以收錄。另一方面也不會對於資料的內容作篩選，只要有關於殷商、甲骨學的一切資料都予以收入。

書中的對於所收條目的內容分為十類，其類目排序如下：〈甲骨發現〉、〈甲骨綜論〉、〈甲骨著錄〉、〈甲骨研究〉、〈專題分論〉、〈甲骨類編〉、〈書刊評介〉、〈其他雜著〉、〈學人傳記〉、〈附錄〉。如果文章或專著的內容可分於兩類的，則依照其內容的比重，將其分入與內容較為接近的一類。每類之下，再依其資料內容的不同各分小類，每個小類中的條目則依照其出版或發表的時間先後作為排序。

條目的著錄方式則是先以流水編號作為條目的代號，此編號是本書唯一且全書通用、代表此條目的編號。編號後面著錄書名、作者名、譯者名、出版單位和出版年代。若文章或作者為外國語文時，就先列原文篇名，後面用括號列出中譯名。作者後注明國別，西文作者兼注其音讀或錄其漢名。

如果專著書目有再版的情形，或是一篇文章有數個不同出處時，則在後面注明所有的版本與出處，使讀者可以一一詳查。而某些重要的論著專書，本書會在著錄項的最後將書中的所有細目或是要目列出，以便讀者檢索。

㈡ 書後所附索引：編年、作者、篇目

本書在書後編有三項索引，即編年、作者與篇目索引。

編年索引即是以年代為分類標準，自 1903 年開始，以年作為第一層分類，以年代的先後為序。再將各條目依出版年代列於當年之下，條目排列方式則以流水號先後為序。作者索引是以作者名稱為分類標準，作者的姓名排序方式均依照筆畫的多寡，而後再將各條目繫在其作者名稱之下，同一作者下的各條目則依照編號作為排序。而外國學者的姓名則依照中譯名稱的筆畫順序排入其中。

篇目索引則是依照書篇目名稱的筆畫作為排列依據，先以第一字作為分類，之下再以第二字、三字的筆畫作為排列依據。對於外文的書篇目名稱則有不同的處理方式：日文的篇目則是直接依照篇目的漢字作為排列，與中文篇目合併在一起；西文的部分如英文、法文、俄文等，則是另外分出，而以首字的字母作為排列的順序。

三、內容評析

本書作為總結一世紀的書目，自然有其獨到的特色。然而在資料的蒐集、著錄及體例的編排上有些特點值得加以討論，下面將就其特色與缺失分別加以討論：

㈠ 內容特色

1.收錄關於甲骨學相關的範圍寬廣

　　《百年甲骨學論著目》作為總結一百年來甲骨學的學術成果，無論是在收錄的時間及資料的範圍都相當的廣泛與豐富。時間上由1899年甲骨發現開始，直到1999年7月，跨越了整整一個世紀。而收錄的地域範圍更包含了世界各地的研究成果，除了中國、香港、臺灣之外，更有日本、韓國、美國、加拿大、英國、法國、德國、義大利、瑞典、俄國、澳洲、新加坡等地學者所做的研究成果。就時間和空間上而言，真的是涵蓋範圍廣泛。

　　再者就所收資料的內容上而言，所收的資料是包含了甲骨學與殷商史。其中著錄了最初的甲骨出土文獻、甲骨的拓本總集、甲骨文字的研究與成果，以及由此而衍生出的殷商上古史的種種研究成果。這樣的內容設定是沒有問題的，一方面自從胡厚宣先生開始，其收錄範圍均以這兩者為主。另一方面則是甲骨中所表現的就是殷商時期的一切紀錄，將這兩個研究內容放在同一個目錄中，確實是對於讀者查找相關資料有很大的幫助。像是研究殷商時期的國家組織、社會文化、經濟等方面的論著都加以收入，對於想要藉由甲骨來研究殷商文化的學者來說，可以說是非常便利的設想。

2.目錄的編排頗能表現出一百年來甲骨學的研究方向

　　由於書中所包含的時空與甲骨學中各個專門主題的範圍太廣，若是其分類不夠明確或是清楚，則原來可以由此目中得以見到的學術源流就無法彰顯。因此，目錄的編排與子目的分類就顯得相當的重要。本書所做的分類相當得體，是將第一層類目約略依照學術發展的先後加以區分，類目所屬的子目則是以資料內容的特性來區分。

　　如從分為十個類目的編排可以看出，其編排方式大致上與甲骨

的發展類似。甲骨從發現，到各家將甲骨版片做著錄、開始對於甲骨做研究、以甲骨為中心的各樣專題討論陸續展開、各類型甲骨資料的類編，接著後人對於前人著作的評介，以及其他雜著和著名學人的傳記年譜等。基本上可以說約略就是一個甲骨學的發展脈絡。而其小目由資料的內容來作的編排也有其用心，如〈甲骨研究〉下分為占卜、斷代、文字、文例文法、校訂綴合等五類，可以看出在針對甲骨版片內容所做的研究方向有哪些。條目在小目之下的排列以時間為序，又再次的呼應了整部目錄要表現出學術演變的想法。

這樣的目次編排是不錯的分類方式，因為它內含了整個發展史的概念，並且表現出來又具有每個階段的各種方向。即先由類目的時間發展順序得知整個甲骨學的前後發展概況。再以子目的分類，來表現出這一個類目下所分出的各項討論，可以說是將目錄的功能表現的頗為完備。

3. 同一資料有多個出處時，可以由著錄項中得知

同樣的一篇文章，可能收錄在許多不同的期刊、文集，或是個人的全集中，倘若能夠將這樣的情形在著錄時表現出來，對於使用的讀者來說，是對於文章出處、版本考證的一項有力工具。同時也可以藉由許多書刊的收錄，表現文章的重要性，另外也可以讓讀者在不知道如何選擇資料時，作為一項輔助的參考依據。

如：

944 甲骨文斷代研究例

　　董作賓　　中央研究院歷史語言研究所集刊外編第一種

慶祝蔡元培先生六十五歲論文集上冊　1933 年 1 月　又中

央研究院歷史語言研究所專刊之五十之附冊　1965 年　又
收入董作賓學術論著　臺北世界書局　1965 年　又 1967 年
再版　又收入董作賓先生全集甲編第 2 冊　臺北藝文印書館
1977 年 11 月　又收入劉夢溪主編中國現代先生經典・董作
賓卷　河北教育出版社　1996 年 10 月❿

由上面的著錄可以看出董作賓先生這篇文章不僅收錄在中研院史語
所的集刊中，而且在許多論文集、合集當中都不斷的被收錄，由此
可以知道這篇文章的重要性。也可以使讀者在尋找這篇文章時，得
知有這麼多的管道能夠讀到這篇文章，實是嘉惠讀者的一種著錄方
式。

　　4. 索引的編目完善，書後有編年、作者、篇目三項索引

　　　論著目當中所附的索引是相當重要的，讀者要迅速尋找到所需
的資料，所依靠的就是索引。若是一本書中的索引方式又有兩種以
上，那對於資料的搜尋更是方便。本書中最值得稱許就是其書後索
引，不但附了篇目和作者索引，更有依照編年而做的索引，讓讀者
可以依照其需求，利用數種索引間的交叉比對，而得到其所需要的
資料。

㈡ 需改進的缺失

　　　由上述的說明可以知道，本書的企圖心相當廣大，期望能夠對
於整個世紀、全世界的甲骨學研究成果做一個全盤的著錄。然而在
其設定如此龐大的範圍之下，所需要面對的問題也就更大。下面就

---

❿　宋鎮豪：《百年甲骨學論著目》，頁 63。

筆者在本書中所發現的問題中，舉其大者加以討論，以使讀者可以更明白此書的內容與編排。

1.資料收錄的情況

雖然每種論著目在收錄時，多少都會有漏收的情形。然而在本書中所漏收的情況非常的嚴重，以下就幾方面來說明其漏收程度：

(1)就其所收錄的資料型態而言：

本書所收錄的資料類型以報紙、期刊、專著為主，其中有少部分的論文集。由書中所收錄的資料型態來看，有一個部分明顯缺漏，就是學位論文。對於相關領域的學位論文收錄情況非常缺乏，這一個範圍所漏缺的資料就已經非常龐大了。就臺灣地區而言，以「甲骨」與「殷商」為關鍵詞，查詢全國碩博士論文資訊網，去其重複的條目，就有起碼 80 條的學位論文沒有被收入。而這僅就臺灣地區而言，若依照本書凡例所做範圍，則全世界的學位論文未收者佔甲骨學中條目的比例可以想見。

在期刊方面，對於外國的期刊論文收錄的不多，如日本貝塚茂樹先生於 1951 年創辦的日本甲骨學會，發行了《甲骨學》雜誌，而本書中全無收錄。除了少數英日語的期刊之外，其餘在凡例中所提到的國家、語言，均不見收錄。

而在論文集方面，所收錄的論文集比例不高，所收的條目數量當然也不夠完備。也有一個論文集中所收的條目不齊全，如《甲骨文發現一百周年學術研討會論文集》，其中有 20 篇的文章，但是比對原書，則少了以下兩條：

雷煥章 〈兩個不同類別的否定詞「不」和「弗」與甲骨文

中的「賓」字〉,《甲骨文發現一百周年學術研討會》(臺北:文史哲出版社,1999 年 8 月),頁 47－54。

周鴻翔 〈十進制及干支起源〉,《甲骨文發現一百周年學術研討會》(臺北:文史哲出版社,1999 年 8 月),頁 137－150。

然後又錯把許進雄先生的〈甲骨第三期兆側刻辭〉誤植在此論文集中,且名稱誤為〈第三期兆側刻辭〉,其正確的著錄應該是:

許進雄 〈甲骨第三期兆側刻辭〉,《臺大中文學報》第 11 期,1999 年 5 月,頁 1－16。**⓫**

(2)就學者個人的收錄情形而言:

如果在目錄中所收錄的資料齊全,則在查閱書後作者索引時,除了可以依據作者查找目錄中的條目之外,還可以依據此索引對於作者在這個領域中的學術成就有所瞭解。但是因為本書所收的資料不全,則使得這個索引只能單純的表現本書中的條目位置而已。

書篇目漏收的情形並非限於一般的學者,甚至連胡厚宣先生的著作都有漏收的情形,如《甲骨探史錄》**⓬**便不在收錄之列。又如許進雄先生的著作,可以查得的書篇目有 79 條**⓭**,而本書中著錄

⓫ 此為根據許進雄先生之歷年著作:http://homepage.ntu.edu.tw/~chinlit/ch/html/MA3fpro025.htm

⓬ 胡厚宣:《甲骨探史錄》(北京:三聯書店,1982 年)。

⓭ 甲骨文研究資料編委會:《甲骨文研究資料匯編》,頁 3。

的僅有 56 條，缺少了近三分之一的條目。

(3)就收錄的資料內容而言：

論著目在收集資料時基本上只要是相關於主題的，都可予以收入。然而也應限於學術論文的部分。雖然在凡例中有言「不加檢選」，但那應該止於對論文專著的不加檢選，而非將其範圍擴大到報紙上相關於甲骨的報導。

如：

9014　國際殷商文化討論會將於 1986 年 8 月在安陽市召開
9125　'98 河北邢臺中國商周文明國際研討會在邢臺市召開
9762　甲骨泰斗胡厚宣寶島行

此類條目與甲骨學的主題關連甚遠，應該加以剔除，才不會使得目錄的資料過於混雜。

由此可見，本書在資料的收集上並沒有真正依照其凡例所說的實行，在資料的收集與查證上面有許多的問題，而下面所述及的著錄體例則問題更是明顯。

2.著錄體例不夠完備

本書雖然收錄的資料類型眾多，然而在其著錄時，資料版本項的著錄不夠完整，使得即便同是中文的論著，也無法正確的藉此書做引導而找到所需要的文章。一個完整的資料著錄應該包含有的項目依照資料的類型而有分別，如期刊論文則應包含：作者、篇名、期刊名、卷期數、出版年月、頁數等；專著的項目則應有：作者名稱、書名、出版地、出版者、出版年月、版次、總頁數等項目。依

此標準來看本書的著錄項目，則其對於期刊論文少著錄的項目是頁
數、專著則沒有注明出版地點。下面將就其著錄項目所不足之處略
加說明：

⑴出版項的著錄不夠完整

如上所述，因為資料的形式不同而應該有不同的著錄方式，以
下先就專書在本書中所著錄的方式以各式的例子作說明：❹

> 307　甲骨學通論　王宇信　中國社會科學院出版社　1989
> 年 6 月（後略）
>
> 312　甲骨文概說　陳頌華　江蘇古籍出版社　1996 年 10
> 月
>
> 5367　說羌──評估甲骨文的羌是夏遺民說　朱歧祥　甲骨
> 文發現一百週年學術研討會論文集　臺灣師範大學國文系暨
> 中央研究院歷史語言研究所發行
>
> 6070　甲骨文中所見商代農業　裘錫圭　全國商史學術討論
> 會論文集　殷都學刊增刊　1985 年 2 月　又農史研究第 8
> 輯　農業出版社　1989 年　又收入古文字論集　中華書局
> 1992 年 8 月
>
> 6874　中國古代宗教初探　朱天順　上海人民出版社　1982
> 年 7 月　又臺灣谷風翻印本　1986 年（後略）
>
> 7643　卜辭中的月與星　連劭名　出土文獻研究續集　國家
> 文物局出土文獻研究室編　文物出版社　1989 年 12 月

　　這六條是書中著錄專書和論文集的方式，其中最主要的問題在於沒有出版地點。如編號 307、312 與 7643，同為中國大陸的出版者，「中國社會科學出版社」、「農業出版社」、「文物出版社」等因為沒有註明其出版地點，也就無法得知出版社是位在那個省分。而「江蘇古籍出版社」、「上海人民出版社」雖然因為出版社名稱就有地名，但這也是不正確的，會衍生出其他的問題。

　　在 6070、6874 中的「中華書局」與「臺灣谷風」兩項，其中「中華書局」在兩岸三地都有，但是並非同一家出版社，如果前面沒有加注出版地的話，就沒有辦法確切的知道是哪家出版的。雖然書中針對臺灣的出版社前都冠以「臺灣」兩字，但是這樣連稱會讓人認為谷風出版社的全名是「臺灣谷風出版社」，而造成誤解。因此對於出版地點，最好的方式還是在出版社名稱之前，以另外注記說明的方式加以明確表現。

　　又如 5367 條中註明「臺灣師範大學國文系暨中央研究院歷史語言研究所發行」，這是將出版社與發行者混淆。正確的資料項著錄方式應該如下：

　　朱歧祥　〈說羌──評估甲骨文的羌是夏遺民說〉　《甲骨文發現一百周年學術研討會論文集》（臺北：文史哲出版社，1999 年 8 月），頁 129－136。⑮

---

⑮　臺灣師範大學國文學系、中央研究院歷史語言研究所編：《甲骨文發現一百周年學術研討會論文集》（臺北：文史哲出版社，1999 年 8 月）。

　　由此可知，本書對於出版者與發行者兩者之間有混淆的情形。另外因為此條的出處是會議論文集，後來發行的版本與研討會時有可能不同，且會議用的版本基本上不會再做公開發行。所以在收錄時最好是採用已經公開出版的資料，這樣才可以確保著錄資料的正確性，另外也可使讀者方便查找此書。又本書中所記的出版日期，實際上是開會日期，因此也與實際狀況不符。

　　最後是版本項的著錄方式，出版項最好緊跟著書名後面做說明，這樣才可以使讀者容易辨識。若是如：

　　5739　獲白麟解　董作賓　安陽發掘報告第 2 冊　1930 年
　　12 月　又收入董作賓學術論著上冊　臺北世界書局　1962
　　年　又再版本　1967 年　又收入董作賓先生全集甲編第 2
　　冊　臺北藝文印書館　1977 年 11 月

中所記的版本有數項時，其各版本間又沒有任何符號加以區分，這樣就會增加讀者在閱讀時的困擾。因此雖然簡化符號是一件好事，然而若能利用簡單的符號將著錄的內容更清楚的表達，則無損於簡潔的原則。

　　關於期刊部分的問題則是其著錄項缺少了頁數，這對於讀者來說是有影響的。期刊論文如果注明了頁數的話，則讀者在尋找資料時，可以先依照其文章份量的多寡，來作為選擇的第一次判斷。因為文章如果頁數多，則顯然其所討論的資料較多，可能對於讀者較為有用。

　　如下列所舉的兩條資料，均不著錄頁數：

　　4677　「家」之來源與中國古代士庶廟祭考　姜亮夫　民族
雜志第 1 卷 8 期　1933 年

　　8337　讀赤塚忠《中國古代的宗教和文化》　宋鎮豪　中國
史研究動態　1982 年第 4 期

　　(2)出版項中的各項資料著錄的正確性不足

　　前文中已有提及此問題，此處所指的是在各條目之中，對於資
料的各個項目沒有經過查找，僅依照印象而將資料記入。像是作者
的國別、出版社與發行者搞混、發表日期與出版日期不同等，以及
對於作者的著錄過於簡單等等。

　　如：

　　篇名錯誤：553　《瓠廬謝氏殷虛遺文》應作《謝氏瓠廬殷墟
　　　遺文》。❶

　　作者國別誤注：許進雄先生書中記為加拿大籍，有誤。

　　作者名稱不正確：本書中有許多都是本刊訊、本刊記者、本刊
　　　特約記者、本刊編輯部、本報訊、本報西安專訊、本報洛杉
　　　磯訊、本社編、特刊編輯會、大會秘書組、大陸雜誌社同
　　　人、山西大學歷史系考古專業、歷史人物資料叢編初編等。
這樣的作者名稱對於讀者來說沒有太多的意義，著錄時應該記為
「某某報記者」、「某某報編輯部」較為妥當。

---

❶　謝伯弢輯、松丸道雄題解：《謝氏瓠廬殷墟遺文》（東京：汲古書院，1979
　　年）。

⑶與凡例不合之處

在凡例第九條說明：「本目所收外語語種的論著，⋯⋯作者後注明國別，西文作者兼注其音讀或錄其漢名。」⓱即外國之學者，均在其中譯名稱之後以括號加注其國別。然而在全書中均將國別注於中譯名之前，如：

> 194 　辨明西德庫恩東亞藝術博物館所藏甲骨 [法]雷煥章
> (Jean A. Lefeuvre) 中國文字新 12 期 嚴一萍先生逝世週年紀念特刊 美國藝文印書館 1988 年 7 月
> 2270 　亞について（關於亞）　[日]井本英一 言語研究第
> 51 號 1967 年 3 月

全書中的國別注均與凡例不合，僅有在作者索引的地方，有一條「日名靜一[日]」⓲符合了凡例所規定的，其餘全書的著錄方式全部與凡例不合，實在是一個很明顯的疏失。

四、結　語

《百年甲骨學論著目》作為總結一世紀甲骨學的學術成果，這樣的表現並不令人滿意。在最基礎的資料查找上就沒有做得很紮實，雖然宋鎮豪先生在序中有說：「本書所收，屬於我們平常資料

⓱　宋鎮豪：《百年甲骨學論著目》，頁 5。
⓲　宋鎮豪：《百年甲骨學論著目》，頁 965。

積累。」⑲則將此書設定為其所藏資料的目錄,這樣怎麼會有辦法能夠完整的表現出甲骨學在本世紀中的發展樣貌?

尤其凡例中設定的時空範圍又非常寬廣,使讀者在閱讀凡例時,感到似乎所收資料非常豐富。然而實際查找,則錯漏甚多,其間之落差實在太大。因此筆者在此處提出幾項建議,以作為補編時的參考。

㈠ 對於收錄範圍作限制。

本書所訂的範圍實在太大,橫跨的時空太廣,以致於所做的與應做的部分落差太大。應該在這個部分先做修改,從本書中的條目可以看的出來,雖然所錄的有十幾個國家都有甲骨文的研究論文,然而比例上來說還是以兩岸與日本佔大多數,因此可以先對這樣的範圍作收錄,一方面語言上沒有太多障礙,二方面也因為地近而容易取得資料。

㈡ 利用各種工具書做收錄。

既然是要總結前人的資料,則利用前人已經編好的各式工具書做資料的收集是必須的。如前文所列甲骨學論著目錄之外,更應該參考如《東洋學文獻類目》等綜合性的目錄,從中查找相關的甲骨文篇目,這樣才可以蒐羅廣泛而又沒有遺漏。將前人已經編好的條目集結起來,可以在前言說明所參考的書目。使讀者明確知道本書所蒐羅的範圍,以及不掠人之美的態度。接著再以符合學術規範的方式加以呈現,如此則可以建立一個質與量都有一定水準的目錄。

---

⑲　宋鎮豪:《百年甲骨學論著目》,頁4。

　　甲骨的發現使中國的信史向上推到 3000 多年以前，在甲骨出土之後，有許多的學者投入了這個研究的行列，所得到的成果是豐碩的。依照黃競新先生所分門類達到了 51 類 386 目❷來看，則關於甲骨學、殷商史的條目，去掉報刊的報導文章以後，在全世界起碼應該有 13000 篇左右的數量。這麼龐大的一個數量，我們應該要用遠大的信心與正確的方法，來完整的表現出這一個世紀以來甲骨學術的發展情況。利用各種工具書的編製，讓有心研究甲骨的人可以得門而入，如此精益求精之下，在下一個總結時，甲骨學必定會比現在有更好的發展成果。

---

❷　劉一曼、郭振錄、徐自強編：《北京圖書館藏甲骨學書籍提要》，頁 154。

《敦煌學研究論著目錄（1908－1997）》述評

鄭育如*

書　　名：《敦煌學研究論著目錄（1908－1997）》

主　　編：鄭阿財、朱鳳玉

編　　輯：蔡忠霖、梁麗玲、周西波、劉惠萍

出 版 者：臺北　漢學研究中心

出版日期：2000 年 4 月

頁　　數：652 頁

一、前　言

　　專科目錄，顧名思義是專為收錄某一學科的研究資料所設。❶
其得以總結該學科之研究成果，不僅反映了當時代之學術特色，更

────────────────────

*　鄭育如，臺北大學古典文獻學研究所碩士生。

❶　劉兆祐：《中國目錄學》（增訂本）（臺北：五南出版社，2002 年 3 月），
　　頁 342。

可進一步瞭解最新的研究現況。使從事研究之學者,得以「即類求書,因書究學」❷,能迅速有效的掌握該學科研究領域之相關資訊。

而敦煌學的研究發展,其豐富的內涵以及文獻珍貴的學術價值,不僅受到中國學者的極大重視;此外,更吸引了世界各地學者競相致力於此一領域之研究。而自八十年代以來,從事研究之名家輩出,著述增華,成就斐然,遂使「敦煌學」一詞,成為了一門國際性的顯學,在現代人文社會科學領域內大放異彩。❸

然而,敦煌文物自發掘以來,迭遭英國、法國、日本、俄國等國家之攫取,致使珍貴的文獻寶物流散於海外四方。復又因敦煌學研究所涵蓋的內容龐雜,研究成果又如此分散,這即是目錄編製者所面臨的困境,亦同樣對於從事敦煌學此一領域之學者,想要瞭解或蒐集前人研究成果之相關資料,造成極大的困難。

因此,各國從事敦煌學研究的學者們,莫不以編製一完整的相關研究論著目錄為當務之急,希望能藉以全面而有系統的瞭解敦煌文獻的價值。如劉進寶先生所編《敦煌學論著目錄(1909－1983)》❹、盧善煥和師勤先生編《中國敦煌吐魯番著述資料目錄索引(1909－1984)》❺以及鄺士元先生所編之《敦煌學研究論著

---

❷ 姚名達:《中國目錄學史》(臺北:臺灣商務印書館,2005 年 5 月),頁8。

❸ 鄭阿財:《敦煌文獻與文學》(臺北:新文豐出版公司,1993 年 7 月)頁437。

❹ 劉進寶:《敦煌學論著目錄》(蘭州:甘肅人民出版社,1985 年)。

❺ 盧善煥、師勤編:《中國敦煌吐魯番著述資料目錄索引(1909－1984)》

目錄》❻等。這些專科目錄的編製，對於從事敦煌學相關研究的學者，無疑有著指標性的功用，亦能嘉惠學界使用。然而這些目錄之中，往往不是資料收錄範圍過於狹窄，就是分類的體例不佳，抑或是目錄編製已不能滿足研究現況之需求。故雖已有研究論著目錄的編製，卻無法發揮目錄應有的全面性檢索功能。

　　而在臺灣地區方面，研究敦煌學領域之學者中，以鄭阿財教授的研究成果最為豐碩，其對於從事敦煌學研究論著目錄的編製，不遺餘力。自 1973 年起，除先後參與《敦煌俗字譜》❼以及《龍龕手鑑新編》❽等編纂工作外，其將 1950 年至 1979 年臺港地區敦煌學論文目錄 513 筆，先行發表於《木鐸》第八期；此後，又彙集 1908 年來中、日所刊行有關敦煌學研究論文著作兩千餘筆，並在 1982 年發表於《華岡文科學報》十四期，爾後陸續增補，未曾間斷。1987 年，鄭阿財教授編成《敦煌學研究論著目錄》，收錄了 1908 年至 1986 年間中日有關敦煌學的相關著作，共計論文 4381 篇，專著 506 種，分為十二類，後附作者索引，是為本目錄《敦煌學研究論著目錄（1908－1997）》之前編。而本書之出版，實為學者提供一全面而詳備的研究論著目錄，得以有系統的瞭解百年來敦煌學發展歷程的研究成果。

　　而本文茲就《敦煌學研究論著目錄（1908－1997）》一書之內容體例、類目析分及其特色與缺失等方面，予以簡單的介紹與評

　　（西安：陝西省社會科學出版社，1985 年 8 月）。

❻　　鄺士元：《敦煌學研究論著目錄》（臺北：新文豐出版公司，1987 年）。

❼　　潘重規主編：《敦煌俗字譜》（臺北：石門圖書公司，1978 年）。

❽　　潘重規主編：《龍龕手鑑新編》（臺北：石門圖書公司，1980 年）。

述。

二、內容體例簡介

本目錄資料收錄之年限範圍自民國前四年（1908）起，迄於民國八十六年（1997）十二月止。收錄臺灣、日本、中國大陸等地之中、日學者有關敦煌學研究之專著、期刊論文、論文集論文（包括自著與合著）、博碩士論文、學術會議論文以及報紙論文等類著作。全書共計 652 頁，著錄資料多達 11650 筆。

目錄內容編排上共分為十二大類，即（壹）目錄、（貳）總論、（參）歷史地理、（肆）社會、（伍）法制經濟類、（陸）語言文字、（柒）文學、（捌）經子典籍、（玖）宗教、（拾）藝術、（拾壹）科技、（拾貳）綜述。在每一類別之下，又細分為若干子目，資料依內容性質區分，以類相從，並大致依照時間之先後為順序排列。如以「（柒）文學」為例，其下又分為七大類，即通論、文集、詩歌、曲子詞、變文、小說、賦；而在「詩歌」此小類之下，又進而細分為五個小子目，即總論與各詩篇、王梵志及其詩、補全唐詩、韋莊及〈秦婦吟〉、陷蕃詩或其他。類例層次分明，編排合理，深具科學性與系統性，為讀者檢索查閱提供了全面而詳備的便利。

而觀此目錄之著錄體例，如以「專著」為例，首記作者、次記書名、其次為出版地、出版社、頁數與出版年月；再者，如「期刊論文」，首列作者、次記篇名、次為期刊名稱、卷期、頁數與出版年月。而「會議論文」之著錄，依序則是作者、篇名、會議名稱論文、頁數、會議地點、主辦單位、會議日期。資料之記錄，依資料之類型異同而略加調整，可謂面面俱到，鉅細靡遺，對於從事相關

主題之研究者，有極大的助益。

此外，為了便於讀者查檢，目錄中凡一文數出者，多合併於一筆著錄項共同記錄，至於翻譯文章亦與原著共同排列。而該目錄中凡所著錄之條目，皆於前冠以阿拉伯數字流水號，以便於統整與檢索。

最後，書末另附有收錄「期刊、報紙、論文集一覽表」及「作者索引」以供參考。該表依刊名或是論文集名稱之筆畫為先後順序，對於本書中所著錄的所有期刊、報紙與論文集都予以詳盡的介紹。而作者索引亦是依照電腦字序即是筆畫排列姓名，並依國別區分為中文姓名與外國姓名兩類，凡是外籍作者具有中文漢字譯名者，皆與本國作者姓名共同排列；如為外籍作者而無中文譯名者，則是依照英文、日文字序排列於後。此外，該索引除了羅列作者姓名，對於作者之別名、筆名亦共同著錄，便於查檢；而作者索引亦將目錄中某作者所有之著作，依其著錄項的流水號碼順序，予以通盤的彙整與記錄，俾使讀者得以迅速瞭解該作者的研究成果與相關資訊。

觀「期刊、報紙、論文集一覽表」與「作者索引」的珍貴價值，對於本目錄之使用，實有畫龍點睛之效，三者相輔相成，為讀者查閱檢索目錄時，提供了更為完整且便利的參考價值。

三、內容評析

㈠ 《敦煌學研究論著目錄（1908－1997）》之特色

1.資料蒐羅廣泛豐富：本目錄網羅了近百年來，中、日學者從事敦煌學研究之相關著作。著錄之資料類型廣泛，不僅只限於專著

與期刊論文，亦包括了論文集論文、博碩士論文以及報紙論文等項。其中，對於民國三十八年以前中國大陸出版之期刊論文，以及日本地區從事相關研究之大學系所，其出版的學報論文，也都有相當數量的收錄，實為本目錄具有珍貴且重要的價值之處。

　　2.體例編制嚴謹，類目分析合理：專科目錄之分類，如範圍過於龐雜，則易流於形式而無法達到有效的檢索，不僅浪費時間，亦無法迅速而確切的掌握相關資訊；反之，類目分析如範圍狹小，則又流於瑣碎而缺乏系統性。而觀本目錄之分類，不僅符合學科原理，且層次分明，具有完整的系統性；此外，在體例編制方面亦十分嚴謹，充分發揮專科目錄的學術功能。

　　3.著錄項目詳實清晰：本目錄對於資料著錄之項目，記載十分詳實。如以「頁數」為例，專著的部分是標示其總頁數，而期刊論文等部分則是記錄其起迄頁數。可藉由觀察頁數之多寡，反應內容篇幅，以顯現資料的參考價值，對於讀者資料使用的選擇性，提供了相當大的助益。

　　4.提供檢索之便利：目錄中對於一文數出者或是一書有多種版本者，多合併於一筆著錄項共同記錄。如目錄第 00004 筆，王重民、劉銘恕所著《敦煌遺書總目索引》，其版本一共有五種，按出版地、出版社、頁數、出版年月依序記錄，並依出版時間之先後，排列順序❾；此外，凡論文之內容性質可涵蓋多種領域者，則採取「互見」方式歸類，可使讀者觸類旁通，擴大了資料使用的效益，提升了檢索的便利性。而書末所附之「作者索引」，以王冀青為

---

❾　鄭阿財、朱鳳玉主編：《敦煌學研究論著目錄（1908－1997）》，頁1。

例，其名下列有流水號碼 00046、00047、00255、00624、01070……10657、11099 共二十二筆❿，可視為該作者研究成果的整體展現與統計，亦可使讀者得以有效取得其相關資訊。

5.得以瞭解敦煌學之學術特色，展現其研究成果：本目錄之著錄資料，大體上依其時間先後順序排列，不僅得以呈現出敦煌學研究的發展過程及其歷史脈絡，更可以反映出此學術領域之特色，總結並檢討該時代之研究成果，進而提供未來從事相關研究之學者，新的發展空間與趨向。

6.學術價值的擴大與提升——敦煌學研究論著目錄資料庫⓫的設置：此電子資料庫的設置，主要是依據《敦煌學研究論著目錄（1908－1997）》之紙本目錄建檔，可視為本目錄學術價值運用的提升。該資料庫提供了網路化多元組合的查詢，如：⑴全文檢索、⑵類目瀏覽、⑶關鍵詞查詢、⑷作者、書／篇名、期刊／論集名索引瀏覽。能為更多的讀者服務，擴大了檢索資料的使用效益與便利。

㈡ 《敦煌學研究論著目錄（1908－1997）》之缺失

1.資料蒐羅著錄，僅限於中、日文研究著作，缺乏西文類的相關論著：雖然本目錄於凡例中即明言，旨在顯示有關於中、日敦煌

---

❿　鄭阿財、朱鳳玉主編：《敦煌學研究論著目錄（1908－1997）》，頁589。

⓫　該資料庫是由臺灣國家圖書館漢學研究中心開發，委請鄭阿財教授與朱鳳玉教授偕同蔡忠霖先生、周西波先生、洪藝芳小姐、梁麗玲小姐、劉惠萍小姐等編輯關鍵字及類目表，而資料庫內容係根據漢學研究中心民國89年出版之《敦煌學研究論著目錄（1908－1997）》紙本資料彙整而成。

學之研究成果❷；然而，敦煌學的研究發展，已然成為國際間的一門顯學❸，而大放異彩。不僅在臺灣、日本、中國大陸等有其燦爛豐碩的成果，在英國、法國、德國、俄國與其他歐洲國家等地，亦有不少敦煌學研究的相關著作，其成就與參考價值，實不容忽視。因此，本目錄如能將西文方面的敦煌學相關著作予以補足，不僅能使資料收錄愈益齊全完備，更能促使中、西方的學術資訊獲得交流。

2.著作之類例歸類，仍有其不得當之處：如以目錄第 11421 筆，何懋績〈活躍的敦煌學研究〉，刊載於《瞭望》，1983 年第 10 期，於 1983 年 10 月出版為例❹，其未著錄該文章之頁數，並將此論文錯收歸類於（拾貳）綜述之下的（六）其他小類。而經由查證，該文章著錄頁數應為頁 46，且觀此文章內容實應歸類於（拾貳）綜述之下的（一）概述中的「研究概說」理當較為妥切。

3.資料之編排，雜亂無章法：觀察本目錄資料著錄的排列順序，除了一文數出者或是一書有多種版本者，合併於同一筆著錄，有依照時間之先後順序排列之外；從各類目資料編排方式察看，並沒有按照一定的編排規則，如作者姓名筆畫、注音或是四角號碼等方式，造成流水號碼的順序成為本目錄資料的唯一排列準則，而無一定制可供依循，是為本目錄最大之缺點。

4.資料仍有缺漏未著錄之失：如金達凱〈石窟——佛教藝術的

❷　鄭阿財、朱鳳玉主編：《敦煌學研究論著目錄（1908－1997）》，頁序 ix。

❸　榮新江：《敦煌學十八講》（北京：北京大學出版社，2001 年 8 月），頁 10。

❹　鄭阿財、朱鳳玉主編：《敦煌學研究論著目錄（1908－1997）》，頁 531。

寶藏〉❶、林隆盛〈唐代的敦煌學校〉❶、紫辰〈敦煌學在大陸〉
❶、高放〈敦煌學與敦煌學的歷史〉❶、黃忠天〈敦煌「周易王弼
注」殘卷的學術背景與價值〉❶、李雪濤〈關於敦煌「壇經」的幾
個問題——與郭朋先生的商榷〉❶、甯強〈敦煌藝術結構系統之研
究〉❶等期刊論文，均不見著錄於本目錄中。

　　5.著錄項目仍有疏漏，如：

　　⑴作者為兩位或兩位以上者，出現以「等」字省略，只著錄其
中一位，而造成資料無法檢索的缺失：如目錄第 10591 筆，李霞等
〈敦煌學在中國——訪敦煌研究院院長段文傑〉，《中國建設》，
1987：5，1987。❷經由查證，另一名作者實為紫辰，然再以紫辰
之名查詢本目錄，則無法檢索到該篇文章。

---

❶　金達凱：〈石窟——佛教藝術的寶藏〉，《能仁學報》第 3 期（1994 年 8
　　月），頁 41－84。

❶　林隆盛：〈唐代的敦煌學校〉，《中原文獻》第 21 卷第 3 期（1989 年 7
　　月），頁 134－136。

❶　紫辰：〈敦煌學在大陸〉，《獅子吼》第 26 卷第 6 期（1987 年 6 月），頁
　　43－45。

❶　高放：〈敦煌學與敦煌學的歷史〉，《歷史月刊》第 98 期（1996 年 3
　　月），頁 56－61。

❶　黃忠天：〈敦煌「周易王弼注」殘卷的學術背景與價值〉，《高雄工商專校
　　學報》第 25 期（1995 年 12 月），頁 455－470。

❷　李雪濤：〈關於敦煌本「壇經」的幾個問題——與郭朋先生的商榷〉，《內
　　明》第 220 期（1990 年 7 月），頁 11－15。

❷　甯強：〈敦煌藝術結構系統之研究〉，《中國國學》第 19 期（1991 年 11
　　月），頁 123－138。

❷　鄭阿財、朱鳳玉主編：《敦煌學研究論著目錄（1908－1997）》，頁 497。

⑵作者名字，著錄有誤：如目錄第 09029 筆，李玉主講、侯迺慧整理〈從敦煌壁畫看中國佛教的發展〉，《宗教世界》，11：2、3＝42、43，頁 14－21，1990.4。㉓考察作者實為李玉珉，並非李玉。

⑶頁碼標示錯誤與遺漏：如目錄 00625 筆，嚴紹璗〈甲骨文字與敦煌文獻東傳紀事〉，《中國文化》，3，頁 200－205，1990.12。㉔其頁數實應始於頁 196，並非目錄中所著錄之頁 200。觀本目錄雖於凡例已有說明對於各著作頁碼的著錄規定，然仍有無標示頁數的少數例子，其中以大陸地區之期刊論文遺漏頁碼數量最多。

⑷報紙的版次項，雖凡例中並無著錄之規定，然在目錄中，卻可發現時有篇目標明版次，時又缺而不載，形成著錄體例不一的情形。如目錄 00518 筆，蘇瑩輝〈敦煌石室封存經之謎〉，《中央日報》，9 版，1971.5.7。㉕則有將版次標示出來；而至於目錄第 00543 筆，劉默〈敦煌藏經的發現與劫運〉，《中央日報》，1965.7.10。㉖則又缺而不載，同樣都是《中央日報》，卻形成兩種截然不同的著錄形式。

6.目錄中所著錄之期刊，未見於附錄之「期刊、報紙、論文集一覽表」中。如目錄 04989 筆，項楚〈S5588 號寫本之再探索－《敦煌歌辭總編》「求因果」匡補〉，《九州學刊》，4：4＝16，

㉓　鄭阿財、朱鳳玉主編：《敦煌學研究論著目錄（1908－1997）》，頁 429。

㉔　鄭阿財、朱鳳玉主編：《敦煌學研究論著目錄（1908－1997）》，頁 37。

㉕　鄭阿財、朱鳳玉主編：《敦煌學研究論著目錄（1908－1997）》，頁 32。

㉖　鄭阿財、朱鳳玉主編：《敦煌學研究論著目錄（1908－1997）》，頁 33。

頁 137－148，1992.4。㉗其《九州學刊》即未收錄「期刊、報紙、論文集一覽表」之中。

四、《敦煌學研究論著目錄（1998－2005）》續編本之概述

㈠ 內容體例

《敦煌學研究論著目錄（1998－2005）》㉘是接續前編《敦煌學研究論著目錄（1908－1997）》所編製的。其資料收錄之年限範圍自民國八十七年（1998）起，至民國九十四年（2005）十二月止。資料編輯仍以顯示現階段有關中、日敦煌學之研究成果為主旨，而收錄中、日學者有關敦煌學研究之專著、期刊論文、論文集論文、博碩士論文等著作。此外，未能及時收錄於前編之 1997 年相關篇章，此目錄皆予以補錄。全書共 377 頁，著錄資料共計5714 筆。

在內容的編排上，此目錄承襲前編之分類項目，每類之下又分作若干子目，並依照資料收錄的實際情況，對於前編中細分的子目，略加以合併或是再擴充。從中可見敦煌學研究課題的轉變與研究方法的趨向。而其資料之編排原則，仍依其內容之性質以類相從，並修正前編沒有依照一定規則編排之缺失，先以作者姓名筆畫為序，其次再依照時間之先後排列。

㉗ 鄭阿財、朱鳳玉主編：《敦煌學研究論著目錄（1908－1997）》，頁 238。

㉘ 鄭阿財、朱鳳玉主編：《敦煌學研究論著目錄（1998－2005）》（臺北：樂學書局，2006 年）。

而此目錄資料著錄之體例，完全延續前編，至於資料類型的收錄方面，相較於前編，此目錄則少了報紙以及學術會議兩大類論文。而書末附錄的部分，不再附上「期刊、報紙、論文集一覽表」，僅附「作者索引」與潘重規先生 1987 年《敦煌學研究論著目錄序》。

(二) 內容評析

由於本目錄在內容編排與類目析分，以及著錄體例各方面，皆承襲前編為準則，故其優點與特色，於此便不再贅述；然觀此目錄，仍有其不足與資料仍有疏漏未著錄之缺失，如〈敦煌學研究重地——甘肅敦煌研究院〉[29]、〈敦煌學與敦煌書——甘肅人民出版社敦煌書出版 40 年述略〉[30]、孫曉林〈敦煌學百年前夕的饋贈〉[31]等期刊論文，均不見著錄於本目錄中。

又如目錄第 2622 筆，柴劍虹〈西遊記與敦煌學〉，《敦煌研究》，2000：2＝64，頁 150－153，2000.5。[32]本篇文章另有一出處，即是收錄於《運城高等專科學校學報》，1999：5＝17，頁 8－12，1999.10。於此目錄中並未一同著錄標明。

此外，本目錄資料之編排原則，雖修正了前編目錄沒有依照一

---

[29] 不著名：〈敦煌學研究重地——甘肅敦煌研究〉，《中外文化交流》1998 年第 1 期（1998 年 1 月），頁 18－19。

[30] 不著名：〈敦煌學與敦煌書——甘肅人民出版社敦煌書出版 40 年述略〉，《出版發行研究》1999 年第 11 期（1999 年 11 月），頁 42－43。

[31] 孫曉林：〈敦煌學百年前夕的饋贈〉，《美術之友》1999 年第 4 期，頁 9－10。

[32] 鄭阿財、朱鳳玉主編：《敦煌學研究論著目錄（1998－2005）》，頁 155。

定規則編排之缺失，而先以作者姓名筆畫為序，其次再依照時間排列先後，然而其中仍有疏漏之處，如觀目錄第3093至3096筆的排列：❸

第3093筆，程正〈佚名の敦煌本《注般若波羅蜜多心經》の本文校訂〉，《宗教學論集》，23，頁233－250，2004。

第3094筆，鄭炳林〈晚唐五代敦煌地區《大般若經》的流傳與信仰〉，《敦煌歸義軍史專題研究三編》，蘭州，甘肅文化出版社，頁148－176，2005.5。

第3095筆，鄭炳林〈晚唐五代敦煌地區《大般若經》的流傳與信仰〉，《麥積山石窟藝術文化論集（下）》，蘭州，蘭州大學出版社，頁107－135，2004.6。

第3096筆，平井宥慶〈道氤の《御注金剛般若經》宣演〉，《智山學報》，54，頁59－77，2005.3。

上述四筆著錄項中，依作者姓名筆畫為順序，理應以平井宥慶排列於最前，其次為程正，最後為鄭炳林；此外，目錄第3094筆、3095筆，作者皆為鄭炳林先生，然3095筆的資料出版時間為2004年6月，時間早於3094筆的2005年5月，故實應排列於前。

而至於本目錄中，內容著錄項錯漏更甚者，莫過於是作者索引中之流水號碼分類，自編號0773至0998，排序歸類全然有誤。如以目錄第0846筆為例，趙曉星、寇甲〈西魏——歸義軍時期敦煌地區的史姓〉，《敦煌學輯刊》，2005：2＝48，頁126－143，

---

❸　鄭阿財、朱鳳玉主編：《敦煌學研究論著目錄（1998－2005）》，頁185。

2005.6。❸其流水號碼為 0846 號，但檢閱作者索引中，寇甲名下之流水號則是記為 0847，與原來的流水號碼往後相差一號，而此一錯誤竟多達兩百多條，實為本目錄最大的缺失。

五、結　語

　　自 1987 年，鄭阿財教授編成《敦煌學研究論著目錄》，收錄了 1908 年至 1986 年間中日有關敦煌學的相關著作，可視為是其將歷年來從事敦煌學研究、整理的成果展現，亦是《敦煌學研究論著目錄（1908－1997）》之前編；而後至 2000 年，遂成本目錄，一時間學界莫不為此目錄所代表的研究成果深感驚嘆，而其更是專科目錄編製中的代表作之一。近至 2006 年，《敦煌學研究論著目錄（1998－2005）》續編本亦相繼問世，三者依序演進，後出轉精，實可視為是敦煌學研究歷程中的整體成果。

　　綜觀以上論述，本目錄之問世，實將近百年來的敦煌學研究成果有系統的歸納與統整，為學者提供一全面而詳備的研究論著目錄。通觀全書，實見作者用功之深，與苦心經營研究不遺餘力，而作者對於學術的追求與無私奉獻的精神，更令讀者為之動容。論本目錄之著錄資料，收錄大體完備，雖偶有遺漏，仍瑕不掩瑜，無法影響其所具有的學術價值與重要地位。而此目錄於學術界流通廣泛，深獲好評，不僅便於敦煌學研究者檢索，亦是其他專業研究者利用敦煌學研究成果最為方便的參考工具。

　　而紙本目錄配合敦煌學研究論著目錄資料庫的建置，大大提升

---

❸　鄭阿財、朱鳳玉主編：《敦煌學研究論著目錄（1998－2005）》，頁52。

了本目錄之使用價值。假若《敦煌學研究論著目錄（1998－
2005）》之續編本亦能完成電子資料庫的建置，相信能為更多的讀
者服務，更能擴大了檢索資料的效益與便利性。

《中韓訓詁學研究論著目錄初編》述評

陳恬逸*

書　　名：《中韓訓詁學研究論著目錄初編》
主　　編：劉文清、李隆獻
出 版 者：臺北　臺灣大學出版中心
出版日期：2005 年 3 月
頁　　數：777 頁

一、前　言

　　隨著中外漢學的逐漸勃興，出土文獻陸續出現，各方面古籍研究的學術論著也大量產生。在學者埋首案牘積極從事學術研究的同時，相關題材的資料蒐集也相對地成為相當重要的一項前置作業。各種期刊、論著的產生，各式網際網路資料庫的建立，我們確有必要整合這些資訊，以提供學者更便利的查找資料方式，於是，專科

---

*　陳恬逸，臺北大學古典文獻學研究所碩士生。

目錄的產生便成為不容忽視的重要工作。

　　訓詁學是學者研究古典文獻不可漠視的一門重要學問，無論研究文學、經學或思想，都必須熟悉該時代用語的習慣、用字遣詞的邏輯，而研究小學者，更不可避免地必須碰觸這一塊領域，稍後興起的詞匯學、語義學、語法學、字典學等，都是在訓詁學的基礎上建立的。由此，我們更迫切的需要一本便於蒐集查找的訓詁學研究論著目錄。

　　在這本《中韓訓詁學研究論著目錄初編》未出版前，學者若要查找訓詁學相關研究作品，只能各憑本事，利用各大圖書館網路資料庫、相關文章的附註參考資料查找，無論花費多少心力，總有種不夠全面之憾。臺大李隆獻教授、劉文清老師有鑑於此，率先從事編輯訓詁學研究論著目錄的工作，並將範圍延伸至韓國學者，其貢獻值得嘉許，而投注的心力血汗更值得我們後輩學習仿效。

　　這本目錄書打破了許多舊有目錄的編纂體例，採用表格方式呈現，因此在評介此書之時，我們首要關注的便是這樣不同以往的體例，究竟是好還是不好。其次，在收錄的時間範圍部分，中港臺地區為西元 1994 年至 2003 年 7 月，韓國地區則是西元 1945 年至 1999 年，這樣的限定範圍到底理由為何？此外，我們也注意到了本目錄除了收錄中港臺三地作品之外，更納入了韓國學者的作品，使整部目錄更加完善豐富。但是我們不禁要問，既然收了中港臺三地十年間七千四百四十一種篇目，又選擇收集韓國五十四年間僅有的三百二十九種作品，何以卻選擇遺漏研究漢學更加興盛蓬勃的日本更多更重要的研究論著？

　　本文僅針對兩位教授所編之《中韓訓詁學研究論著目錄初編》

作一簡單評介，透過學習過程中的粗淺知識，表達一些個人的淺見，希望能對將來二編、三編目錄的成果，提供一點綿薄之力。

二、內容體例簡介

此書分為兩大部分。第一部分為**臺灣、大陸、香港訓詁學研究論著目錄**，收錄西元 1994 年至 2003 年 7 月共十年間訓詁學研究成果（2003 年 7 月以後者偶錄之），資料來源取自於：❶

1. 全國圖書聯合目錄
2. 國內圖書館館藏目錄整合查詢系統
3. 國內圖書館圖書虛擬聯合目錄
4. ISBN 全國新書資訊網
5. 中華民國期刊論文索引影像系統
6. 中文期刊聯合目錄
7. 全國博碩士摘要檢索系統
8. 全國科技資訊網路 SEICNET－國內資料庫
9. 兩漢諸子研究目錄資料庫
10. 經學研究論著目錄資料庫
11. 大陸圖書聯合目錄
12. 大陸出版品（民 38－86 年）書目
13. 臺灣地區大陸圖書聯合目錄
14. 典藏大陸出版漢學論著目錄

---

❶ 劉文清、李隆獻：《中韓訓詁學研究論著目錄初編》（臺北：國立臺灣大學出版中心，2005 年 3 月），頁序 ix－x。

15.典藏大陸出版漢學期刊目錄

16.典藏國際漢學博士論文摘要資料庫

17.國家圖書館聯機公共目錄查詢系統

18.中國期刊網

19. CALIS 高校學位論文數據庫

20.中國重要會議論文全文數據庫

21.中國語言學論文索引

22.香港中文期刊論文索引

23.東洋學文獻類目檢索

24.國內外各大書局、私人藏書

　　第二部分專著錄西元 1945 年至 1999 年間韓國學者訓詁學的研究成果，但僅根據《國內中國語文學研究論著目錄（1945－1990）》❷及《韓國中國學研究論著目錄（1945－1999）》❸二書。

　　在內容上個別粗分為理論、歷史、考釋、叢書及其他等四大部分❹，而現代漢語及以普及語文知識為目的之著作不在收錄範圍內。此外，所收錄之專書、論文條目等皆混合排列，並採互著方式

---

❷　徐敬浩：《國內中國語文學研究論著目錄（1945－1990）》（漢城：正一出版社，1991 年）。

❸　金時俊、徐敬浩：《韓國中國學研究論著目錄（1945－1999）》（漢城：會출관사，2001 年）。

❹　詳細分類目錄請參考附錄一及附錄二。錄自劉文清、李隆獻：《中韓訓詁學研究論著目錄初編》（臺北：國立臺灣大學出版中心，2005 年 3 月），頁 i－v。

呈現。在編排順序方面，採用書（篇）名之電腦中文筆劃為序。

此目錄所有資料皆使用統一表格如下，其中的出版者，若為期刊或綜合論著則著錄的是書名或期刊名：

篇名／書名	作者	出版者	出版日期	期數／學位	地區

而韓國部分則稍有不同：

篇名／書名	作者	出版者	出版日期	期數／學位	備註（中譯）

其中「備註（中譯）」是針對前面「篇名／書名」、「作者」、「出版者」等五欄出現韓文部分的中文翻譯。

三、內容評析

【第一部分】臺灣、大陸、香港

(一) 篇名／書名部分：

1.本書第一部分整理臺灣、香港、大陸地區之訓詁學研究論著目錄，並於凡例中指出其中的簡體字均已改為相應之正體字。❺但由於繁簡字的差異，在轉換字體的過程中，未嚴格校對，導致部份簡體字在轉換時未完全轉換，而發生字體不一之情形：

---

❺ 凡例八：「本目錄所使用之標點符號、書名號及篇名號，大抵因仍原文之貌，以便檢索。唯所收大陸地區資料之簡體字則已改為相應之正體字」。參見本書凡例頁 vii。

篇名／書名	作者	出版者	出版日期	期數／學位	地區
從音義關係看聲訓的依據與局限❻	石裕慧	懷化師專學報	1996	03	
《釋名》中構成聲訓二詞間的意義聯系❼	李茂康	語文研究	1999	03	

2.由於編者使用網路資料庫搜索的方式，卻未親閱原文，致使該資料庫建置條目時所發生錯誤之處，編者也跟著出錯：

篇名／書名	作者	出版者	出版日期	期數／學位	地區
《辭海》（89年版）考辯❽	田忠俠	長沙電力學院學報（社會科學版）	1994	02	

翻閱原書，其篇名應為〈《辭海》（89年版）考辨〉。

又：

篇名／書名	作者	出版者	出版日期	期數／學位	地區
《說文》中的音訓──兼變"兮"字的用法❾	夏碩	漢字文化	1995	03	

---

❻　劉文清、李隆獻主編：《中韓訓詁學研究論著目錄初編》，頁19。其中篇名〈從音義關係看聲訓的依據與局限〉中，「局限」應作「侷限」。

❼　劉文清、李隆獻主編：《中韓訓詁學研究論著目錄初編》，頁18。其中篇名〈《釋名》中構成聲訓二詞間的意義聯系〉中，「聯系」應作「聯繫」。

❽　劉文清、李隆獻主編：《中韓訓詁學研究論著目錄初編》，頁406。

❾　劉文清、李隆獻主編：《中韓訓詁學研究論著目錄初編》，頁18。

翻閱原書，其篇名應為〈《說文》中的音訓——兼談"兮"字的用法〉。

此二則皆出自中國期刊網，此書篇目錯誤之處與中國期刊網相同，可知編者僅依樣複製而未細查，才會犯下如此明顯的錯誤。

(二) 作者部分：

1.原則上，在作者欄處，僅需著錄作者姓名，除非遇有編者、譯者等特殊狀況，否則不需要加「著」：

篇名／書名	作者	出版者	出版日期	期數／學位	地區
《左傳》單音節實詞同義詞群研究❿	沈林著	四川大學	2001	博士	
墨子元典校理與方言研究⓫	蕭魯陽編著	西安地圖出版社	2003		

第一篇作者姓名應為「沈林」，因此後面不需要再加「著」字。而第二篇作者欄同樣僅需作「蕭魯陽」即可。此外，編者在作者欄亦未統一規格，部分作者贅加「著」字，而絕大部分卻又未加「著」字，明顯出現體例不一的情形。

2.由於在第一部分所收錄的是臺灣、香港及大陸地區之訓詁學論著，因此也會收錄一些國外學者在此三地所發表的作品，但是在編錄時的體例並不一致，有些會註明國籍，有些卻又省略，而著錄的方式也不盡相同：

---

❿　劉文清、李隆獻主編：《中韓訓詁學研究論著目錄初編》，頁 67。

⓫　劉文清、李隆獻主編：《中韓訓詁學研究論著目錄初編》，頁 198。

篇名／書名	作者	出版者	出版日期	期數／學位	地區
朱熹《詩集傳》注釋《詩》通假字研究⓬	〔韓〕柳花松	南京大學	2001	博士	
詩經疾書校注⓭	〔韓國〕李瀷	江蘇教育出版社	1999／12		
注疏分合的問題⓮	河又正司	中國文哲研究通訊	2000／12		臺
傷寒論考注⓯	〔日〕森立之	學苑出版社	2001／10		

3.在作者的部分，還有一項嚴重的問題。作者及譯者並未完全標示清楚，有些有，有些則無：

篇名／書名	作者	出版者	出版日期	期數／學位	地區
漢語中同義詞詞匯化的問題⓰	A・A・謝米納斯；馮文潔	呼蘭師專學報	1995	04	

〈漢語中同義詞詞匯化的問題〉一篇的作者欄記作 A・A・謝米納斯與馮文潔二人，但翻閱原文，此篇實為俄籍學者 A・A・謝米納斯所著，而由馮文潔翻譯，因此，在作者欄處應作「〔俄〕A・A・謝米納斯著；馮文潔翻譯」較為妥當。

⓬　劉文清、李隆獻主編：《中韓訓詁學研究論著目錄初編》，頁316。
⓭　劉文清、李隆獻主編：《中韓訓詁學研究論著目錄初編》，頁508。
⓮　劉文清、李隆獻主編：《中韓訓詁學研究論著目錄初編》，頁10。
⓯　劉文清、李隆獻主編：《中韓訓詁學研究論著目錄初編》，頁496。
⓰　劉文清、李隆獻主編：《中韓訓詁學研究論著目錄初編》，頁71。

4.由於編者明顯僅根據電子資料庫的內容複製建檔，並未詳加考證，某些資料庫漏建之項目，本書亦從缺：

篇名／書名	作者	出版者	出版日期	期數／學位	地區
說"元旦"❼		農村實用技術與信息	1998	01	

由於中國期刊網此條目下亦未註明作者，很明顯可以知道本目錄編者完全根據中國期刊網所載，因而缺此篇作者項。翻查此篇原文，該篇實際是〈虎年話虎〉、〈說"元旦"〉及〈人蟻大戰〉三篇合輯而成，並於篇末註明「金悅輯」，故可知此篇作者處應作「金悅」。

5.在作者欄同樣發生繁簡字體轉換時未改成正體字的情形：

篇名／書名	作者	出版者	出版日期	期數／學位	地區
陶淵明集箋注❽	袁行沛	中華書局	2003/04		

(三) 出版部分及其他：

1.一份專科目錄所收集的作品遍含期刊論文、專書、學位論文、會議論文等，如果篇幅不多，可以合併列目。但是 1994 年至 2003 年七月共十年間的訓詁學相關作品數量卻是相當龐大的，編

---

❼　劉文清、李隆獻主編：《中韓訓詁學研究論著目錄初編》，頁 698。

❽　劉文清、李隆獻主編：《中韓訓詁學研究論著目錄初編》，頁 493。此條目作者欄「袁行沛」應作「袁行霈」。

者雖已依據內容細分多達 40 多項，但以「清代專家專著」部分就
有 48 頁，「訓詁考釋·個別考釋」部分更有近 210 頁的篇幅，編
者將各種論文合併處理，使條目變得瑣碎零散，不易辨識。此外，
由於合併編目，造成各種論文出處的混淆，雖然編者利用「出版
者」、「出版日期」及「期數／學位」的部分細心區分：

篇名／書名	作者	出版者	出版日期	期數／學位	地區
《孫子兵法》謂詞句法和語義研究⓳	易福成	北京大學	1999	博士	
上古漢語詞匯史⓴	徐朝華	商務印書館	2003/08		
章太炎論「義相對相反」之理據性辨析㉑	陳梅香	第二屆國際清代學術研討會論文集	1999/11		臺
清注蘇詩述略㉒	曾棗莊	中國韻文學刊	1999	02	

由上面表格可以大致了解區分概況：學位論文篇目會在「期數／學
位」欄加註「博士」或「碩士」；論文集作品的「期數／學位」空
白，並於「出版者」欄註明為何種研討會論文集；論著書籍同樣在
「期數／學位」欄空白，並於「出版日期」欄詳著出版年月。但可
惜仍舊出現疏漏之處：

⓳　劉文清、李隆獻主編：《中韓訓詁學研究論著目錄初編》，頁 142。
⓴　劉文清、李隆獻主編：《中韓訓詁學研究論著目錄初編》，頁 238。
㉑　劉文清、李隆獻主編：《中韓訓詁學研究論著目錄初編》，頁 74。
㉒　劉文清、李隆獻主編：《中韓訓詁學研究論著目錄初編》，頁 334。

篇名／書名	作者	出版者	出版日期	期數／學位	地區
《荀子》通假研究（上）──《荀子》通假的測查統計❷	崔竹朝；周曉波	石家莊職業技術學院學報	2002	03	
《荀子》通假研究（下）──《荀子》通假的使用特點	崔竹朝；周曉波	石家庄職業技術學院學報	2003／01		

此兩篇很明顯為同一份學報不同時間刊載之文章。首先，出版者的部分有字體繁簡轉換未完全的狀況發生；再者，第二篇無標註第幾期，第一篇則又未註明出刊月份。

又如：

篇名／書名	作者	出版者	出版日期	期數／學位	地區
由黃季剛先生從音以求本字論通假字❷	葉鍵得	應用語文學報	2002/06		臺
如何利用「據借字求本字明本義」－揭開「毛詩」詞義之謎	邱德修	中等教育	2000/08		臺

實際上，葉鍵得先生此篇出自於《應用語文學報》第4期，邱德修先生此篇出自於《中等教育》第51卷第4期。

由上述幾項例子我們可以發現，其實最大問題出在於「出版日

---

❷ 劉文清、李隆獻主編：《中韓訓詁學研究論著目錄初編》，頁22。
❷ 劉文清、李隆獻主編：《中韓訓詁學研究論著目錄初編》，頁25。

期」及「期數」未著錄清楚之故。

　　2.期刊的出版週期並不一致，有月刊、雙月刊、季刊等，而期數著錄的方式也不相同，所以光是著錄期數並不能使讀者清楚掌握各單篇文章出版次序的先後：

篇名／書名	作者	出版者	出版日期	期數／學位	地區
清代藥性梆子戲《群英會》校注（續前）㉕	楊燕飛；賈治中	山西中醫學院學報	2000	04	
納蘭詞選譯㉖	莊澤義	香港筆薈	2000	總第 15 期	港
"易"、"多"字族分析㉗	馮寬平	北京大學學報	2000	S1	
試論屈原〈九歌〉〈九章〉之疊字及雙聲疊韻字㉘	韋金滿	新亞學報	2000	第 20 卷革新號	港

如上舉之例，此四篇不同出處之期刊，由於皆無註明出版月份，導致無法判斷其先後次序。

　　3.此目錄中許多期刊均未著錄期數：

篇名／書名	作者	出版者	出版日期	期數／學位	地區
注疏分合的問題㉙	河又正司	中國文哲研究通訊	2000/12		臺

㉕　劉文清、李隆獻主編：《中韓訓詁學研究論著目錄初編》，頁 490。
㉖　劉文清、李隆獻主編：《中韓訓詁學研究論著目錄初編》，頁 486。
㉗　劉文清、李隆獻主編：《中韓訓詁學研究論著目錄初編》，頁 548。
㉘　劉文清、李隆獻主編：《中韓訓詁學研究論著目錄初編》，頁 111。
㉙　劉文清、李隆獻主編：《中韓訓詁學研究論著目錄初編》，頁 10。

| 談陳本禮注釋之「李憑箜篌引」 | 婷婷 | 國文天地 | 2002/01 | | 臺 |
| 「方言」引「爾雅」考❸ | 黃文傑 | 中國語文通訊 | 2000/12 | | 港 |

以上如**臺灣**地區期刊，在編者查找資料的過程，應是相當容易取得的資訊，但相當多的期刊如《中國文哲研究通訊》等在這本目錄中卻完全未著錄期數。

4.大陸期刊的期數與臺灣著錄方式並不相同，所以在各資料庫中呈現的方式也不一樣：

在現有的大陸期刊的網路資料庫，如「中國期刊網」等，在「期數」、「總期數」與「出版日期」著錄方式與臺灣並不相同，此書編者未查明此差異，因此造成許多的混淆。由此處我們也可以更加了解，要編錄一部好的專科目錄並不容易，絕非囫圇吞棗，依樣畫葫蘆就可輕鬆完成，除了熟悉各種資料庫的搜索方式之外，更要充分掌握各地區不同目錄體例編排的習慣與方式，如此才不會事倍功半。

5.無論專書、論文，一篇論著的總頁數是相當重要的一環，它關係到研究者是否有需要查找蒐集到該篇文章的必要性。文章總頁數的多寡，或多或少反映了該篇文章的內容深度，而此本目錄全無總頁數的記錄，實在相當可惜。

6.作者誤植舉例：

---

❸ 劉文清、李隆獻主編：《中韓訓詁學研究論著目錄初編》，頁266。

篇名／書名	作者	出版者	出版日期	期數／學位	地區
《金瓶梅》方言俗語臆釋（下）❸	汪如東	河北學刊	1994	06	

查汪如東並無此作品，翻閱河北學刊 1994 年第 6 期第 61 至 66
頁，作者應為魏連科，不知誤植原因為何。

又：

篇名／書名	作者	出版者	出版日期	期數／學位	地區
元明清小說俗語詞方言證詁 ❸	李劍虹	貴州文史叢刊	1996	01	
元明清小說俗語詞方言證詁	徐之明	大理師專學報	2000	02	

翻查兩篇原文，發現編者將兩篇文章作者顛倒，1996 年《貴州文
史叢刊》所刊載為徐之明，而 2000 年《大理師專學報》所刊載之
作者為李劍虹。至於兩篇內容完全相同，一字不差的理由為何，就
不得而知了。

　　7.學位論文的出版日期應詳作調查，部分作品使用的是學年
度，而另一部分則使用的是出版年份，因此有時候看似同一年，其
實卻不同；或者看似相差一年，其實卻是同一年出版的學位論文。
另外，本目錄博碩士論文除了出版日期的不確定之外，甚至偶有幾
篇學位論文全無出版日期，可知編者在編製目錄上不夠仔細確實。

---

❸　劉文清、李隆獻主編：《中韓訓詁學研究論著目錄初編》，頁 116。
❸　劉文清、李隆獻主編：《中韓訓詁學研究論著目錄初編》，頁 117。

8.專書出版日期應詳細紀錄至出版月份。另一方面,學術會議論文集的出版日期有時候會與實際開會日期有落差,因此,在著錄學術會議論文的出版日期時,應特別注意區分開會的時間以及論文集出版的時間。

9.編者完全以資料庫為尋找對象,導致搜尋範圍不夠全面,遺漏頗多。而複查所使用的資料庫,也發現仍有許多漏網之魚未被發現。

【第二部分】韓國學者

臺灣大學出版中心所編製的這本《中韓訓詁學研究論著目錄》網羅了韓國地區學者所發表的訓詁學文獻,此舉甚為用心,值得我們嘉許與仿效,但有幾點亦是我們需要特別注意之處。首先,如前所述,此目錄所收之韓國地區作品,僅根據《國內中國語文學研究論著目錄(1945－1990)》與《韓國中國學研究論著目錄(1945－1999)》二書,所得共三百二十九種,相當有限,以整部《中韓訓詁學研究論著目錄》共 777 頁內容而言,亦只佔 43 頁,幾乎只佔了全書的百分之五,而本書凡例所稱蒐集韓國 1945－1999 年以來之訓詁學論著,其時間設定之理由亦昭然若揭。

【第三部分】綜合論述

綜觀本目錄編排整理上的缺失,我們可以發現,其實原因除了疏忽之外,最主要在於表格式的編排限制了多樣化的內容。以期數為例,一般學報、期刊包含了「總期數」與「期數」兩種,但是此目錄書將兩者合併在同一欄位內,加上各種期刊著錄期數的方式並不相同,如此便容易造成使用者的混淆。再者,出版日期的欄位同樣試圖用單一欄位規範複雜多變的情況,也就造成有時僅有出版

年，有時既有出版年又有出版月，有時又將大陸地區期刊的期數與出版月份相混淆，以上狀況都突顯出表格方式並不比以往橫向排列恰當。而編者將期刊、學報、學位論文、論著等作品混合排列，也是造成體例不一的重要因素。

　　此書的收納時間界定上，臺灣、大陸、香港地區為 1994－2003 年，韓國則是 1945－1999 年，上面已指出韓國作品的年限取捨，實際上是根據所引用之《國內中國語文學研究論著目錄（1945－1990）》與《韓國中國學研究論著目錄（1945－1999）》二書的年限，以此反推臺灣、大陸、香港地區的年限設定理由，我們便不難發現，應該是根據「中國期刊網」而來，因為「中國期刊網」收錄的作品正是起自 1994 年，若真以此為據，我們便必須了解，「中國期刊網」並未完整收錄 1994 年作品，而是依其資料庫成立的時間之後的作品才有收錄，因此若要查找 1994 年的作品，則萬不可完全憑恃「中國期刊網」的資料。

　　既然本書收錄了韓國地區的作品，我們很自然地就會聯想為何不收錄日本地區的作品，畢竟相較之下，日本研究漢學的成果更加豐富。編製國外地區漢學作品的目錄，其實是相當困難的，一來語言障礙，資料蒐集頗不方便，二來蒐集成果也取決於該地區本身所做的整理狀況。日本漢學雖然相當興盛，但很可惜甚少有人為日本漢學編製專科目錄，至今僅有林慶彰老師曾經致力於此。相較之下，韓國漢學成果雖然在這方面亦不受重視，但至少本書所採納的《國內中國語文學研究論著目錄（1945－1990）》與《韓國中國學研究論著目錄（1945－1999）》這兩本書，可以讓我們略知韓國地區的作品。因此，我們也可以體會劉文清老師、李隆獻教授未收錄

日本地區的訓詁學研究論著目錄的理由了。

四、結　論

　　訓詁學是研究中國古典知識很重要的一門學科，但由於內容較為艱澀、範圍涵蓋太廣，因此始終沒人著手整理相關的研究論著目錄，相當可惜。劉文清、李隆獻兩位老師不辭辛苦，願意埋首率先整理訓詁學的專科目錄，其成就是值得我們稱許讚揚的。雖然當中的錯誤不少，但在人力、時間都缺乏的情況下，能夠有如此豐富的成果，足見編者的用心。我們衷心期盼，後續還能看到續編、三編，更希望訓詁學研究論著目錄的電子資料庫能早日完成。

附　錄

【附錄一】臺灣、大陸、香港訓詁學研究論著目錄(1994－2003)

一、理論

　　㈠通論

　　㈡專論

　　　1.名稱、性質、定義、範疇、目的

　　　2.訓詁體式

　　　3.訓詁方法、方式

　　　　⑴形訓、以形索義

　　　　⑵聲訓、因聲求義

　　　　　假借、通叚

　　　　　同源字、語源

　　　　⑶義訓

　　　　詞義、引申、詞義系統

　　　　同義詞

　　　　反義詞、反訓

　　(4)語境、文例

　　(5)訓詁方式

　　(6)訓詁方法、方式・其他

　4.訓詁術語

　5.相關學科

　　(1)漢語

　　(2)詞匯學

　　　　連綿詞（聯綿詞、連語、謰語）、疊字（重言）

　　　　成語、典故、俗語（諺語）、俚語、歇後語、新詞、外

　　　　來語

　　(3)語義學、詞義學

　　(4)字典學、詞典學

　　(5)語法學、虛詞

　　(6)文字學

　　(7)聲韻學

　　(8)方言學

　　(9)文獻學、校勘學、古籍整理

　　(10)修辭學

　　(11)考古學、出土文獻

　　(12)文化語言學、漢語文化學

　　(13)歷史比較語言學、對比語言學

　　⒁相關學科·其他

　　6.訓詁教學

二、訓詁學史

　　㈠訓詁學史通論

　　㈡先秦

　　　1.先秦·概況

　　㈢兩漢

　　　1.兩漢·概況

　　　2.兩漢·傳注

　　　3.兩漢·專家專著

　　㈣魏晉南北朝隋唐五代

　　　1.魏晉南北朝隋唐五代·概況

　　　2.魏晉南北朝隋唐五代·傳注

　　　3.魏晉南北朝隋唐五代·專家專著

　　㈤宋元明

　　　1.宋元明·概況

　　　2.宋元明·傳注

　　　3.宋元明·專家專著

　　㈥清代

　　　1.清代·概況

　　　2.清代·傳注

　　　3.清代·專家專著

　　㈦現代

　　　1.現代·概況

2.現代・傳注

3.現代・專家專著

三、訓詁考釋

　㈠傳注類

　　1.訓詁專著

　　2.一般典籍

　㈡個別考釋

四、叢書及其他

【附錄二】韓國訓詁學研究論著目錄（1945－1999）

一、理論

　㈠通論

　㈡專論

　　1.訓詁體式

　　2.訓詁方法、方式

　　　⑴聲訓、因聲求義

　　　　假借、通叚

　　　　同源字、語源

　　　⑵義訓

　　　　詞義、引申、詞義系統

　　　　同義詞

　　　　反義詞、反訓

　　　⑶訓詁方式

　　3.訓詁術語

　　4.相關學科

(1)漢語

(2)詞匯學

(3)字典學、詞典學

(4)語法學、虛詞

(5)文字學

(6)聲韻學

(7)方言學

(8)文化語言學、漢語文化學

(9)歷史比較語言學、對比語言學

二、訓詁學史

㈠訓詁學史通論

㈡先秦

㈢兩漢

㈣魏晉南北朝隋唐五代

㈤宋元明

㈥清代

㈦現代

三、訓詁考釋

㈠傳注類

1.訓詁專著

2.一般典籍

㈡個別考釋

四、叢書及其他

【文　學】

評《中外六朝文學研究文獻目錄》

吳欣潔*

書　　名：《中外六朝文學研究文獻目錄》

主　　編：洪順隆

編　　輯：中國文化大學中國文學系中國六朝文學研究小組

出 版 者：臺北　漢學研究中心

出版日期：1992 年 6 月增訂版

頁　　數：357 頁

一、前　言

　　專科目錄是針對專門且自成體系的學科，以匯聚所有論著資料的方式，方便研究者使用，可達省時省力，檢索即得的目的。胡楚生教授提出專科目錄的利用價值❶，足以彰顯專科目錄編纂的重要

＊　　吳欣潔，臺北大學古典文獻學研究所碩士生。

❶　　胡楚生先生認為專科目錄利用價值在於：蒐集參考資料、分析學人成就、考

性。對於研究者而言，編輯專科目錄是研究的基礎，而良善的編輯體例，亦為後人使用上提供便利。因此，一部方便後人檢索利用的專科目錄，無論在資料蒐集、編排架構以及檢索方式上，都須事先加以謀畫。

在中國文學史的發展長流中，相較於漢唐兩朝以政治影響文化發展，六朝時期的政治控制力相對薄弱，各種學術思潮相互交融，加上外來佛教、本土道教、玄學清談的蘊育勃興，使六朝文學深具特殊性。此時「文學」的概念逐漸清晰，私人著作多樣紛呈，為後世研究提供許多面向。但歷朝文獻興衰聚散，許多典籍亡於天災人禍，再加上魏晉六朝時期崇尚薄葬，現今出土資料難以補全傳世文獻，更增添研究的困難度。

早期研究者需查閱多本目錄，方能齊備前人研究成果。通代書目如：《國學論文索引》❷、陳璧如主編、劉修業續編的《文學論文索引》❸，魏晉斷代則如：鄭利安《魏晉南北朝史研究論文書目引得》❹、余秉權的《中國史學論文引得》❺等，頗為耗時費功，

察學術進展、比較研究方法、啟迪寫作靈感五個層面。參見胡楚生：〈專科目錄的利用與編纂〉，收入林慶彰主編：《專科目錄的編輯方法》（臺北：臺灣學生書局，2001年9月），頁1—13。

❷ 北平北海圖書館編目科：《國學論文索引》，據民國22年「中華圖書館協會叢書第二種」版本複印（臺北：中央圖書館複印，1983年）。

❸ 陳璧如主編、劉修業續編：《文學論文索引、續編、三編》，排印中華圖書館協會叢書本（臺北：中華圖書館協會，1933年）。

❹ 鄭利安編：《魏晉南北朝史研究論文書目引得》（臺北：臺灣中華書局，1971年）。

幸賴洪順隆教授編輯《中外六朝文學研究文獻目錄》（簡稱「本目錄」，以下同），為學術研究提供方便。然而由於此書編纂年代較早，當時學界尚無編輯專科目錄的規範，使得本目錄有些不盡完善之處，筆者以此書目為評論習題，藉此學習專科目錄編纂應有之規範。

二、本目錄體例內容與特色

㈠ 本目錄體例

1. 分類體系：先按朝代分為晉、宋、齊、梁、陳、隋六個朝代，包括北朝（北魏、北齊、北周）。各朝代下分為九類：一般文學、詩歌、文章、小說、文學批評和理論、人物傳記、思想、歷史社會及其他。每一大類下分為論文（含報紙、期刊、學位論文、論文集論文）及著作。

2. 非欄位式編排：著錄上未使用固定欄位，則不受欄位內容限制，可較為靈活編排，本目錄的著錄順序順序為「流水號－文獻題名－作者－出版資訊」。

3. 條目排列方式：同類中各條目的編排次序，依發表或出版時間的先後排序。

4. 不同語文編排方式：中文、外文（日文、英文、韓文）混合編排。

5. 流水號著錄方式：本目錄編號一共六位數，第一位數字代表朝

---

❺ 余秉權：《中國史學論文引得（1902－1962）》（臺北：泰順書局，1971年）。

代，第二位數字代表論文大類，第三位代表論文(E)或著作
(B)，後三位數字為發表順序，不知年代者歸於最末。例如：

　　03E001　神仙譚　高瀨武次郎　藝文　1921.4

「03E001」其中第一個「0」代表「六朝總論」，「3」是指小說
類，「E」表示是論文，末三位「001」表示發表時間的先後順
序。

㈡ 內容及來源

1. 義界：六朝，指晉、宋、齊、梁、陳、隋六個朝代，包括北朝
　（北魏、北齊、北周）。

2. 以文學類為主，亦包含人物傳記、哲學思想、歷史社會背景。

3. 收錄自 1900 至 1990 年間，含期刊、論文、報紙、著作，以中
　文著作為主，日文次之，兼及韓、英文著作，不另行標明出版
　地及語文。

4. 本目錄所轉引的目錄資料如下：❻

（初版）資料來源

1.國學論文索引（初編、續編、三編、四編）
2.文學論文索引（初編、續編、三編）
3.近二十年文史哲論文索引（民國 37－59 年）

---

❻　洪順隆：《中外六朝文學研究文獻目錄》，增訂版（臺北：漢學研究中心，
　　1992 年 6 月），頁 ii。

4. 中文期刊聯合目錄索引（至民國 72 年）

5. 東洋史研究文獻類目（至 1983 年止）

6. 全國博士碩士論文分類目錄（民國 38－69－70 年一部分）

7. 中文報紙之文哲論文索引（民國 25－60 年 5 月）

8. 中文報紙論文分類索引（民國 61－71 年）

9. 敦煌學研究論文著作目錄初稿、續（民國前 4－民國 72 年）

10. 日本中國學會報──學界展望（至 1983 年止）

（增訂版）資料來源

1. 中華民國期刊論文索引彙編　1984－1990　國立中央圖書館編印

2. 中文報紙論文索引彙編　1983－1990　國立政治大學社會科學資料中心編印

3. 博士論文摘要暨碩士論文目錄　1984－1985　教育部高教司編印

4. 博士論文摘要暨碩士論文目錄　1986－1989　行政院國家科學委員會科學技術資料中心編印

5. 東洋學文獻類目　1984－1989　日本京都大學人文科學研究所

6. 日本中國學會報　1984－1990　日本中國學會

7. 全國總書目　1966－1988（缺 1970、1972、1974、1980）　中國版本圖書館編　北京中華書局

8. 中國古典文學研究論文索引　⑴ 1949－1966　⑵ 1980－1981　⑶ 1982－1983　北京中華書局

9. 中國古典文學研究論文索引　1949－1980　中山大學中文系資料室編　廣西人民出版社

10.中國古典文學研究年鑑　1984　上海古籍出版社

11.中國文學研究年鑑　1981－1986　中國社會科學院文學研究所編
　中國文聯出版公司

(三) **本書特色**

1.續編不輟

　　本目錄屬於早期編輯的專科目錄，集結師生力量而成，後續編輯作業亦相當積極，無論在當時或今日，都誠屬難能可貴。其編纂歷程如下：本目錄首先在民國 73 年 6 月時，以初稿形式發表在木鐸月刊，該目錄未收錄報紙與學位論文；民國 75 年 9 月，修訂版由文津出版社出版，但缺少大陸地區期刊論文、類目中亦無哲學類及歷史類；本目錄為增訂版，在著錄項缺少頁碼，分類趨於完足；民國 87 年續修版在漢學中心期刊發表，依舊按照本目錄的分類方式，優點是著錄頁數，但缺乏頁數的條目則予以刪除。洪順隆教授逝世之後，至今未見新增續編，相當可惜。

2.版面編排尚屬清晰

　　本目錄省略一般學術論文著錄格式，多使用單一符號，僅止於分隔正、副標題，使版面編排相當清楚簡潔，亦為本目錄編排優點之一。

三、評　論

　　由於本目錄編纂年代較早，學界尚無專科目錄著錄的規範與共識，使本目錄在著錄體例有仍待改進之處，以下試就編排方式、編輯體例、目錄正文分別評析。

㈠ 編排方式

1.著錄順序

本目錄著錄順序為「流水號－文獻題名－作者－出版資訊」，建議可將作、譯者列在第二個著錄項，因為作、譯者所佔篇幅較固定，可使排版更加醒目清晰。

2.類目編排

由於類目編排的合理性，影響讀者能否有效率地檢索。因此分類不宜過細，但也不可過於簡略。以本目錄為例，其分類方式以時間斷代為主，下分八大項目，另分論文及著作。由於所分類目過於簡略，若要查劉義慶相關論著，則需從頭到尾翻檢南朝宋各類目，以及六朝總論的各類目，相當耗時。

本目錄按朝代先後編排，若期望改善檢索效率，又不大幅度更動目錄架構。筆者建議在現行分類體系上，將同性質的論文和著作加以類聚，另行細分條目，儘量使一個類目不要超過五十條，並說明分類方式及原因，以提高檢索效率。

㈡ 編輯體例

1.應有編輯說明

本目錄雖有凡例，但僅說明流水號各個位置代表的含意，未對類目分類方式、原因、各類目收錄範圍，做出任何解釋或說明，使讀者需自行摸索學習，增添使用上的不便，甚至可能因為查找方式不完全，導致遺漏部分類目未查找。

2.流水號不利使用

流水號一般僅代表該資料在目錄中的編次，應力求簡便，無須使用過多符號與代碼，以免徒增讀者查閱困擾。本目錄的流水號有

六位數，分別代表朝代、論文種類、專書或論文的分別，後三位才
是發表順序。編者說明編排原因：「讀者可據每篇論著上首位號
碼，查悉所屬朝代；據次位號碼，查閱文類，據第三位以下號碼，
斷知出版先後。尤其不知論文名稱或作者之名者，用此法查所欲知
曉之資料，最是方便」。❼其實只要根據該條目資料所屬類目，即
可知其所含括的朝代、論文或著作等相關資訊，無須就流水號做過
多的設計。

　3.統一著錄項目與標點：

　　本目錄中有些條目著錄出版月份，部分則未著錄。或許是因為
原先參考的工具書並未著錄，轉錄時亦照式錄之，因而造成此種現
象，建議將缺少月份的條目另行查閱目驗，著錄時予以統一。對於
期刊論文的著錄，需著錄刊載期數，然而本目錄未統一標注方式，
使用上則有所疑慮。例如：

　　00E001　三國六朝的平民文學　胡適　國語月刊　1：2
　　　　　　1922.3
　　00E014　六朝文學與佛教影響　蔣維喬　國學論衡　6
　　　　　　1935.12

這兩筆條目對於卷期的著錄方式不一，推測第一筆代表「1 卷 2
期」，第二筆代表「第 6 期」，但由於編者未提出說明，僅能就常
理推判。

────────────

❼　洪順隆：《中外六朝文學研究文獻目錄》，凡例，頁 vi。

00E040　論魏晉的隱逸思想和隱逸詩人　傅懋勉　文史哲
1958.4 期

由於刊物發行間隔時間，有月刊、雙月刊、季刊、半年刊、年刊等
形式，若僅著錄「1958.4 期」，未經查證前，無法確知發刊時間，
是以月刊——「1958 年 4 月」，還是雙月刊——「1958 年 10
月」，是或是季刊——「1958 年 12 月」等方式發行，因此建議將
實際出版月份一併著錄。

4.建議增加著錄項目

(1)頁數

有些編輯者認為頁數並非必要的著錄項目，認為頁數對於查找
資料而言，並無顯著關係，沒有頁數一樣可以找到資料。但著錄頁
數有助於研究者衡量論文的參考價值❽，也表示編纂者曾親見該筆
資料，更增添資料的可信度，故仍建議加以著錄。

(2)出處

有時學術論著由於轉載、再版、更換出版公司，甚或是盜版翻
印，造成一書有兩個出處，應詳加著錄，一方面顯現該筆資料的重
要性，也方便讀者以各種方式查閱資料。

(3)使用語文

本目錄雖以中文論著為主，亦包含英文、日文、韓文論著。英
文、韓文論著尚能以篇名判斷其使用語文，但部分日文論著則難以
從篇名判斷使用語文，需藉由作者或期刊名稱，才能概推其使用語

---

❽　余秉權：《中國史學論文引得（1902－1962），編輯說明。

文。若不將中文與外文著作分立,則建議在外文論著的著錄項中,直接標明使用語文,以方便讀者區分,避免混淆。

(三) 目錄正文

1.可應用互著

　　使用專科目錄前,讀者須先行熟悉編排體例與查閱方式,若無其他檢索方式(作者或篇名檢索),則需一一翻檢各個類別。有時讀者在單一類別未能尋檢到相關資料,未必代表沒有收錄該類資料,可能是讀者與編者兩方對類別名稱的理解有異,故無法查閱該類資料。或因為資料內容涉及的層面較廣,於目錄中可歸屬的類別不只一項,若受限於資料僅能有一著錄位置,讀者亦可能因為沒有翻檢所有可能類別,因而漏查部分資料。

　　因此編輯專科目錄時,可使用章學誠的「互著」法,將「理有互通,書有兩用者」❾,分別著錄在相應的類別,不必限制一書僅能著錄一類。「互著」法將專書和論文,依照其內容特質,著錄在兩個或兩個以上的類目,一方面方便讀者查找,再則可讓使用者知道該筆資料的其他特性。

　　本目錄編排時,按作品時代分隔,其中「六朝總論」一類,收錄通論性質的論文及著作,但資料亦可同時歸屬於斷代。例如:

　　03E039　六朝「小說」考──殷芸「小說」を中心として
　　　　富永一登　中國中世文學研究　11　1976.9

---

❾　章學誠撰,葉瑛校注:〈互著第三〉,《校讎通義》卷一(臺北:里仁書
　　局,1984年9月),頁966。

此目歸類於六朝總論，亦可以互著的方式，同時著錄於（南朝）梁代，以便檢閱。

又如：

03E059　汪氏（汪邵楹）校注本搜神記評介——兼談研究六朝志怪的基本態度與方法　王國良　中國古典小說研究專集　3　1981.6

該筆資料歸類於六朝總論，亦可以互著的方式，同時著錄於晉代，以便檢閱。本目錄未採「互見」法，若要查詢與各代小說的論著，除了斷代小說之外，還須翻檢「六朝總論」的小說類，方能齊備，徒增翻查手續，且極易遺漏，因此建議使用「互著」，以便讀者使用。

　2.歸類錯誤

　　編者雖未說明各類收錄範圍，以小說類而言，部分書籍屬於斷代，但被歸入「六朝總論」，例如：

03B021　神仙傳　（中國古典新書）　福井康順　明德出版社　1983.1－12

此目歸屬於六朝總論小說類，但僅為一書之研究，無通論性質，實際則應劃歸晉代小說類。有些條目具通論性質，宜歸入六朝總論，例如：

13E008　魏晉小說與方術　王瑤　學原　2：3　1949.3

此目歸屬於晉代小說類，實際則應劃歸六朝總論小說類。

3.重覆著錄

雖然經過數次校對，但仍有部份條目重複，例如：

03B011　漢魏六朝筆記小說選　江畬經　商務印書館　1974

03B036　漢魏六朝筆記小說選　江畬經　商務

後者係為重出條目，未著錄出版社全稱，且缺收出版年份。又如：

03B026　費長房說話　「神仙傳」　手塚好幸　國學院大學
　　　　漢文學會會報　30　1984

13E057　費長房說話　「神仙傳」　手塚好幸　漢文學會會
　　　　報（國學院大學）　30　1984.12

這個條目重複著錄，且有兩個地方值得注意：首先，由於該論文刊
登在學報，因此不會是著作，而第一筆誤著錄為「著作」。再者，
第二筆著錄較為詳細，以括弧代替作者附註，且著錄出版時間至月
份。

4.內容訛誤

編纂專科目錄由於篇幅甚鉅，在篇名、作者名、出版月份時有
著錄錯誤的情形，茲列舉如下：

⑴題目篇名著錄錯誤：純屬字誤

23E064　幽冥錄研究　王國良　中國古典小說研究論集　2
　　　　1980.6 ❿

根據覆查，篇名應為〈幽明錄研究〉，且刊登期刊應為「中國古典
小說研究專集」。

　⑵作者姓名著錄錯誤

03E052　六朝志怪與小說的誕生　Dewoskin, Kemeth. J.著
　　　　賴瑞和譯　中外文學　9：3　1980.8

根據覆查，外文作者原名為「Dewoskin, Kenneth. J.」，應屬形近
而誤植。

　⑶出版時間著錄錯誤

03E027　六朝志怪小說研究　周次吉　文津出版社　1986

經查核，本文為作者 1971 年畢業於政治大學中文研究所的碩士論
文，該書於 1990 年由文津出版社出版，都與本目錄著錄不符。

5.未見收錄標準

　　部份傳世文獻不屬於小說，但編者亦編入小說類中。如晉代葛
洪所撰《神仙傳》，內容多服食養生之術，《四庫全書》將該書歸

---

❿　王國良：〈《幽明錄》研究〉，《中國古典小說研究專集 2》（1980 年 6
　　月），頁 47-60。

類於子部道家類。另外，《荊楚歲時記》一書，以記載歲時節令的傳統活動為主，在《四庫全書》歸屬於史部地理類。再則如《洛陽伽藍記》及《水經注》，前者紀錄一地廟塔佛寺興衰史，後者則為水運流經各地的情形，二書同屬四庫史部地理類，但作者亦一併收錄於小說類中，應予以編輯說明，以免除讀者疑惑。

6.漏收項目

與〈近五十年來臺灣地區六朝志怪小說研究論著目錄〉❶相較，其中二目錄斷限相重疊部分，時間為 1953－1990 年，將近四十年間的條目比較，可得出以下缺收項目。

● 專著部分

1. 葉慶炳，《說小說鬼——魏晉南北朝的小說鬼》，皇冠雜誌社，1976 年 12 月。

2. 周次吉，《神異經研究》，日月出版社，1977 年 6 月。

3. 金榮華，《六朝志怪小說情節單元分類索引（甲編）》，中國文化大學中文研究所，198 年 3 月。

4. 范　寧，《博物志校證》，明文書局，1984 年 7 月。

5. 王國良，《神異經研究》，文史哲出版社，1985 年 3 月。

6. 葉慶炳，《古典小說論評》，幼獅文化事業公司，1985 年 5 月。

7. 李豐楙，《六朝隋唐仙道類小說研究》，學生書局，1986 年 4 月。

---

❶ 謝明勳輯錄：〈近五十年來臺灣地區六朝志怪小說研究論著目錄〉，《東華漢學》第二期（2004 年 5 月），頁 1－5。收錄範圍由 1953 年起至 2003 年。

8. 周次吉，《神異經研究》，文津出版社，1986 年 7 月。

9. 王國良，《續齊諧記研究》，文史哲出版社，1987 年 12 月。

10. 王國良，《六朝志怪小說考論》，文史哲出版社，1988 年 11 月。

11. 王國良，《漢武洞冥記研究》，文史哲出版社，1989 年 10 月。

● 學位論文

1. 王國良，《魏晉南北朝志怪小說研究》，東吳大學中文研究所博士論文，1984 年。

2. 金克斌，《魏晉南北朝志怪小說中的世界——以《搜神記》為中心的研究》，東海大學歷史研究所碩士論文，1984 年。

3. 陳桂市，《《幽明錄》、《宣驗記》研究》，高雄師範大學國文研究所碩士論文，1987 年。

4. 李燕惠，《魏晉南北朝鬼神故事研究》，輔仁大學中文研究所碩士論文，1989 年。

● 單篇（期刊、會議論文及報紙）論文

1. 馬小梅，〈兩漢魏晉南北朝的小說〉，《文海》第 1 卷第 12 期，頁 2－10，1968 年 2 月。

2. 呂興昌，〈評《漢武內傳》〉，《現代文學》第 44 期，頁 61－73，1971 年 9 月。

3. 小川環樹著，張桐生譯，〈中國魏晉以後（三世紀以降）的仙鄉故事〉，《幼獅月刊》第 40 卷第 5 期，頁 33－36，1974 年 11 月。

4. 胡幼峰，〈干寶《搜神記》考〉，《幼獅月刊》第 40 卷第 1

期，頁 46－51，1975 年 7 月。

5. 張漢良，〈「楊林」故事系列的原型結構〉，《中外文學》第 3 卷第 11 期，頁 166－179，1975 年 4 月。

6. 王次澄，〈六朝文士所著之志怪小說〉，《東吳大學中國文學系系刊》第 1 期，頁 1－7，1975 年 5 月。

7. 王更生，〈小說的鼻祖干令昇〉，《中原文獻》第 8 卷第 4 期，頁 19，1976 年 4 月。

8. 葉慶炳，〈志怪小說中的雞和犬〉，《中華文化復興月刊》第 9 卷第 5 期，頁 45－46，1976 年 5 月。

9. 曾麗玲，〈漢魏六朝小說析論〉，《文心》第 4 期，頁 22－43，1976 年 6 月。

10. 賴芳伶，〈《閱微草堂筆記》和「六朝志怪」的關係及比較〉，《中外文學》第 5 卷第 1 期，頁 168－178，1976 年 6 月。

11. 張少真，〈產生六朝鬼神志怪小說之時代背景〉，《東吳大學中國文學系系刊》第 2 期，頁 18－24，1976 年 6 月。

12. 澎　湃，〈魏晉時代的鬼怪小說〉，《中華文藝》第 16 卷第 5 期，頁 54－62，1979 年 1 月。

13. 符濟梅，〈由《太平廣記》探討劉敬叔及其作品《異苑》〉，《華夏學報》第 8 期，頁 734－741，1979 年 4 月。

14. 洪湘卿，〈續齊諧記研究〉，《東吳大學中國文學系系刊》第 5 期，頁 4－9，1979 年 9 月。

15. 王國良，〈六朝小說概述（下）〉，《圖書與圖書館》第 1 卷第 2 期，頁 63－77，1979 年 12 月。

16. 王國良，〈韓憑夫婦故事的來源與流傳〉，《中外文學》第 8 卷第 11 期，頁 132－136，1980 年 4 月。

17. Dien, Albert E.著，周昭明譯，〈《冤魂志》考〉，《中華文化復興月刊》第 13 卷第 10 期，頁 53－63，1980 年 10 月。

18. 施之勉，〈《博物記》非唐蒙作〉，《大陸雜誌》第 62 卷第 6 期，頁 6，1981 年 6 月。

19. 賴芳伶，〈試論六朝志怪的幾個主題〉，《幼獅學誌》第 17 卷第 1 期，頁 94－108，1982 年 5 月。

20. 逯耀東，〈魏晉志異小說與史學的關係〉，《食貨月刊》第 12 卷 4、5 期，頁 134－146，1982 年 8 月。

21. 唐久寵，〈《博物志校證》評論〉，《中國古典小說研究專集 6》，頁 315－331，1983 年 7 月。

22. 陳兆禎，〈《漢武洞冥記》研究〉，《東吳文史學報》第 5 期，頁 53－70，1986 年 8 月。

23. 王國良，〈敦煌本《搜神記》考辨〉，《漢學研究》第 4 卷第 2 期，頁 379－387，1986 年 12 月。

24. 翁麗雪，〈六朝志怪小說中的俠義風貌探析〉，《文藻學報》第 2 期，頁 41－56，1987 年 12 月。

25. 王國良，〈《列異傳》研究〉，《東吳文史學報》第 6 期，頁 29－44，1988 年 1 月。

26. 王國良，〈《唐前志怪小說史》評介〉，《小說戲曲研究》第 1 期，頁 361－373，1988 年 5 月。

27. 李豐楙，〈六朝道教洞天說與遊歷仙境小說〉，《小說戲曲研究》第 1 期，頁 3－52，1988 年五月。

28.胡仲權，〈《列異傳》中物象變化的運用技巧〉，《中華文化復興月刊》第 21 卷第 11 期，頁 49－59，1988 年 11 月。

29.葉慶炳，〈六朝至唐代的他界結構小說〉，《臺大中文學報》第 3 期，頁 7－28，1989 年 12 月。

30.王國良，〈古典文獻中螺精傳說〉，《漢學研究》第 8 卷第 1 期，頁 513－521，1990 年 6 月。

31.林明德，〈六朝志怪的魅力〉，《國文天地》第 6 卷第 3 期，頁 43－45，1990 年 8 月。

四、結　語

　　學界在《專科目錄的編輯方法》❿一書問世之前，並無針對專科目錄提出方法論的專著。編纂專科目錄的學者往往由編輯中學習經驗，自錯誤中尋求改進，或彼此交換編纂心得，或參考前人編製專科目錄的形式，故體例上難以劃一。

　　完善的學科目錄，可以客觀反應該學科發展脈絡，瞭解前人成果，探索是否還有發展的價值，對於研究上的幫助不言可喻。在資料蒐羅完備之後，如何呈現與方便後學利用，似乎更加重要。正所謂「取法乎上」，多多參閱其他專科目錄的編纂方式，使目錄盡量便利讀者應用，發揮最大效益。早期專科目錄在編排方式、著錄項目不盡完善，或許已不敷今日所需，然其亦有值得取法或借鏡之處，不可全然束之高閣。

---

❿　林慶彰編：《專科目錄的編輯方法》，頁 III。

《香港中國古典文學研究論文目錄（1950-2000）》述評

趙威維[*]

書　　名：《香港中國古典文學研究論文目錄
　　　　　（1950-2000）》
主　　編：鄺健行、吳淑鈿
出 版 者：上海　上海古籍出版社
出版日期：2005 年 10 月
頁　　數：541 頁

一、前　言

　　香港是一塊特殊的土地。從歷史的發展上來看，由於在清末時就將香港交由英國統治，因此當中國正處於政治與戰亂的動盪期時，它偏安於南方，受到戰亂波及的程度較小，成為了一個華人避難的樂土。而在海峽兩岸對峙的時期，它又可以遊走於兩岸之間，

---

[*]　趙威維，臺北大學古典文獻學研究所碩士生。

不受海峽兩岸各受掣肘的局面所限制，而得以作為兩岸交流的一個管道。因為這樣特殊的時空背景，使得香港的人才濟濟，這些學者來自於四面八方，使得香港在文藝發展與學術研究方面得到很大的助力，奠定了後來香港發展學術研究的一個基石。

在香港，由於在 1950 到 2000 年之間是由英國所統治，因此相對於早期的兩岸來說，在學術自由方面有較大的空間。在這樣學術自由的環境之下，除了香港本地的學者利用這樣的學術自由創刊了許多的學術性雜誌與學報之外，全世界各地的華人學者，也利用香港這樣一個特殊的優勢，樂於在香港的學報雜誌上發表他們的學術成果與心得。因此，從交流的角度來說，這些學術性出版品中的研究資料，可說是具有呈現當時國際性學術研究成果的價值。例如在當時，《紅樓夢》的討論研究就一度以香港為中心而展開，無論是對《紅樓夢》文本的考證，或是對其內容思想的索隱與批評的文章，在當時都出現在香港的刊物上。如潘重規先生在香港中文大學中成立的《紅樓夢》研究中心，出版了《紅樓夢研究專刊》❶共十二輯，其中趙岡、周策縱、柳存仁、方豪、陳慶浩、李治華等著名的紅學專家都曾經為之撰稿，形成了一股研究《紅樓夢》的熱潮，可說是與中國大陸的紅學相互輝映。由此可見，香港在學術環境自由、學者人才濟濟的情形之下，所產生出來的研究也應受到相當的重視。

要想觀察香港這五十年來對於古典文學的研究發展，最好的方

---

❶　紅樓夢研究小組，《紅樓夢研究專刊》（香港：新亞研究所，1967 年 4 月－1976 年 7 月），共 12 輯。

法自然是由其研究成果來加以討論。從學報以及期刊為主的出版資料來看，顯示出了香港是一個具有包容性的研究特質，其研究的風格不限於單一方面。其討論最多的還是在詩詞曲的部分，其次是古典小說、詩文評論、戲曲等，從斷代來看的話，則應該是受到了《紅樓夢》研究熱潮的影響，以清代的研究成果最多。至於以五十年間成果多寡的比較來看，則多是集中在 60 年代，其次是 70、80、90 年代，而以 50 年代最少。❷這各個範圍所表現的成就不一，但也直接的告訴我們，香港在這一個世紀以來，對中國古典文學這個領域中最直接的體認，而這個體認就表現在研究成就上。

在此目編成之前，並沒有人做過類似的整理。而鄺健行先生與吳淑鈿先生在編輯《香港中國古典文學研究論文選粹》的同時，也將此部論著目錄編成，為我們提供了一個觀察的角度。而論著目錄的重點在於其收錄內容範圍是否與其論著目名稱相符，並且以符合現代學術研究的格式來加以表現。因此本文將就其所收錄的內容範圍，與著錄方式是否符合現代學術的著錄方式來加以討論。

二、内容簡介

《香港中國古典文學研究論文目錄》是鄺健行先生與吳淑鈿先生在香港浸會大學時，為一個以彙輯「中國古典文學研究出版資料」為主題的研究項目所做的資料收集工作。他們將 1950 年到2000 年間，約五十年來在香港出版的中國古典文學研究資料，製

---

❷　吳淑鈿：〈文學評論篇序〉，《香港中國古典文學研究論文選粹（1950－2000）文學評論篇》（南京：江蘇古籍出版社，2003 年 1 月），頁 5。

作成了一個具有相當規模的資料庫。這當中包括了專書、學報、期刊以及論文集當中相關的文章，甚至還有報刊上所發表的相關文章，可以說是收羅廣泛。而此目錄是這個研究計畫的最後一個部分，也就是資料庫的紙本總目錄。

此目錄標題所設定的範圍為香港地區，編者對於香港的定義是：只要在「香港出版資料」上所發行的文章，不論其身份是大陸、香港、臺灣或是海外，一律均予以收錄。而「香港出版資料」的意思，則是凡在香港出版的刊物，無論其編輯單位是否位於香港，一律均算是香港的出版資料。

在這樣的前提之下，其書中所收錄的條目是來自於期刊學報與論文集中的論文，對於專書與報章上的文章則不予收錄。而書中所收文章條目的編排方式有兩種，第一種是依照討論文類與文章的性質為主要的分類依據，共分為九類，分別為「通論」、「《詩經》」、「楚辭」、「詩詞曲」、「小說」、「戲曲」、「賦、駢文、散文」、「文學批評與理論」、「書評、序跋、校記」。各類的編排以發表年月為序，若月份不明者，則排在當年的最後；若日期不明者，則排為當月的最前面。

第二種是依照出版刊物為單位，每種刊物之下之條目仍是以時間先後作為編排的順序。刊物的排列方式以筆畫多少為標準，首字非漢字的排在最前面。其中較為特殊的是不列期數或是卷數，而是單純以時間作為查找資料的唯一依據。書後附有作者索引，依照作者姓名筆畫來加以排列，檢索的對象是第一種以討論類別為單位的目錄。

三、內容評析

　　本書由於是對於五十年來，在香港地區的中國古典文學研究所做的一個總結性的成果，雖然收錄範圍僅就學報、期刊內的相關篇目，但仍是具有一定的價值與地位，以下就其特色與待改進之處，加以說明。

㈠ 內容特色

1.是第一部對香港地區的學術發展作總結性的整理

　　在本書之前，並沒有其他對於香港古典文學研究這個範圍作一個完整整理的論著目出現。若是想要瞭解香港地區在中國古典文學研究這個領域，究竟在哪些方面有成就，也僅能片斷的從一些文章中得知，而無法有全面性的瞭解。

　　編者有鑑於此，也瞭解要呈現學術發展最好的方式便是將其成果加以展現。因此在彙集相關古典文學研究資料的同時，也利用論著目的方式加以展現其整理的成果。而此書目所佔的地位也相當重要，一方面是第一部對於香港五十年來，在古典文學研究方面成果的顯現。另一方面，2000 年正當處於一個新世紀的開始，我們必須對上個世紀的學術成就作一個通盤的瞭解，以作為下個世紀開始的準備。因此，無論從時間的角度或是其內容所呈現出來的價值，都是必須予以肯定的。

2.對於「香港研究」認定明確

　　編者所設定的題目範圍是在香港地區，這樣的設定通常都會產生混淆。究竟在香港地區所產生的研究資料應該如何定義較為妥當，有些人認為應該寬泛一些，把只要國籍是香港的人，不論其旅

居何地，所做的研究都應該算是香港地區研究的成果。也有些人認為必須嚴謹一些，必須是香港人而且在香港本地發表的文章，才應當收入。這兩個說法都存在著某一些困難與漏洞。

前者認為應當寬泛一些，然而就香港出生而旅居國外的人來說，對於其研究成果資料的查找會是一個相當大的問題，無法保證可以完整的收集到其研究成果。再者，若是入了其他國籍，那還算是香港的成果嗎？因此，這樣的說法存在著執行上與判斷上的困難。就後者來說，有些學者可能不是在香港出生，或是沒有香港的國籍，但是他可能一生中主要的活動地點都在香港，主要的研究成果也都在香港產生。這樣情形所出現的研究成果卻不加收錄，對於討論整體學術發展上來說，會是一個很大的漏洞。

因此，編者在決定這個地區範圍的條件時，採用了折衷的方式。也就是當文章是在香港出版的期刊上發表時，不論作者國籍為何，也不論編輯的地區為何，只要是香港地區出版的刊物上所發表的文章，一概算是香港地區的研究成果。這樣的判斷標準是可以被接受的。採用這種標準的結果，一方面對於顯示香港地區學術發展可以有全面性的展現，另一方面在資料的蒐集上也不會有太多的問題。因此是一個可以達到展現成果的好方法。

㈡ 需改進的缺失

由上述的說明可以知道，本書希望透過論著目的方式，來表現出學術發展的進程與成果。然而以專科目錄的標準來看，本書中仍有許多需要改進的缺失，以下分就數項加以說明。

1. 資料收錄不完備

在本書的前言當中提到，所處理的資料範圍是學報與期刊中的

文章，對於專書則不作收錄。但是僅就其所指的資料來看，仍有許多錯漏的地方。這些錯漏的原因，許多都是由於對於所處理的資料內容定義不清楚，所導致到後來資料收錄時的前後不一致，茲列具下列各點來加以說明。

(1)「體例說明」過於簡單

在討論資料收錄之前，要先討論到底收錄的標準為何，而這個標準應該在凡例，也就是書前的「體例說明」中加以清楚表達。所說明的項目應該就書中所收錄的範圍加以明確規範，如時間為1950 年到 2000 年間出版的文章，其出版地必須為香港地區，收錄的資料型態為學報與期刊論文。

其中也應該說明「中國古典文學研究」的範圍究竟為何，例如研究韓愈的詩、散文算是古典文學研究的範圍，那研究韓愈本人算不算是古典文學研究？研究韓愈與其友人的交遊算不算是古典文學研究？類似這樣的問題必須加以釐清，而且在「體例說明」中表現出來。若是要一概納入這個領域的範圍中也無不可，但是在收集條目時，必須以同一個標準對於相同的條目加以收錄。不應該有類似條目，有的收有的不收的情形。

例如，第 116 頁：

107　1964/4　晏叔原與曹雪芹　子樵　藝林叢錄

111　1964/4　曹荃與曹宜　周汝昌　藝林叢錄

以上兩條都是關於人物與其他人交遊的文章，但在同一本期刊中，卻有同樣類似題名卻未收入的文章：

黃　裳　陳之鄰與吳梅村
藝林叢錄　第 4 期　頁 314—319　1964 年 4 月

可知其在收錄標準上的定義不甚清楚，才會有這樣的漏收情形。

　　另外在古典文學時期的斷限也甚為模糊，像是對於清末民初時的人物，其收錄的狀況甚為不一。如蘇曼殊（1884—1918）、吳昌碩（1844—1927）、柳亞子（1887—1958），這三位都是近現代的詩人，將之歸類在古典文學研究的範圍中，似乎有點牽強。何況在書中還有收錄一篇〈民國詩僧蘇曼殊〉❸，可見將蘇曼殊歸在民國時期的詩人，而非古典時期。因此在資料的收錄上就會有參差不齊的現象出現。

　　由此可知，決定目錄的範圍時，必須對於這個範圍的界定非常清楚，才不會出現與應收的資料失之交臂的情形。讀者在使用此論文目錄時，也可依照詳盡的「體例說明」，明白的瞭解這個目錄所要呈現的內容為何，在使用上才可以方便的找到所需的篇目名稱。

　　⑵收錄條目不齊全

　　這個部分是指對於學報與期刊這兩種出版品中，與收錄範圍相關但是卻沒有收入的情況。有下列幾種情形：

　　有同為一書，相關條目卻沒有收入者，例如《香港大學中文學會會刊（年刊）》❹這本學報，著錄 8 篇有關《文心雕龍》的文

---

❸　鄺健行、吳淑鈿編：《香港中國古典文學研究論文目錄（1950—2000）》（上海：上海古籍出版社，2005 年 10 月），頁 31。

❹　饒宗頤主編：《香港大學中文學會年刊·文心雕龍研究專號》（香港：香港大學中文學會，1962 年 12 月）。

章，卻少了下列幾條：

> 饒宗頤　論文選賦類區分情志之義答直方
> 香港大學中文學會年刊 · 文心雕龍研究專號　頁
> 88　1962 年 12 月
> 李直方　騷經「哀志」九歌「傷情」說
> 香港大學中文學會年刊 · 文心雕龍研究專號　頁
> 81－88　1962 年 12 月

又如《聯合書院學報》第 2 期中，漏收下列兩條：

> 姚莘農　「出使中國記」之戲劇史資料
> 聯合書院學報　第 2 期　頁 19　1963 年 6 月
> 柳存仁　論明清中國通俗小說之版本
> 聯合書院學報　第 2 期　頁 36　1963 年 6 月

又如《藝林叢錄》第 4 期漏收了三條（前文中〈陳之鄰與吳梅村〉）：

> 商衍鑒　科舉試考的八股文
> 藝林叢錄　第 4 期　頁 20－23　1964 年 4 月
> 石　峻　「客途秋恨」初校
> 藝林叢錄　第 4 期　頁 294－299　1964 年 4 月

有同為一個學報，漏掉其中一期篇目未收者，例如《新亞學報》第5卷第2期當中有兩條的相關條目均未見收入，補充如下：

> 金中樞　宋代古文運動之發展研究
>
> 　　　　新亞學報　第5卷2期　頁79－146　1963年8月
>
> 柳存仁　西遊記的明刻本──倫敦所見中國小說書目提要之一
>
> 　　　　新亞學報　第5卷2期　頁323－375　1963年8月

又如《考功集》三輯❺全本未收，其漏收條目如下：

> 吳賢德　孔子「思無邪」與「鄭聲淫」底蘊解故
>
> 　　　　考功集三輯　頁2－26　2000年
>
> 許清麗　張炎及其詞研究
>
> 　　　　考功集三輯　頁28－50　2000年

由上面的說明可以知道，本書在資料收錄時，因為對於何者當收、何者不當收的問題，使得書中的資料顯的並不齊全與完備。又再對於全面性的資料掌握上沒有非常的理想，讓一些該收入的條目未能加以收錄，也是一個頗為嚴重的缺失。

2.著錄項目不完整

凡是論著目錄，除了要表現出整體的研究成果之外，很大一部

---

❺　陳炳良等編，《考功集》三輯（香港：嶺南大學中文系，2000年）。此為電子版本，不出印刷型紙本，因此只能在嶺南大學中文系網站上可以查到。其網址如下：http://www.library.ln.edu.hk/etext/chi/chid3/index.html。

份是要讓讀者能夠依照書目上的記載，查到他所需要的資料。因此，對於條目的著錄項目有著一定的要求。如書中所收錄的資料型態多是學報、期刊與論文集，就學報與期刊的標準來說，在著錄時必須加以標示的項目有：篇目作者、篇目名稱、學報期刊名稱、卷期數、學報期刊的發行地、出版者、出版日期、篇目的起迄頁數等項目。而論文集亦是大同小異，其項目有：篇目作者、篇目名稱、論文集名稱、出版資訊、篇目的起迄頁數等。在著錄時將這些項目加以說明，才可以說是較為完整的著錄項目。

　　本書中對於學報期刊一律不註明卷期數，依照編者的說法是因為要以時間為序，因而不另列期數或卷數。❻然而就算是要按照時間來編排，加記卷期數為何會造成困擾？記上了卷期數一樣可以依照時間先後作為排序的依據，兩者之間並沒有很明顯的衝突。但是若不記卷期數，就會使得讀者在使用這本書的時候，即使找到了某篇文章在某期的期刊之中，卻因為無法知道正確的卷期，則必須將標示時間內的卷期數從頭瀏覽，造成資料查找上的不方便。

　　另外，對於起迄頁數本書也不加以著錄。這個項目對於讀者來說也是很重要的一個項目，因為讀者在讀不到文章的情形之下，第一可以先判斷的就是其篇幅的大小。篇幅較大的文章，其中所討論到的資料相對也會較多。雖然篇幅短小的文章不見得就沒有精闢的見解，但對於使用者來說，篇幅較大的文章因為有較多的資料，也可以節省他查找資料的時間。因此這個項目也不應該加以省略。

---

❻　本書「體例說明」：「以時為序是我們體認資料的重要背景成分，故不另列期數或卷數。」

其餘的出版地、出版社的部分，雖然在書名中已經確定了是香港地區出版的學術論文，但是仍然應該再加以註明。這是因為常常有雜誌是同名稱的，如《純文學》❼這本雜誌，在香港是由正文出版社出版的，在臺灣則由臺北的純文學雜誌社所出版。對於在臺灣的讀者來說，若是不加以註明，在查找時也會發生一定的混淆。

由上述的說明可以知道，本書在著錄學報、期刊篇目的相關資料時，仍有許多必須加以補足的地方。

3.分類太過簡單

由於本書所討論的是中國古典文學，因此習慣上的分類就會採用文體來作為分類的依據。但本書的分類太過於簡單，對於條目內容性質的分析不夠完全。以分為九類的類名來看，將「賦、駢文、散文」三者分為一類，似乎有些不妥當，賦、駢文是有韻的文體，散文是無韻的文體，這三者放在一起，是認為他們的特性是一樣的嗎？因此這個應當再加以分析。

就全書的條目分配來看，全書共收錄 3544 條的條目，但「詩詞曲」一類就佔了 1497 條，將近一半的份量，其他的部分如「通論」僅 105 條，這樣大的落差，實在有再加以分析的必要。另外「小說」一類也是，共有 760 條，但是「戲曲」、「賦、駢文、散文」與「文學批評與理論」三類相加，也不過約略相等，可知在「小說」類中，一定可以再加以離析，使其有更好的安排。

就內容上來看，「詩詞曲」一類中，光是詩的部分就有 756

---

❼ 《純文學》，一是臺北市純文學出版社所出版的雜誌，屬於月刊，於 1972 年 3 月停刊。一是香港的正文出版社出版，在 1998 年創刊，也是屬於月刊。

條，佔了本類的一半，也與獨立一類的「小說」條目相當。又如在各類之中多參雜了人物傳記，這類的文章單純討論古人的生平與交遊，應該從各類中抽出別為一類，才不會混在各類之中顯的有點突兀。

條目的分類安排若是得宜，則讀者在翻開目次頁時，就可以依照分類的大綱來明白這個領域的學術成就。也就有「辨章學術，考鏡源流」的功用，另外也是方便讀者查找所需的條目，而不會浪費時間。

4.檢索的方式過於單調

這是指書後所設計的索引方式只有作者索引，這樣太過於單調，無法利用交叉查詢的方式快速找到所需的條目。而書中的第二部份，其實應該是書目的索引，就是將同一書中的所有條目編排於下，可以讓讀者知道書名而不知道篇名時方便查找。

所缺的一個就是篇名索引，本書的第一部份是按照時間先後編排，第二部份是依照學報期刊的種類加以排序，書後的索引是作者索引。若是讀者只知道篇名，在查找的過程中又因為全書分為九類，各類中條目分配不均，很可能要找一篇關於詩詞的文章，就要翻完一本書，從頭看到尾。因此需要一個對篇目所做的索引，來幫助讀者可以依照作者、期刊、篇名來快速的查找到所要的條目資料。

5.編排的體例不佳

本書全部條目為 3544 條，書中條目的序號安排是每一類從頭開始編號，這樣的設計就會產生序號重複的問題，造成編輯書後索引的困擾，也使得讀者在使用時無法馬上理解要如何使用索引。

　　書後的索引安排方式是以作者為主，將同一作者的作品繫在其名稱之下，以編號方式表示。但是編號因為是每類從頭開始編，所以必須再編號之前加上頁數。如此一來，只要同一頁中沒有相同編號的條目就可以避免掉同號的問題。例如：

牟宗三　　46/404；126/258 ❽

余英時　　129/316；130/318，319；131/340；113/378；

　　　　　134/380，381，382，387 ❾

但是這樣其實是多此一舉，只要在編序號時從 1 號開始，編到 3544 號就可以了。書後的索引也就不必如此的費事，而變的容易理解與查找了。

四、結　語

　　《香港中國古典文學研究論文目錄（1950－2000）》實是總結香港地區五十年來的一個成果，在這樣的前提之下，實在應該能夠作的更加的完善些。下面就我個人的意見提供一些建議，作為以後改善的方向。

1. 多利用工具書作查找資料

　　既然是要總結這個時代的成果，則利用前人已經編好的各式工

---

❽　鄺健行、吳淑鈿主編：《香港中國古典文學研究論文目錄（1950－2000）》，頁 513。

❾　鄺健行、吳淑鈿主編：《香港中國古典文學研究論文目錄（1950－2000）》，頁 514。

具書做資料的收集是必須的。例如使用《東洋學文獻類目》❿來查找一些早年的期刊，其中已將古典文學的部分作分類，利用上相當的方便。又如利用《詞學論著總目（1901－1992）》⓫收集有關於詞學的部分。再利用一些現有的網站資料庫作查詢，相信可以將原本的資料補充得更加完備。

2.改變排版的方式，完整記載著錄項目

現在的學術論文都要求必須按照某一個既定的格式來作表現，包括引文、引用的資料等等。因此若是這些資料註明完善，讓使用者可以在查找更為方便，也可以讓讀者在引用時能夠完整的說明所引用的資料，將會使這部書的功能性大大增加，也可以讓更多的人知道香港的學術成就。

3.利用統一排序的方式，增加檢索的便利性

將所有的條目統一排序，每一個條目有一個獨立且不變換的序號，將可以使書後所附的檢索在查檢上更有效果，也更加的方便。若再加上書後有篇目、作者兩種方式的索引，對於使用者在使用本書時，可以更容易的查找到所需的條目。

本書作為二十世紀結尾、二十一世紀初的一項成果展現，實是有它的價值存在。然而若是能夠精益求精，則對於香港地區的學術研究發展，相信也一定會產生出正面且積極的作用。

---

❿ 日本京都大學人文科學研究所附屬東洋學文獻中心編：《東洋學文獻類目》（京都：日本京都大學人文科學研究所附屬東洋學文獻中心，1966 年）。

⓫ 林玫儀主編：《詞學論著總目（1901－1992）》（臺北：中央研究院中國文哲研究所籌備處，1995 年）。

評《詞學論著總目（1901－1992）》

李天賜*

書　　　名：《詞學論著總目（1901－1992）》
主　　　編：林玫儀
編　　　輯：曾純純、陳靜芳、張雁雯、陳佩珊、王雲玉
出 版 者：臺北　中央研究院中國文哲研究所籌備處
出版日期：1995 年 6 月
冊　　　數：4 冊
總 頁 數：2712 頁

一、前　言

　　顧廷龍先生曾說：「目錄的排比類次，其繁重並不亞於論著的撰述。編輯索引目錄之工作，更比整理其他種類文物嘉惠於專家學

者為多。」●誠然，好的工具書，常常要花費學者極大的心血與精神，曠日費時才能完成，其絕不僅只具有「方便查尋」的功能，還同時會具有「辨章學術，考鏡源流」的學術價值，是最我們值得注意的重要學術成果。所以如黃文吉先生於《詞學研究書目（1912－1992）》〈自序〉中說到：

> 研究任何一門學問，如果不能立足崇高，目標遠大，想要有所成就，則非常困難。……一本完整的目錄，可反映前人研究的總成績，做學問能掌握前人的研究成果，立足自然崇高；由前人的研究成果，瞭解前人尚未解決之問題，進而掌握學術發展之方向，目光自然遠大。●

我們在作學問的時候，不能傻傻的埋頭苦做，應該要不時抬頭張望，藉由那些「善心」的專家學者所整理出來的目錄，瞭解大家的研究成果與方向，如果發現有值得參考借鏡者，一定要將其找出來看看，畢竟我們「後學者」佔便宜的地方就是，有前人的理論經驗供我們墊腳，我們只要能再在其上精益求精，自然能看得更高、走的更遠，就好像「接力賽」一般。正如黃文吉先生於《詞學研究年鑑 1995－1996》〈卷首語〉所提到的：「我們不能滿足於已有的成果，我們需要有重大的開拓和創新。要開拓、要創新，就必須對

● 沈津編：《顧廷龍年譜》（上海：上海古籍出版社，2004 年），頁 703。
● 黃文吉主編：《詞學研究書目（1912－1992）》（臺北：文津出版社，1993 年），頁 3。

已有的文獻資料和學術成果進行階段性的綜合整理和全面總結」。
❸所以，黃文吉先生便在〈一九四九～一九七九年詞學研究論文目
錄索引〉❹之後編出了《詞學研究書目（1912－1992）》❺，成為
詞學專科目錄名實相符的開創者；而林玫儀先生更在黃文吉先生
後，精益求精的編出了《詞學論著總目（1901－1992）》。❻

　　林玫儀先生於本書目〈前言〉中提到：

> 近代以來，詞學研究之成果雖云豐碩，卻無較完整而可靠之
> 目錄資料。由於相關資訊不足，學者往往各自為政，或則研
> 究範圍雷同，導致人力浪費，或則無法全面觀照，造成研究
> 上之缺陷。如此，研究成果非唯不能相互結合、截長補短，
> 更無法由點及面、由淺而深。❼

從這段話我們可以發現，林玫儀先生對於在其之前的黃《目》是有
所不滿的，所以在〈前言〉中，其花了不少的篇幅針對黃《目》做
出評論，指出了其許多的缺失❽，而為了避免這同樣的毛病發生在

---

❸　劉揚忠等編：《詞學研究年鑑 1995－1996》（武漢：武漢出版社，2000
　　年），頁 1。
❹　華東師範大學中文系古典文學研究室編：〈附錄：一九四九～一九七九年詞
　　學研究論文目錄索引〉，《詞學研究論文集（1949－1979 年）》（上海：上
　　海古籍出版社，1982 年），頁 496－543。
❺　以下簡稱「黃《目》」。
❻　以下簡稱「本書目」。
❼　林玫儀主編：《詞學論著總目（1901－1992）》，〈前言〉，頁 1。
❽　此點筆者將於三之（一）處專門討論之。

自己身上，本書目花了許多的時間查核資料❾，以求能達到詳實無誤，不致發生因資料錯誤反而誤導讀者的事件。

二、內容體例

本書目由於有前本可因，所以收集資料更加完善和精密。以下筆者將針對本書目的特色介紹。此單元內容主要整理自謝旻琪〈詞學研究目錄的開創與革新——評《詞學研究書目》與《詞學論著總目》〉❿與林玫儀先生自己在本書目〈前言〉中所歸納：

㈠儘量求全的擴大蒐羅資料的範圍：本書目只要是有關於詞學的資料，包括專著和單篇論文等，皆在蒐羅之列。資料的來源相當廣泛，包含了臺灣、大陸、香港、新加坡、日本、韓國、美國、加拿大、法國、蘇俄、德國、義大利、瑞士、匈牙利等地，去其重複，加以查核，最後共得 24,989 條（附錄鑑賞辭典資料其一萬餘條未計入）。⓫

㈡分類精細：本書目中分類極為細密，全書共分四大類：

第一類為「詞學總論」：其下再分為二十類，145 小類。⓬

第二類為「詞籍」：其下再分為九類，36 小類。

第三類為「詞學雜著」：其下再分為十一類，30 小類。

第四類為「詞家與詞作」：其下再分為十二類，994 小類。

---

❾ 本書目〈前言〉，頁 3：「查核資料所花之時間幾為蒐集資料之二倍。」

❿ 林慶彰：《專科目錄的編輯方法》（臺北：臺灣學生書局，2001 年），頁 213－228。

⓫ 比黃《目》所收的 12,702 條多出了近一倍。

⓬ 這裡所謂的「小類」，包括小類及小類下的細目等。

合計共四大類，五十二類，1205 小類。這比黃《目》分成十一類，570 小類者，更加精細許多。

㈢ 著錄方式：專書以作者、書名、出版地、出版者、出版年月、頁數為序。論文則以作者、篇名、刊名、卷期、年月、頁次為序。出版年月一律使用西元，至於頁次，一般都注明起訖頁碼，另以「；」表示轉頁。若不知訖於何頁，則於起頁後加「－」號表示之。

㈣外文資料，除俄文及韓文外，均按原文著錄，並以符號表明該文所使用之文字：◇表示日文，△號表示韓文，☆表示法文，◎表示俄文，⊙表示義大利文，⊕表示德文，英文則不加符號。

㈤所有名號除按筆畫順序排列外，另統一序列於本名之下，並以「△」表明此為同一人。讀者查尋任一名號，皆可查得此作者在詞學著作中使用的所有名號。以龍沐勛為例，讀者查「籜公」，可立即得知署此名號之條目，欲再查知龍氏其他著作，則可在「龍沐勛」之下查得「△龍榆生」、「△榆生」、「△龍元亮」、「△籜公」、「△俞耿」、「△無覺」、「△忍庵」、「△忍寒居士」等不同名字之條號，非但可知悉本書收錄龍氏論詞資料之全貌，並可知龍氏發表詞學論著曾使用過何種名號。

㈥有關期刊、報紙之資料，各書記載頗有出入，凡此，均儘量比對核實，實在無法查知者，則注明「未詳」，以俟他日。

㈦大陸學者之姓名，由於簡化字兼代之問題，往往在復原時形成困擾，本書處理原則，若能判斷其為簡體則改用正體，否則一仍其舊。如「云」字一般用在姓名中，多為「雲」字之簡體，尤以女性為然；唯如「云告」、「謝云聲」之類，則未必是，故不予更

改。「茅于美」之不改作「茅於美」，亦同。

㈧詞人中凡條數超過七條者即獨立一家，按時代為序，不足七條者統入「其他」目下，按姓氏筆畫排列，唯清代女詞人則合稱「女詞人」，集中一處，蓋因女詞人乃近年詞學研究之新方向，置於一處，既可窺見研究之概況及成果，亦方便讀者查尋。

以上八點，明顯的可讓讀者窺見編者的細心與態度，是極其慎重而用心的。

三、優點部分

此單元，筆者將內容分為兩大類：一類為本書目在檢討的他人同時也警惕自己者；一類為本書目與眾不同的特出部分。茲分述如下：

㈠ **對黃《目》缺失的改正**

此點內容主要整理自林玫儀先生在本書目〈前言〉中所評論黃《目》者。一方面檢討他人，二方面警惕自己而避免重蹈覆轍者，因此列為優點，筆者將其歸類為三方面：

1.誤收錄非詞資料者允以剔除：有些條目標題為詞，但實際上內容為詩的，如木下彪等論王國維〈頤和園詞〉、杜若論王湘綺〈圓明園詞〉、林海音等論〈清宮詞〉，以及曾仁杰《金湖小農詞三十韻》等，內容實都為詩，李正宇〈下女夫詞〉實際上是變文；羅錦堂〈詞話中的花關索〉為曲；趙琴〈論王文山〈拋磚詞〉〉為歌；余青〈談詞品〉乃為文法上語詞的分品，甘雨〈詞的選擇與創造〉實為談如何選用文詞。上述皆為非詞卻誤收入。

另外，還有內容與詞無所涉的資料也誤收入，如劉逸生〈江湖

憂國識巴丘〉是論陳與義的七律〈巴丘書事〉；前川幸雄〈西溪漁唱の研究序說〉是論漢詩，周生春〈踏逐釋義商榷〉為論宋代俗語；王文才〈冀國夫人歌詞及浣花亭〉及毛一波論吳梅村〈汲古閣歌〉都為歌詞或歌，也不是詞。

2.作者時代錯置將其糾正：如嚴繩孫與朱彝尊並稱「江南三布衣」，石芝為嘉慶、道光年間人，莫亭芝活動時間主要在道、咸、同，而許南英為光緒十六年進士，黃文吉《詞學研究書目（1912－1992）》中卻將嚴繩孫《秋水詞》、衣萍〈記石鶴舫的詞〉、顧樸光〈莫庭芝詩詞藝術初探〉和毛一波〈許南英的詩詞〉等皆歸入民國詞人中，並且顧樸光誤為「照朴光」。

3.名號、作者混淆不清者一一釐清：如將于北山與施蟄存之別號「北山」混同，施先生署名「北山」的作品皆被歸入「于北山」之下；〈遜宣樂府序〉作者應為夏敬觀，誤作「龍沐勛」；〈讀雲瑤雜記〉作者應為趙尊嶽，誤作「張爾田」。

此三點中，第一點可說是「知易行難」，只有對此專科有深厚的學識者才可能辦到。或許對學界人名熟悉者，能以條目中作者的專長為線索，減少部分比對功夫；再者就是先前曾經翻閱過留有印象。否則真要一一將論文找出比對，不僅曠日費時，且許多論文不見得找得到，只能盡力而為，難度極大。當然如果編者完全不參考前人的編目，從頭由原始資料蒐集整理做起，只要能集合多人、配合各地方的學者分別就當地的資料努力求全，然後再整合編出，是有可能做到的。然而，以目前學界多各自為陣的情形來看，這樣的要求可能只存在於「理想」中，非現實所能及。至於第二、第三點，則是出於對資料的疏於查核、整理，或歸類不夠仔細，或在資

料輸入時所產生的人為疏失所致，比第一點容易避免，該是每一部專科目錄都應該達到者，而黃《目》依然難免有這類的問題，**實屬遺憾**。由此可知，資料的查檢是十分重要的，如果一條資料查檢不慎，很容易就會造成讀者的誤解，如此不僅無法助益讀者，反而還會造成讀者的困擾。**⓭**

㈡ 特出部分

此單元內容主要整理自謝旻琪〈詞學研究目錄的開創與革新——評《詞學研究書目》與《詞學論著總目》〉與林玫儀先生自己在本書目〈序言〉與〈凡例〉中所條列者：

1.運用參見之法：一般論著內容如涉及兩個或兩個以上的主題或詞家，一般書目往往有兩種處理方式，一種就是並列，一種就是只列於一處，於他處註明參照某類。前者會重複注錄，多佔篇幅；後者則需要重新檢索，麻煩不便。所以本書目中設計了參見之法，若某條分見於兩處以上，則將條文至於關係較密切或時代較早處，其餘各處則標明該條流水號，讀者查檢至此，僅需按號碼檢索，不但可以避免重複過多，而且不至漏失資料。例如，以下四條皆與史達祖有關：

07682　唐圭璋　梅溪詞選釋序

⓭ 林玫儀先生在本書目〈序言〉中，使用了大篇幅檢討前人作品的缺失，並且還身體力行的自我要求，花費了大量的人力物力，其目的就是要提醒大家，「批評」不僅只是在雞蛋裡挑骨頭，更是為了要產生良性的循環，是希望後來的人不要再犯相同的錯誤，因為有些錯誤會讓原本的一番「好心」結成惡果，不可不慎。

15004　　繆　鉞　靈谿詞說（續九）──論黃庭堅詞、論史
　　　　　達祖詞

15697　　夏承燾　天風閣讀詞札記──片玉集、梅溪詞、後
　　　　　村長短句、竹山詞

19958　　金啟華　清空峭拔的白石詞及梅溪詞

本書目的做法是將第一條歸入「詞學雜著」類「序跋」之下，第二條歸入黃庭堅，第三條歸入周邦彥，第四條歸入姜夔，並於史達祖「總論其詞」一節後註明：「參見：07682，15004，15697，19958」。

　　2.酌加按語說明：有些論著在篇名上無法判定內容，如不查原典則很難得知其內容為何，尤其是札記、隨筆類，所以書中按照情形加按語，以方便讀者。序言中舉了五種情形：

　　⑴篇題無法望文生義者，如原田憲雄〈過雁〉一文下有按語
　　　云：「按：李清照〈聲聲慢〉。」

　　⑵書名與內容略有出入，在分類上需作調整者，也加上按語。
　　　如吳丈蜀《詞牌例釋》一書，內容實為詞譜，於是將之歸於
　　　詞譜類而不入詞牌類，並加上按語：「按：為簡明之詞
　　　譜。」

　　⑶略知其範圍，而未詳其說者，如蟄庵〈強煥〉一文下云：
　　　「按：考其人即溧陽丞強彥文。」

　　⑷札記隨筆類往往涉及範圍廣雜，所以也一一考察原文，如鄭
　　　文焯遺著〈半雨樓雜鈔（四）〉一文下云：「按：校夢窗
　　　〈江南春〉、白石〈石湖仙〉。」

(5)序跋中若沒有原書作者的姓氏，則加上按語，如葉恭綽〈款
　　紅樓詞跋〉一文下云：「按：梁鼎芬著。」

　3.收錄鑑賞辭典：本書的另一個特點就收錄了鑑賞辭典。近年
來有許多詞的鑑賞辭典，但學者往往以為鑑賞辭典的學術價值不
高，所以就有所忽略。然而林玫儀認為，一詞裡面的一字一句歷來
往往有許多不同的說解，如能將鑑賞辭典中的資料加以合併，按照
作者、詞牌等重新編列，置於附錄中，對讀者而言不啻是增加了一
萬多條資料。

　4.附錄內容豐富：本書目總頁數為 2712 面，而八大附錄就佔
了 942 面的篇幅，超過 1/3 的份量，以下將對其分別介紹：

(1)鑑賞類書籍選析詞作索引。總共收錄三十六種鑑賞辭典賞析
　　性論文之目錄，依作者、詞牌、首句為序，將各書所選析作
　　品之頁碼列於其後，讀者如若欲了解某一詞、某一句各家說
　　法之同異，於此即可索得其出處、頁碼等。

(2) 1901 年以來重要詞學叢刊目錄。共收二十六種叢書，其中
　　子目，皆依序編排於此，能保留各叢刊之特色。

(3) 1901 年以來三大詞學期刊總目。《詞學季刊》、《同聲月
　　刊》及《詞學》三大刊物，乃近數十年來最重要之詞學期
　　刊、標幟著近代詞學發展之重要軌跡。

(4)本書收錄中外文期刊總目。羅列各刊物之「創刊日期，刊史
　　（如停刊、復刊、改名）」等。

(5)本書收錄中外論文集總目。凡本書引錄之論文集，均逐項注
　　明其作者、出版地、出版社、出版年月及頁數，資料不明者
　　注明『未詳』。

(6)本書收錄中文報紙總目。包括出刊情形、出版地、創刊日期
及沿革等。

(7)本書參用之書目及索引。分「一般性之書目及期刊索引」、
「專題性之書目及期刊索引」、「學位論文書目及索引」，
「詞學論文書目及索引」四種。

(8)本書所收論著作者索引。本索引排序標準依次為筆畫、部
首、字數。先依作者姓氏或首字筆畫為序，筆畫相同者，則
依 214 部首排列；首字相同，若字數不同則按字數多寡，字
數少者在前；若字數相同，則以第二字為準，仍依先筆畫再
部首之標準。中文之後，接以英、法、德等國文字，皆按字
母排列。

以上內容，即屬於本書目的優點部分，是值得我們編排目錄者
參考的。而下一單元，筆者將吹毛求疵的對其提出一些缺點暨具體
建議，目的是希望好還能更好。

四、缺點暨具體建議

檢討別人的目的就是為了要提醒自己，什麼地方要小心注意，
什麼錯誤不能犯，什麼優點應該學習，所以以下筆者將條列出，所
觀察到、思考到的問題，所提出的建議並非定論，僅只是筆者一時
的意見，提出讓大家能注意、討論。而批評的標準，則以林玫儀先
生在本書目〈序言〉中所云：「目錄之作用在於減省讀者蒐尋資料
之時間及心力，完備性及詳實性乃二項基本要求，故本書在編纂

時，即以此為目標。」⓮

　㈠針對其外文資料條目者，並未附註翻譯的問題。正如林玫儀先生在本書目〈序言〉中所云：「一般詞學目錄對外文資料皆不甚措意，往往聊備一格而已，其中乖錯舛誤，令人不忍卒睹。本書分別委請學者協助處理，故能較為完備及詳實。」⓯筆者以為，對於外文資料的種種問題，有不小的因素是由於「語言能力」所產生的，而其外文資料皆無翻譯，對於語言能力不足之讀者，那些資料只是徒增困擾，達不到「方便讀者」的效用。

　㈡本書目在細目下的條目雜亂無章，找不出排列次序，就連同一作者的作品都分列多處，未予集中，增加讀者許多困擾。建議能以作者筆劃數為序，讓同一細目下同一作者的作品能集中一處，之後再依作品的發表年月，依次排列。如此不僅能方便讀者免窮於翻找之苦，且以發表年月為序，更能藉此看出作者對此問題的思考歷程，對後學者極有提示之用，幫助頗巨。

　㈢在頁數標示部分，專書許多有未標示總頁數者⓰；發表於期刊或裁篇者未標頁數者⓱；報刊未標版面數者。⓲雖然，此點可從

⓮　林玫儀主編：《詞學論著總目（1901－1992）》，頁 2。

⓯　林玫儀主編：《詞學論著總目（1901－1992）》，〈前言〉，頁 4。

⓰　林玫儀主編：《詞學論著總目（1901－1992）》，頁 8：00115。P12：00182 及 00185。頁 13：00193。頁 14：00206 及 00211。頁 15：00218 及 00266 與 00234……等，這類例子有不少。

⓱　林玫儀主編：《詞學論著總目（1901－1992）》，頁 1：00001、00002、00003、00005、00006、00007、00008、00009，此類多不勝舉。

⓲　林玫儀主編：《詞學論著總目（1901－1992）》，頁 1：00011。頁 3：00031、00039。頁 6：00087。頁 12：00188。此類例子比上兩者少。

林玫儀先生於〈前言〉、〈凡例〉處看出，等於是說：「如為引用他人書目者，登錄項或有不全，敬請見諒。」然而，筆者仍然必須將此點舉出，以期待來者能針對此點有所改進。

　　㈣在附錄七「本書參用之書目即索引」中，是否能附上「館藏單位」？筆者在翻閱時發現，有許多文獻是一般人不容易取得者，甚至，根本就找不到其館藏單位，這讓筆者因為只能聞其名，不能知其實，而倍感煎熬。如果能隨書附上「館藏單位」的話，就能真正方便讀者了。❶

　　㈤關於第四類「詞家與詞作」中作家合論者的部分，筆者以為，黃文吉先生將這部份以重複著錄的處理方式，對於研究者可說是十分便利，反而林玫儀先生改用參見法將條文置於時代較前的地方，其餘各處僅標明該條條號，雖說是非常仔細，但讀者使用起來反而較為複雜。

　　㈥於本文第二單元第㈣點韓文代號為△、第㈤點作者有不同名號時代號也為△，如此相同符號表不同涵義，是否恰當？如果韓文當中的作者也有不同名號問題的話，那是否會造成讀者困擾？這是個值得思考的問題。另外，關於表示日文的◇以及表示韓文的△符號，這兩個者是否多餘可以不用標示？因為日文與韓文是大家可以一目了然的兩種語言，較沒有混淆的疑慮。而其他西文皆屬拼音文字，在查詢時較難判別，需要符號輔助，理屬必須。

　　㈦於本文第二單元㈧點提到，將清代女詞人集中一處，以方

---

❶　其實筆者以為，就連其所收條目中為罕見者，如果能有館藏單位，那就真是大功德了。

便讀者查尋，筆者以為，詞本來就是個較特別的文類，歷代都不乏女詞人，是否能統一將各時代的女詞人集中一處收錄呢？

㈧於本文第二單元第㈦點，大陸學者名字簡體字翻成繁體字的問題。按簡體字規定，專名字可不一定改簡體字⑳，再加上我們對於外文也通常會保持其原貌，頂多會附上翻譯而已，所以，筆者以為，簡體字者不妨就以簡體字的方式著錄，如此一來，既可以知道這是對岸的學術成績，二來也不會產生字型轉換上的問題。

㈨關於本文第三單元㈡之 2 點酌加按語說明的部分，有些按語顯得有點多餘，比如說吳丈蜀《詞牌例釋》，內容為詞譜，本書目中實已將此書歸於詞譜而不入詞牌類，已經可說是很詳實了，卻又加上按語：「按：為簡明之詞譜。」

㈩關於本文第三單元㈡之 4 之⑵、4 之⑶點，把現今不容易見到的詞學叢刊（二十六種）和三大期刊（《詞學季刊》、《同聲月刊》、《詞學》）列出子目，保留了這些刊物的原貌，功不可沒。如果能在前面目錄的部分，將那些叢書、期刊被裁篇置於各類中的條目的後面，增加「參附錄○－○」標示的話，那麼將會使得附錄的功能得到更大的發揮，如此就更功德圓滿了。

(十一)關於本文第三單元㈡之 4 之⑵點叢刊目錄、㈡之 4 之⑶點三大期刊總目，由於其所收資料極為豐富，所以反而讓人在查找時要不太容易，所以如果能在這兩個附錄前面，有一簡單目錄的話，那就能方便讀者查找了。

(十二)關於本文第三單元㈡之 4 之⑸點，中外論文集總目，書中只

⑳ 沈津編：《顧廷龍年譜》，頁 671。

列出論文集之書名、編者等出版項，如果能像叢書或三大期刊一樣，進一步列出其篇目名那就更好了。

　　以上十二點，是筆者在翻閱時的感想，或許有些要求太過，但出發點是好的，僅供大家參考。

五、結　語

　　無論是黃《目》或者是本書目，其編者都在序中提及，在此之前他們都花費了許多年的時間，針對於這方面的資料留心蒐集，其後再加上動用人際關係，廣求專家學者的協助，才能完成此一目錄，「窮盡心力於資料之蒐羅查核，其間甘苦實不足為外人道。」㉑他們這樣的精神實在令筆者感動。常常有人在評鑑目錄時會提到「全、不全」的問題，其實，到底什麼是全？什麼是不全呢？根本就不可能有人能說的出什麼樣子是「全」！就是因為不知道什麼是全，所以永遠不可能達到「全」。就如我們在輯佚書時所遭遇到的問題一樣，如果有人知道原貌是如何，那就根本不用輯佚，就是因為亡佚，沒人知道原貌如何，所以才需要輯佚一般。所以說，當我們發現手頭上的目錄有所缺漏時，我們應該先設身處地的為編者想想，他為何會犯這樣子的錯，然後記取教訓，等到有一天自己能編出一部不會犯同樣錯誤的目錄時，才算是有一點資格能批評「它」了，而且在批評時應該還要懷著感恩的心，因為就是有前人犯的錯，才讓我們有所警惕，不至犯同樣錯誤的呀！

　　當然，本書目已經是非常傑出的專科目錄了，它展現了二十世

㉑　林玫儀主編：《詞學論著總目（1901－1992）》，〈前言〉，頁2。

紀的詞學研究成果，使得研究詞學的學者能更方便取得資料，學者
們如能站在前人研究的基礎上，那麼研究自然可以事半功倍。因為
它所蒐錄的資料包羅各地，這讓我們與各地學者的隔閡減低許多，
給大家在交流時提供了極大的幫助。回顧歷來研究詞學的學者，往
往因為資料的難以取得，而使得學者無法了解現階段的詞學成就到
了什麼地步，再加上因此造成可供參考的資料少了許多，所以作出
來的研究成果常常大打折扣。再者，學者辛苦作出的研究成果，無
法廣為眾人所知也是一大遺憾，所以本書目的推出實在是一件值得
大書特書的大事。其實，每一部好的專科目錄的推出，都對該方面
研究的學者會帶來莫大的幫助，這些我們都應該對他們給予應有的
重視，而好好的對他們讚揚一番才是。

《湯顯祖研究文獻目錄》評介

劉芮伶*

書　　　名：《湯顯祖研究文獻目錄》
主　　　編：陳美雪
出 版 者：臺北　臺灣學生書局
出版日期：1997 年 12 月
頁　　　數：215 頁

一、前　言

　　湯顯祖（1550－1616），字義仍，號若士，亦號海若，又號清遠道人，別號玉茗堂主人。江西臨川人。明穆宗隆慶四年（1570）中舉，名在時文八大家之列，是明代偉大的戲劇家、文學家。提到湯顯祖，就不能不提到他在戲曲上的驚人成就：被人稱為「臨川四夢」的《牡丹亭》、《紫釵記》、《邯鄲記》、《南柯記》，未完成之《紫簫記》；還有他的戲曲表演、導演理論，和戲曲評論，以及所遺留的詩文手稿名帙，這些在「湯學」日盛的今天，全都成為

---

*　　劉芮伶，臺北大學古典文獻研究所碩士生。

學者們極力研究的對象。在早期，研究湯顯祖的學者，所要面臨的是資料不足的窘境。費海璣在《湯顯祖傳記之研究》中提到：「最近偶然談到我國的莎士比亞是湯顯祖。友人說外國人寫的莎學著作有無數冊，真的汗牛充棟，中國一本長的湯顯祖傳記也沒有，我們該倡湯學！我立刻附議，於是我費了兩週的時間，把有湯顯祖的史料找出來。」❶他怎麼找？從《明史》、湯顯祖親友之傳記、清王介錫的《明才子傳》、清蔣士銓的《玉茗先生傳》，以及各種文學史、批評史中有關公安派、明代戲曲小說、明代傳奇散曲的篇章中，努力地把史料「挖」出來，「由於第一手的原始史料非常之少，而後世之傳聞及觀點均偏於戲曲，所以不易得湯顯祖之真面目。」❷今日學人作湯顯祖研究，已不再因為資料的匱乏，而有巧婦難為之嘆，但因為湯顯祖所遺留下的大量作品，多都被他在戲曲上所散發的強烈光芒所掩蓋，所以若要以湯顯祖為研究對象，就不應該有所偏廢才是。

　　而隨著王國維的《宋元戲曲考》❸一書寫定，開啟了近代的戲曲研究，進而也帶動戲曲文獻的蓬勃發展，在越來越多學者投入戲曲研究工作的同時，也意識到戲曲文獻的不足與資料的瑣雜，戲曲文獻的研究與戲曲文獻目錄的編纂，在這一波學風下，漸漸為世人

---

❶　費海璣：《湯顯祖傳記之研究》（臺北：臺灣商務印書館，1974 年 5 月）。在其書第一頁中提及日人青木正兒所著之《中國近世戲曲史》，其中一段話：「顯祖之誕生，先於英國莎士比亞 14 年，後莎士比亞之逝世一年而卒，東西劇壇偉人，同出其時，亦奇也。」

❷　同前註，頁 18。

❸　王國維：《宋元戲曲考》（臺北：藝文印書館，1957 年 6 月）。

所重視。因為戲曲文獻有它獨特的地域性、多樣性（如戲服、舞臺、演出亦可為戲曲文獻之一環），和前賢學者多因刻意忽視的態度，再加上出土文獻和海外孤本的新發現，留給戲曲這個領域一個很大的研究空間，戲曲史研究和戲曲文獻學，也因此漸漸佔有一席之地，成為一個獨立的學科。隨著 1995 年 4 月「湯顯祖紀念館」落成開館，以及 2001 年 5 月 18 日，中國崑曲入圍聯合國教科文組織宣佈的第一批「人類口頭和非物質遺產代表作」名單，湯顯祖的研究逐漸成為顯學，而《牡丹亭》，更成了崑劇向世界發聲的名作，因此有關湯顯祖的各種研究蓬勃發展，其中，當然是以戲劇為大宗。

　　湯顯祖其人其作，經過歷代前賢的研究和改寫之後，留下可觀的著作，但卻缺乏一個具有正確目錄觀念所編輯而成的論著目錄。陳美雪教授因興趣而開始從事戲曲研究工作，並以編集一部《古典戲曲研究論著目錄》為目標，開始大力著手目錄索引的收集；即使在 1989 年 9 月，香港廣角鏡出版社出版了《中國古典戲曲研究資料索引》，但因為收錄年限過短（僅收 1949－1983 年間的論文），仍無法取代陳教授編集一部完整目錄的構想。但戲曲文獻資料過於龐雜，要以一人之力，完整編錄一部古典戲曲研究論著目錄，實有困難，因此陳教授改將有關湯顯祖的目錄抽出，編成此《湯顯祖研究文獻目錄》。在此目錄之前，已有余悅編〈湯顯祖研究資料索引〉❹、根ヶ山徹編《湯顯祖研究中文文獻目錄稿》❺、

---

❹　余悅：〈湯顯祖研究資料索引〉，《湯顯祖研究論文集》（北京：中國戲劇出版社，1984 年 5 月），頁 592－620。

于曼玲編《中國古典戲曲小說研究索引》❻，但前人收錄之條目過少，且僅收錄各種期刊中所刊載的論文，以致所收集的資料不夠完整；又因為過度依賴前人所編集之專科、綜合目錄，而缺少資料判讀和腳踏實地的功夫，造成有許多漏收的部分，都使得前人目錄有不臻完美之處。

綜合以上之論，從湯顯祖的著作、研究論著之蒐集是否完備，以及戲曲文獻目錄之特點，和一本優質的目錄工具書所應具備的特質三點來審視這本《湯顯祖研究文獻目錄》。

二、內容體例

㈠《湯顯祖研究文獻目錄》收錄了 1900－1995，臺灣、大陸、日本、歐美等地，研究湯顯祖之專著和論文條目；為求完備，亦收入 1900 年以前的部分傳記資料和 1996 年之部分論著條目。

㈡此目錄分上下兩編。

上編：湯氏著作，分全集、詩文集、戲曲合集、紫簫記、紫釵記、牡丹亭、南柯記、邯鄲記、評點作品等類，每一類下又分若干小類。此部分若附有收藏地點，乃參考傅惜華所編《明代傳奇全目》❼一書，和各重要圖書館書目歸納而成。

下編：後人研究論著，分傳記與年譜、作品總論、紫簫記、紫

---

❺ 根ヶ山徹：〈湯顯祖研究中文文獻目錄稿〉，《中國古典小說研究動態》，第 5 期（1991 年 10 月），頁 75－98。

❻ 于曼玲：《中國古典戲曲小說研究索引》（廣州：廣東高等教育出版社，1992 年 8 月）。

❼ 傅惜華：《明代傳奇全目》（北京：人民文學書版社，1981 年 2 月）。

釵記、牡丹亭、南柯記、邯鄲記、詩文與小說、評點作品、湯沈之
爭、學術活動、對國外的影響、論文集、書目文獻等類，每一類下
又分若干小類。

㈢專著之收入包括單行和收入叢書者；論文則包括期刊論文、
報紙論文、論文集論文、學位論文、學術會議論文等。

㈣專著和論文條目混合排列，排列依時間順序；若有再版者，
以其最新版日期較近者為後。資料內容涉及兩類以上者，則予以互
見，以方便檢索。

㈤凡例（編輯說明）處有詳細說明每一種專書或論文的條列方
式。

㈥附有四種附錄：《湯顯祖研究資料彙編》目次❽、引用工具
書目錄、引用專著和論文集目錄、作者索引，除第一種以類編排，
其餘以筆畫排序。

三、內容分析

㈠ 優點

1. 目錄編排仔細，附錄完備，查找容易

上編湯氏著作部分分為十類（全集、詩文集、戲曲合集、紫簫
記、紫釵記、牡丹亭、南柯記、邯鄲記、評點作品、其他），下有
小目；而下編後人研究論著則分十三類（傳記與年譜、劇作總論、
紫簫記、紫釵記、牡丹亭、南柯記、邯鄲記、詩文與小說研究、湯

---

❽ 據毛效同：《湯顯祖研究資料彙編》（上海：上海古籍出版社，1986 年 9
月），所編。

沈之爭、學術活動、對國外的影響、論文集、書目文獻），更做了三級目錄及頁碼編排，讓人可以迅速查找。

而附錄部分則是幫毛效同的《湯顯祖研究資料彙編》作了目錄，加上以筆畫順序編排的〈引用工具書目錄〉、〈引用專著和論文集目錄〉、〈作者索引〉，配上流水號，可以特定作者研究情況，及瞭解相關專著及論文集書目；並且有互見之編，減少查找時的缺漏。

2.以內容分類，反應時代學風

從目次即可看出當代學風，《牡丹亭》之研究仍為大宗。又在「劇作總論」、「牡丹亭」一類中的細目，可以看出學者是從什麼方向去進行湯顯祖戲曲及《牡丹亭》的研究。

論文及叢刊中的專著，附有該篇頁數，讓使用者便於查找，並且將所有版本都盡最大的力量蒐集齊備，如：

0306　湯顯祖著、錢南揚點校　邯鄲夢記❾

湯顯祖集　第 4 冊　頁 2277－2422　上海　中華書局二海編輯所　1962 年 11 月；上海　上海人民出版社　1973 年 7 月；臺北　洪氏出版社　1975 年（樂天人文叢書）

湯顯祖戲曲集　下冊　頁 769－854　上海　上海古籍出版社　1978 年 6 月；1982 年 6 月（中國古典文學叢書）

---

❾　陳美雪編：《湯顯祖研究文獻目錄》，頁33。

1085　梅溪　牡丹亭中的幾個人物形象❿

文史哲　1957 年第 7 期　頁 56－61　1957 年 7 月

元明清戲曲研究論文集　二集　頁 253－265　北京

人民文學出版社　1959 年 2 月

湯顯祖研究資料彙編（下）　頁 1016－1031　上海

上海古籍出版社　1986 年 9 月

4.論文集下有各篇目名稱

1466　侯外廬　論湯顯祖劇作四種⓫

北京　中國戲劇出版社　59 頁　1962 年 6 月

1.前記　頁 1－2

2.湯顯祖牡丹亭還魂記外傳　頁 1－19

3.論湯顯祖紫釵記和南柯記的思想性　頁 20－39

4.論湯顯祖邯鄲記的思想與風格　頁 40－59

5.蒐羅範圍廣，且親身查找，以求完備

如陳教授在此書〈自序〉所說：

編一本完整的目錄，除了應利用已有的各種綜合目錄、專科
目錄，也應研判那些部份的資料，前人的目錄可能失收。如

---

❿　陳美雪編：《湯顯祖研究文獻目錄》，頁 103。

⓫　陳美雪編：《湯顯祖研究文獻目錄》，頁 141。

中國人民大學所編複印報刊資料有《中國古代、近代文學研究》，應該會收錄不少湯顯祖的論文，可是，我在剪貼的過程中，卻未發現有出自該刊物的條目，遂到圖書館逐期檢查，竟抄得近百條資料。可見，腳踏實地的檢索，是編好一本目錄的先決條件。⑫

可見陳教授在編纂此目錄時所花費的心血和追求學術成就的熱忱，極力希望能夠完成一部實用、專業、完備的工具書，這是所有編輯目錄的學者，所應必備的決心和努力。

　　6.實際完成此目錄相關論著，為學者做學問先編纂目錄之實踐

　　在《湯顯祖研究文獻目錄》編成後約半年，陳教授之《湯顯祖的戲曲藝術》⑬亦寫定出版，書中提及「在編輯《湯顯祖研究文獻目錄》的過程中，我發現研究湯顯祖戲曲的論文，大多集中在《牡丹亭》這一劇本，質量也較高……」⑭由此可見學者之進行研究工作之前，必先對其研究對象作資料蒐集和整理的文獻彙整工作，文獻目錄的編定，不但嘉惠後學，更讓陳教授在整理湯顯祖研究文獻的同時，在心中勾勒出了研究的內容與方向。

㈡ **缺點**

　　陳教授在此書之〈自序〉中提及，欲以正確的目錄學知識來編纂此目錄，且多次提到丈夫林慶彰教授對於此目錄之協助，林慶彰

---

⑫　陳美雪編：《湯顯祖研究文獻目錄》，〈自序〉，頁Ⅱ。

⑬　陳美雪：《湯顯祖的戲曲藝術》（臺北：臺灣學生書局，1997年5月）。

⑭　陳美雪：《湯顯祖的戲曲藝術》，〈自序〉，頁Ⅱ。

教授為多次主編國內知名目錄如《經學研究論著目錄》⓯、《朱子學研究書目（1900－1991）》⓰等等之學者，對於目錄之要求與專業，絕對較一般學者更為嚴厲，故此《湯顯祖研究文獻目錄》之缺點，多於細微處放大評論而已。

　　1.上編湯氏著作部分，因追求原本，而下系古本之刊印情況。然有些為再版、有些為一版多出、有些為單篇所收入之總集名稱，因非常仔細，且要是符號一多，使得在拿到目錄之後，得有段摸索期，而非一目瞭然的排列方式。如：

　　0033　朱彝尊　湯顯祖詩選⓱
　　　　　明詩綜　卷 54　頁 25－27　臺北　世界書局　1970
　　　　　年再版
　　　　　影印文淵閣四庫全書　第 1460 冊　明詩綜卷 59　頁
　　　　　421　臺北　臺灣商務印書館　1983 年
　　0178　湯顯祖著、龍子猶（馮夢龍）更定　墨憨齋重定三會
　　　　　親風
　　　　　流夢　二卷　明末刊本（北京圖書館藏）⓲
　　　　　古本戲曲叢刊　初集　第 75 種　北京　文學古籍刊

⓯　林慶彰主編：《經學研究論著目錄（1912－1987）》（臺北：漢學研究中心，1989 年 12 月）。

⓰　林慶彰等編：《朱子學研究書目（1900－1991）》（臺北：文津出版社，1992 年）。

⓱　陳美雪編：《湯顯祖研究文獻目錄》，頁 4。

⓲　陳美雪編：《湯顯祖研究文獻目錄》，頁 19。

行社　1954 年 2 月

墨憨齋定本傳奇　下冊　北京　中國戲劇出版社
1960 年 4 月

2.作者間的標點並無統一。如：

0170　湯顯祖著，高布雲、蔣詠荷整理，楊蔭劉校訂　牡丹
亭（簡譜版）⓴

北京　音樂出版社　1 冊 1956 年

0171　湯顯祖著、徐朔方、楊孝梅校注　牡丹亭⓴

上海　古典文學出版社 1958 年 4 月

北京　中華書局　302 頁　1959 年 2 月新 1 版

北京　人民文學出版社　292 頁　1963 年 4 月

香港　中華書局香港分局　1976 年 5 月

北京　人民文學出版社　292 頁　1978 年

上海　上海古籍出版社　1978 年 10 月

臺北　西南書局　303 頁　1975 年 4 月（不題校注
者）

臺北　漢京文化事業公司　1984 年 3 月（不題校注
者）

臺北　里仁書局　387 頁 1995 年 2 月（有徐朔方的

⓴　陳美雪編：《湯顯祖研究文獻目錄》，頁 18。

⓴　陳美雪編：《湯顯祖研究文獻目錄》，頁 18。

〈前言〉，並增附錄四《杜麗娘慕色還魂話本》）

由以上兩條推論，該是要把共同作者之間用頓號，而編、譯、評、校等不同階段的作者則用逗號格開，此雖可能是照所收之條目的原文標點，但畢竟容易造成混淆，應儘量加以統一。

　　3.論文集下的子目排序並無統一，如：

1468　江西省江西省撫州地區紀念湯顯祖逝世 366 週年領導
　　　小組編　湯顯祖研究論文選㉑
　　　南昌　1982 年 9 月
　　　1.序言（傅柏林）
　　　2.試論湯顯祖的哲學思想（楊佐經）
　　　（以下略）

1471　江西省文學藝術研究所編　湯顯祖研究論文集㉒
　　　北京　中國戲劇出版社　1984 年 5 月
　　　1.郭漢城　序　頁 1—4
　　　2.徐朔方　湯顯祖和晚名思潮　頁 5—24
　　　（以下略）

或許是照原書收錄的一個結果，但是為了使用方便，應力求統一，並且能標明頁數為佳。

㉑　陳美雪編：《湯顯祖研究文獻目錄》，頁 141。
㉒　陳美雪編：《湯顯祖研究文獻目錄》，頁 147。

4.外文資料略顯薄弱,略以西文作者看,僅有 18 條;日人也約僅有 54 條而已。且在〈編輯說明〉中提到外文條目,「均依原來之語文著錄,僅俄文之條目,為排版方便,改用中文著錄。」❷然而在〈自序〉中又提及:

> 本書中的外文條目,透過外子的協助,委託中央研究院中國文哲研究所戲曲名家華瑋博士和王璦玲博士訂正英文部分;留德哲學家江日新先生訂正德文部份。❷

由此可見,即便是如陳教授在湯顯祖研究上已頗具心得,在相關領域的外文方面,仍需透過其他專業人士的協助來校定條目,更何況其他需要利用此書的後進,面對不熟悉的語文之時,是多麼地無助與惶恐!因此若能適當地加上翻譯,會使得他人在利用這本工具書時更加得心應手。如近期的《朱子研究書目新編(1900－2002)》❷,便有在韓文條目後附有篇名與刊名的中文翻譯,在外文的條目上,除了儘量收入之外,妥善利用也應是一個要點。

5.頁碼缺漏之部分,如:

　　0393　八木澤元　湯顯祖傳的研究❷

---

❷　陳美雪編:《湯顯祖研究文獻目錄》,〈編輯說明〉,頁Ⅴ。

❷　陳美雪編:《湯顯祖研究文獻目錄》,〈自序〉,頁Ⅱ。

❷　吳展良:《朱子研究書目新編(1900－2002)》(臺北:國立臺灣大學出版中心,2005 年)。

❷　陳美雪編:《湯顯祖研究文獻目錄》,頁 45。

　　　明代劇作家研究　第 7 章　<u>353－415</u>　臺北

　　　中心書局　1977 年 4 月

　0398　黃文錫　　湯顯祖㉗

　　　江西戲劇　1982 年 1 期　頁 <u>74－</u>

　1056　董大葵　　牡丹亭驚夢美學特徵瑣談㉘

　　　湯顯祖研究論文選　<u>頁　　－　　</u>　江西省撫州地區紀念

　　　湯顯祖逝世 366 週年領導小組辦公室 1982 年 9 月

　　6.收錄年限距今已超過十年，故從今人眼光來看已有不足，僅
以《中國期刊網》查找來看，1996 年以來和湯顯祖相關或直接研
究湯顯祖的論著，已有 603 條。更何況近十年來「湯學」儼然成為
顯學，國內外學者相繼投入湯顯祖研究，其有待編收部分只有更多
更雜而已。

　　7.漏收之部分，一本目錄難免都會有缺收之部分，尤其早年網
路未普及，學者們必須以一一查找的方式收錄條目，加以對於大陸
方面的資訊不足，或是無法掌握最新訊息，以致在條目的搜羅上有
所漏失，如：

　　聞而畏〈李漁「抹倒」湯顯祖辨〉，《北京大學學報（哲學
　　社會科學版）》，1994 年 06 期，頁 56－62。

　　黃寅〈論湯顯祖的戲劇觀〉，《浙江大學學報（人文社會科

㉗　陳美雪編：《湯顯祖研究文獻目錄》，頁 45。

㉘　陳美雪編：《湯顯祖研究文獻目錄》，頁 100。

學版）》，第 8 卷 2 期（1994 年 6 月），頁 86－90。

王善政〈湯顯祖夜宿「雲門」〉，《黃梅戲藝術》，1994
年 02 期，頁 126－127。

四、與近人所做之湯顯祖相關研究文獻目錄比較

㈠ 毛效同，《湯顯祖研究資料彙編》：

此書的特點為「只取直接述及湯氏本人或作品的東西」，「且
盡力找出原始材料，只取最早一篇」。又依內容分類，將資料分
為：散佚作品（61 篇）、生平（12 篇）、家人（22 篇）、交遊
（213 篇）、詩文述評（159 篇）、戲劇（401 篇）、其他作品述
評（30 篇）、遺迹（33 篇）、以湯氏生平為題材之戲劇（3
篇）、著作版本，共十種。

是書分上、下二冊，將所論及之篇章抄錄下來之後，經多次校
對後始恢復其本來面目，才加以收錄。其實本書不能歸為目錄，而
是將湯顯祖相關之資料經篩選、考證、校定的工作，再以分類的方
式將內容抄錄下來，依其所述之篇目，共有 934 篇，是前人在資料
取得不易之情況下，極力彙整而出，對文獻的保存和研究工作的進
行，有很大的助益；然因其成書較早，且以專著篇章為主，是其缺
憾之處。以湯顯祖資料來看，收錄類別已盡量全面化（雖仍以戲劇
為其大宗）；以戲曲文獻來看，因有蒐羅到演出湯顯祖劇目時的情
形或唱詞，以足有戲曲文獻之特殊價值；再以目錄學的角度來看，
其書前未有編目、亦無索引，故要逐篇查找，實為使用不便之處。

㈡ **余悅，〈湯顯祖研究資料索引〉：**

　　此篇約有三百種資料，亦將內容分為湯顯祖原著和湯顯祖研究
論著兩部分；前者為明、清和解放前後各種版本的原著，後者則包
括湯顯祖年譜（表）和部分整理改變的湯氏戲劇作品、論文和專
著。兩部均按類編排，每類又按其出版、發表時間排列。此篇參考
了前人的索引，再加上部分已出版的全國報刊索引和中國古典文學
研究論文索引，體例上則是以篇（書）名在前，後列著（編）者姓
名、出版單位（報刊名稱）、卷期和出版時間。此書兩部以下再以
類編目的方式，可說是《湯顯祖研究文獻目錄》的原型，兩者相較
起來，由於此索引以類編目，可以明顯地看出資料之不足，如第一
湯顯祖原著部分，「尺牘」類下居然只有一條：

　　湯顯祖尺牘　　（明）湯顯祖　一九三六年　上海雜誌公司
　　鉛印本　一冊

且因為是短時間所編列之目錄篇章，又以條目不多，故前無索引、
亦無編碼，只能逐條查找；分類不夠仔細，故無以突顯各類作品的
數量，亦有分類不甚佳之處，如〈湯顯祖和他的《牡丹亭》〉收在
概述類而非作品下的牡丹亭類。而論文的部分都沒有頁碼；論文集
的部分只列總集名稱而無列出其中各篇目，皆是其最大的缺失。

㈢ **鄒元江，〈湯顯祖研究資料目錄索引〉** ㉙：

㉙　鄒元江：《湯顯祖新論》（臺北：國家出版社，2005 年 6 月），頁 500－
　　553。

此索引收錄年限為 1998－2004，僅收錄作者寫作《湯顯祖新論》一書期間，近五年的相關著作及研究資料。其分為原著新版本及研究專著，劇作英譯、改編、演出及其評論，研究論文，港澳臺及國外湯顯祖研究四大部分，各類下再編小目，共約五百六十餘種。其目錄以各大電子資料庫和已出版之各大索引和前人編輯之湯顯祖相關索引，著錄體例為原著名稱下列有作者、版本（包括出版單位或報刊名稱、卷期、出版或發表時間）等項。因其為書後所附之目錄索引，故為直式由右至左的中式排版方式，和《湯顯祖研究文獻目錄》相較起來，其優點是年代較新，且掌握了大陸和美國方面的論文較多，論文集則獨立為一小目，下列論文集中所收之論文，惜無標明頁數；缺點是臺灣之論文收錄較少，以專著為主（故港澳臺及海外部分收錄無年份之限），且國外（非華文）之專著論文也以美國為主，戲曲文獻研究之大宗日本僅見一條；又並非所有論文都有標明頁數，加上目錄之主要來源為資料庫及前人之目錄，大概並非全為親身所見者。

五、結　論

在此本目錄之前，著名的戲曲目錄，如王國維的《曲錄》❸⓿、莊一拂的《古典戲曲存彙考》❸❶等等，差不多時期的亦有《古典小說戲曲書目》（1991 年）、《中國戲曲研究書目提要》（1992年）、《中國近代戲曲論著總目》（1994 年），但是這幾本戲曲

---

❸⓿　王國維：《曲錄》（臺北：藝文印書館，1957 年）。
❸❶　莊一拂：《古典戲曲存彙考》（上海：上海古籍出版社，1982 年）。

目錄中，不是未收期刊論文，就是僅以專門談論戲曲相關的期刊雜誌為收錄對象，再者就是有收入期刊論文，但都只有寥寥幾條，論文集的內容更沒有詳細的列出，變得是以「書目」為主的目錄，並無正視期刊論文、學術論文的重要性。苗懷明先生在其〈中國古典戲曲目錄學的新進展〉一文中，將二十世紀幾部戲曲目錄都做了一番整體的檢討和批評，顯露出戲曲目錄之不足：

> ……（所評論之各目錄）距理想中那種全面、詳實、嚴密、準確、體例完善的戲曲目錄著作還有一定的距離，這樣理想的戲曲目錄還有待研究者通力合作和不斷努力。㉜

而整體論之，陳教授此本《湯顯祖研究文獻目錄》，為特定學者作專著目錄，立下了一個良好的典範，其不但使用嚴謹的治學態度、紮實的實作工夫，並且配合完整的目錄學觀念，編製了一部實用又方便的工具書，雖不得不論其缺點，實則瑕不掩瑜。

在內容上，從湯顯祖各方面的學術論著，到日常生活的交遊尺牘，都極力蒐羅，不至偏廢，又明顯了凸顯出某方面的相關論著及研究篇目之多，完整顯示了當代學人在湯顯祖研究上的著眼處。

在戲曲文獻價值上，本目錄雖與前人之戲曲目錄略有不同，除了以內容分類、以人類書、達到辨章學術考鏡源流之功、具有極高的資料及學術價值之外，像是小序、提要的寫作，傳統中令人極為

㉜　苗懷明：〈中國古典戲曲目錄學的新進展〉，《文學遺產》，2001 年第 4 期，頁 100。

重視的戲曲目錄的一項特點，此目錄中並沒有依循前人之路；又苗懷明先生認為「那些只有劇目而文本無存的作品固然有其文獻學方面的價值，但對實際研究的意義不大」❸，因此極力推崇如梁淑安、姚柯夫的《中國近代傳奇雜劇經眼錄》❸此種的戲曲目錄寫作方式。

其實不論前人對戲曲文獻的看法，《湯顯祖研究文獻目錄》秉持著專業的目錄學概念，整潔而完整地提供文本的版本溯源、以及今天可在哪些新出版書籍中，見到某些古本；並且在後人研究論著中，對於其劇作理論的研究，做了詳盡的分類，每種劇本的研究，也依照其研究資料的多寡，做了最適宜的分派，讓後學在初觸湯顯祖的戲曲研究之時，也能馬上瞭解前人是從哪些角度和方法去作研究。然近年的戲曲文獻，逐漸重視對於各地的田野調查和文物的記載，甚至對於演出的影像、照片都亟欲成為戲曲文獻所收錄的對象！就此點去看，或許是後人在收錄戲曲文獻目錄之時，不得不注意的一點。加上本目錄的收錄年限距今已若干年，筆者期見此本目錄的續編，或者是陳教授一開始所欲編輯的《古典戲曲研究論著目錄》，挾帶著新興的戲曲文獻學，能在戲曲文獻學目錄中，再立下一個足以為後人所仿效的標竿。

---

❸　苗懷明：〈中國古典戲曲目錄學的新進展〉，頁 97。

❸　梁淑安、姚柯夫：《中國近代傳奇雜劇經眼錄》（北京：書目文獻出版社，1996 年 10 月）。

評《新編增補
清末民初小說目錄》

憨　齋*

書　　　名：《新編增補清末民初小說目錄》

主　　　編：樽本照雄

出　版　者：濟南　齊魯書社

出版日期：2002 年 4 月

頁　　　數：981 頁

　　在中國小說史上，晚清小說（具體說，主要指戊戌變法之後至
清末這十來年的小說）是一個最為特別的部分，與此前千餘年的小
說面目迥異。浙江古籍出版社近年出《中國小說史叢書》，其中既
有《清代小說史》，又有《晚清小說史》，這從邏輯事理上說，是
不大通的，因為「清代」這一概念當然已經包含了「晚清」這一時
段在內，二者並列，實有毛病。不過，這樣的安排也說明主編者對

---

*　　憨齋，為作者之筆名，真實姓名待查。

晚清小說特殊的高度重視。

　　首次對晚清小說數量作出統計的學者，是阿英先生。他的《晚清戲曲小說目》是以晚清小說為對象的書目著作之開山。此書收錄的小說作品書目，時限為 1898－1911 年，創作和翻譯作品兼收。屬創作作品者，不到五百種。

　　江蘇社科院明清小說研究中心、文學研究所編寫，中國文聯出版公司 1990 年 2 月出版的《中國通俗小說總目提要》，是另一種重要的小說目錄著作。此書所著錄的屬創作性質晚清同一時段的小說書目數量，要比阿英之作多一些，為五百五十六種（其中三十四種不明具體刊印年份）。此書只收創作作品，資料詳實，體例嚴謹，論斷準確，對每一種收入的作品，均介紹其作者、別名、內容提要、回目、主要版本及藏處，少數已佚者或未見者亦予說明。極便使用。

　　而至今為止，收錄晚清小說書目數量最多的著作，是日本學者樽本照雄的《新編增補清末民初小說目錄》。此書所收錄對象，是一切清末民初小說，無論是創作還是翻譯，也不管其篇幅、形式、體裁如何，並不像上述兩作那樣明確地以「成書」為前提，而且其所謂「清末民初」的時限又相當模糊，許多二十世紀二十年代的作品甚至八九十年代的版本也收進去，因此所收數量當然比前述兩種著作大增。作者《本書的使用方法》中給出了統計數字：「至 2001 年 11 月為止，包括再版、重印版、影印版，本目錄共收錄創作作品 13810 條，翻譯作品 5346 條，共計 19156 條。」當然，這些驚人的數字中，屬「再版、重印版、電印版」者佔的比重很大。如《老殘遊記》，包括初、二集合印者，竟有一百八十餘種不同版

本。也就是說，在此書中《老殘遊記》這一種作品佔了一百八十多個詞條，這種情況非常多。真正的創作或者翻譯作品，遠遠低於所標數字。

由於此書所收作品並非僅限於晚清，而是上至十九世紀四十年代、下至二十世紀二十年代，跨越時間將近百年，所以我們所說的自戊戌變法至清亡這一明確的晚清時期的小說數量，在本書中並沒有統計數，需要讀者自己梳理。

郭延禮先生有〈一部富有學術意義和使用價值的工具書——推薦齊魯書社版《增補新編清末民初小說目錄》〉一文（見《明清小說研究》2002 年 4 期。筆者按：郭先生所引書名中的「增補新編」似應為「新編增補」），高度評價了樽本先生此著，認為此書「主要有四大特點和價值：⑴《目錄》所收小說，單行本與雜誌上刊載的並重。……⑵糾正了近年（或晚清）小說翻譯多於創作的結論。……⑶記錄小說出版史，具有學術價值。……⑷編排科學，使用方便。……」

郭先生的這幾點評價，筆者都同意。但是，本著實事求是的精神，筆者也不得不指出，樽本先生此著中也存在著諸如體例混亂、收錄不當等頗多並不算小的問題。

此較嚴重的問題是，收入了數量不少的非小說作品。筆者僅僅根據一些常識性知識和此種小說書目本身所透露出來的信息，粗翻一過，隨手就瀏覽所及記下的不能稱為小說的作品名目至少就有一百三十種以上。如果細加稽核，相信還可以找到更多。這其中，有些是論文，如章炳麟的《駁康有為書》，是有名的政論文，何以被視為小說，實在百思不解；又如《論淫場》、《華工何故不受優

待》、《男女情欲辨》之類，且不說從題目看就不像小說而像論文，更何況《論淫場》條本身還加了一個注（以括號標出）說此文是「武漢時事短論」，這怎麼能算小說呢？有一些是詩歌，如《跰廬詩刪剩》，書名本身就已表明這是詩集；又如《寄和桂林友人》《歐戰第三周年日口占》這類作品，筆者雖然沒有見過原文，但從題目看，可以斷言它們應是一首或一組詩。有一些是文集或詩文集，如《曼殊詩文》、《畏廬文集》、《李伯元全集》、《吳趼人全集》，詩文集、文集與小說不能畫等號，這是常識。有一些是筆記或日記，如《曼殊筆記》、《越璧如女士日記剩稿》、《我佛山人筆記》，與小說風馬牛不相及。而更多的則是戲劇作品，佔了大半。例子舉不勝舉。比如，丁西林頗為有名的獨幕話劇《一隻馬蜂》，發表於 1923 年 10 月，在這裡居然被當作「清末民初小說」，實在滑稽。南筱波山人的《愛國魂》、長洲呆道人（吳梅）的《風洞山》、鐵郎的《邯鄲夢》、祈黃樓主人（洪炳文）的《警黃鐘》、惜秋的《維新夢》、欽冰室主人（梁啟超）的《新羅馬》、湘靈子的《軒亭冤》、虞名的《指南公》、春夢生的《學海潮》、天虛我生（陳栩）的《自由花》等等，這些都是清末宣傳反清排滿思想或變法維新觀點的戲曲作品（傳奇），稍具晚清文學常識者都不會弄錯的，然而在此書中它們都變成了小說。

筆者當然已經注意到作者在前言中的聲明：「小說以外的作品在必要的情況下也予以收錄，使用者可以適當忽略。並且以此為根據指摘本目錄的錯誤沒有實際意義。」我認為，這種「打預防針」式的聲明，似有推卸責任和掩蓋自己的錯誤之嫌，不是一個學者應有的「知之為知之，不知為不知」的科學態度。樽本氏對其書中收

錄的作品，絕大部分沒有見過原文（自己在前言中也承認這一點：
「在日本能查到原本的將盡最大努力核對，但抱歉的是這種情況很
少。」）其材料是從許多種他人的相關著作或別種渠道輾轉而得的
二三手材料，而他對中國晚清文學的實際知識，恕我直言，看起來
似乎並不十分豐富。他大約以為凡登載在《小說林》、《繡像小
說》、《月月小說》、《新小說》之類刊物上的文學作品應該全是
小說，所以有聞必收；然而到底有些忐忑，於是先來這樣一個聲
明，表示他並非不懂，而是有「必要」這麼做。然而這種說法實在
不能令人信服。請問：在一部專收小說作品的目錄著作中混入這麼
多的論文、詩歌、筆記、戲劇等等，這「必要」性在何處？假如真
有什麼「必要」，為什麼不將這「必要」性加以說明？又為什麼不
在這些非小說的條目中註明它們的本來體裁？假如我在一部名為
《唐傳奇目錄》的書中，把〈長恨歌〉、〈師說〉、《李太白全
集》之類作為正文條目收錄，而給出的理由只有「有必要」這三個
字，則樽本先生對此如何評價？竊以為，根本就不存在這種「必
要」，真正的原因是編者貪多務得，在自己無法辨識真相的情況下
也不肯放棄每一條材料，魚龍混雜地全都塞進去，最後弄個「聲
明」來給自己留條後路罷了。

其它一些問題也並非不值一提。例如：

從一些清人筆記或文言小說集中抽出一些單篇文章，作為小說
條目。其抽取對象主要是宣鼎《夜雨秋燈錄》、毛祥麟《墨餘
錄》、陳其元《庸閑齋筆記》、韓邦慶《太仙漫稿》以及王韜的
《遁窟讕言》與《淞濱瑣話》、俞樾《右台仙館筆記》這幾種。抽
取者加起來有二三十篇，而這些筆記或文言小說集本身也作為小說

條目收入。從體例說，這種做法是混亂不當的。因為，首先，本書收錄作品時限內所出版的同類筆記、文言小說集，保守地說，也在一百種以上（參看寧稼雨《中國文言小說總目提要》），先不說本書收入此類小說是否妥當，最起碼的一個原則是，如果要收入此類作品，那就應當全面收取，而樽著所涉及者卻連種數都不到十分之一（若論篇數，則連百分之一都不到），這是根據什麼理由和標準？其次，就是所涉及的幾種集子，也只是每種略收其中幾則，比如文言短篇小說集《夜雨秋燈錄》，有作品二百三十篇，樽著僅收五六篇，而這幾篇遠遠不能說已經囊括了全書的精華，那麼去取的理由和標準又是什麼？樽本氏本人既無說明，讀者（至少是筆者本人）也想不出這種做法有什麼道理。

數據有誤。例如，《新黨現形記》，注出版於「宣統 33」年，「宣統」應為「光緒」。《假教習》注又見「提要 1182」，《光線》注又見「提要 1181」，《血淚花》注又見「提要 914」，這些「提要」指《中國通俗小說總目提要》。然而查「提要」，這些作品均無蹤影。《贈履奇情傳》注又見「提要 5」，實際在該書第 960 頁。《淞濱瑣話》注出版年份為「光緒癸巳 9（1893）」，其中「癸巳」後的「9」不知所云，若說是光緒年號的序數，那此年也應該是光緒十九年。H0542 條《黑餘錄》（毛祥麟著），「黑」應為「墨」。《崖山哀》的連載時間注為「1906 年 8 月 2日至 6 月 26 日」，莫名其妙。等等。

在收錄方面仍有明顯的遺漏。所謂「明顯」，是指編者在運用自己已經擁有的資料時還有漏收的情況或者中國學者已有相關研究成果而編著並未知曉。比如，《中國通俗小說總目提要》是樽著所

依據的重要資料來源之一,而該書所收的儂更有情的《愛之花》(《浙江潮》6－8 期,1903 年,3 回,未完)、啟蒙畫報社編寫出版的《黑奴傳》(19 回,1903),香夢詞人的《新兒女英雄傳》(8 回,小說進步社,1909)等十餘種晚清小說,就未被收入。又如,據田若虹先生的《陸士諤小說考論》一書所附的資料,能夠明確知其書名、出版者、出版時間的陸士諤小說,有近八十種。而樽著中所收錄的陸士諤小說,不到五十種。

此外,對此書前言中的一些提法,筆者也覺得可以商確。

例如,樽本氏以揶揄的口吻說:「中國學者一直把『翻譯小說非中國小說』的觀點作為中國學術界的常識來看待。」在評價江蘇社科院明清小說研究中心及文學所編《中國通俗小說總目提要》時,樽本氏說:「我所不滿的是沒有收錄翻譯小說。以前,我曾見過本提要的有關人士,他的說明是翻譯小說不是中國小說。我啞然以對,⋯⋯怎麼能對清末民初出現的大量翻譯小說無視到這種程度呢?」

樽本氏的說法讓人難以理解:把外國的小說翻譯成中文,這樣的小說難道已經不是外國小說而變成了中國小說?「翻譯小說非中國小說」的觀點難道不應該「作為中國學術界的常識來看待」?日本人也曾把包括《西遊記》等名著在內的許多中國小說翻譯為日文,如果照他的觀點來推論,這些中國小說從此就成了日本小說了!

又如,樽本氏在間接評價自己這部著作的重要性時說:「至少可以說,在這 10 年間,不論是中國還是日本,還沒有出版過值得信賴的小說目錄,這不能不讓人感到意外,與此同時,也讓我感受

到這一工作的艱鉅性。」

說中國「還沒有出版過值得信賴的小說目錄」，這種說法是武斷的，不能接受的。孫楷第、阿英等前輩的小說目錄著作姑不論，就在樽本氏所說的「這 10 年間」，中國就有好幾種小說目錄著作出版，如前述江蘇社科院《中國通俗小說總目提要》，王繼權、夏生元《中國近代小說目錄》等。這些著作均為樽著的重要資料來源，卻居然如此妄下雌黃。請問：這些中國目錄著作哪一點不值得信賴？是內容觀點錯誤嗎？那就需要舉出證據來，然而我們並未看到樽本氏的有關證據，是收錄不全嗎？這當然是有的。但是這首先是體例不同之故。如《中國通俗小說總目提要》的體例就是，一是只收通俗小說；二是只收成書的小說，短篇小說不在其內；三是不收翻譯小說；四是收錄作品的時間下限嚴格截止在 1911 年；五是不計重版再版之類。這就把樽著中巨量的內容排除在外了，兩者的絕對數量當然會有很大差異。其次，到目前為止，沒有任何一種小說目錄能夠稱為齊全無遺漏。樽本氏的這部目錄不是照樣還有遺漏嗎？還有，既然樽本氏認為這些目錄著作不值得信賴，那又何還要全部拿來作為自己的資料依據呢？

至於樽本氏說自己工作的「艱鉅性」，這當然也是存在的。但是，必須指出：樽著所依據的資料，幾乎全部來自中國學者的相關研究成果，中國學者這些大量的篳路藍縷的開創性工作的艱鉅性，絕不亞於樽本氏的「剪刀加漿糊」的工作，應該說是更有過之。如果沒有中國學者的前期成果，樽本氏能夠憑他的一己之力完成這部著作嗎？

當然，指出這些存在問題，並非要否定樽本先生的工作與成

就，總體上說，樽本先生的這一成果理應得到尊重和積極評價。同時，這樣的工作由一個外國人來完成，這也是我們中國小說研究領域的學者們應該為之遺憾的事情，因為我們已經完成了所有的基礎工作和前期準備工作，卻沒人及時把這些工作加以歸納總結，為山九仞，功虧一簣，而讓一個並未有過多少這類前期成果的日本學者搶了先鞭。教訓是深刻的。

——原刊於《閱讀與寫作》，2006 年第 1 期，頁 19－21。

國家圖書館出版品預行編目資料

當代新編專科目錄述評

林慶彰主編. – 初版. – 臺北市：臺灣學生，2008[民 97]
面；公分

ISBN 978-957-15-1407-9(精裝)
ISBN 978-957-15-1406-2(平裝)

1. 專科目錄 2. 書評

016   97010213

當代新編專科目錄述評 (全一冊)

主　　編：林　　　慶　　　彰

出　版　者：臺 灣 學 生 書 局 有 限 公 司

發　行　人：盧　　　　保　　　　宏

發　行　所：臺 灣 學 生 書 局 有 限 公 司
　　　　　　臺 北 市 和 平 東 路 一 段 一 九 八 號
　　　　　　郵 政 劃 撥 帳 號：00024668
　　　　　　電　話：(02)23634156
　　　　　　傳　眞：(02)23636334
　　　　　　E-mail：student.book@msa.hinet.net
　　　　　　http：//www.studentbooks.com.tw

本書局登
記證字號 ：行政院新聞局局版北市業字第玖捌壹號

印　刷　所：長 欣 印 刷 企 業 社
　　　　　　中 和 市 永 和 路 三 六 三 巷 四 二 號
　　　　　　電　話：(02)22268853

定價：精裝新臺幣四六〇元
　　　平裝新臺幣三八〇元

西 元 二 〇 〇 八 年 十 月 初 版

01611　　　　有 著 作 權 · 侵 害 必 究
ISBN 978-957-15-1407-9(精裝)
ISBN 978-957-15-1406-2(平裝)

臺灣 學て書局 出版
文獻學研究叢刊

❶ 中國目錄學理論　　　　　　　　　　　　　　　　周彥文著

❷ 明代考據學研究　　　　　　　　　　　　　　　　林慶彰著

❸ 中國文獻學新探　　　　　　　　　　　　　　　　洪湛侯著

❹ 古籍辨偽學　　　　　　　　　　　　　　　　　　鄭良樹著

❺ 兩岸四庫學：第一屆中國文獻學學術研討會論文集　淡大中文系編

❻ 中國古代圖書分類學研究　　　　　　　　　　　　傅榮賢著

❼ 馬禮遜與中文印刷出版　　　　　　　　　　　　　蘇精著

❽ 來新夏書話　　　　　　　　　　　　　　　　　　來新夏著

❾ 梁啓超研究叢稿　　　　　　　　　　　　　　　　吳銘能著

❿ 專科目錄的編輯方法　　　　　　　　　　　　　　林慶彰主編

⓫ 文獻學研究的回顧與展望：第二屆中國文獻學學術研討會論文集　周彥文主編

⓬ 四庫提要敘講疏　　　　　　　　　　　　　　　　張舜徽著

⓭ 圖書文獻學論集　　　　　　　　　　　　　　　　胡楚生著

⓮ 書林攬勝：臺灣與美國存藏中國典籍文獻概況——
　　吳文津先生講座演講錄　　　　　　　　　　　　淡大中文系編

⓯ 章學誠研究論叢：第四屆中國文獻學學術研討會論文集　陳仕華主編

⓰ 近現代新編叢書述論　　　　　　　　　　　　　　林慶彰主編

⓱ 古典文獻的考證與詮釋：第 11 屆社會與文化國際學術研討會論文集
　　　　　　　　　　　　淡江大學中國文學學系周德良主編

⓲ 明清時期臺南出版史　　　　　　　　　　　　　　楊永智著

⓳ 當代新編專科目錄述評　　　　　　　　　　　　　林慶彰主編